D0414400

Le remplacement

Éditions Verdier
11220 Lagrasse

Du même auteur

Jours de marché, Liana Levi, 2005
Bleu ciel et or, cravate noire, Verdier, 2009
Federico ! Federico !, Verdier, 2012

François Garcia

Le remplacement

Roman

Verdier

www.editions-verdier.fr

ISBN : 978-2-86432-848-3

J'en avais assez de la campagne. De l'herbe à perte de vue, verte été comme hiver, des chemins boueux sous la pluie, poussiéreux au soleil, des fermes éloignées les unes des autres, et, au bout des champs de seigle, des bandes de corbeaux à la cime des grands chênes pour toute distraction.

Un ciel de plomb d'octobre à mai enveloppait cette terre plate où le seul relief était la montée jusqu'au village, ses maisons de pierres grises, fenêtres serrées, le bistrot au comptoir noirci, parquet usé, et à la sortie du bourg, la crèmerie-laiterie des Retournet, l'entreprise locale, étirée en trois longs bâtiments aux toits d'ardoise, avec ses camionnettes rangées dans la cour, la mère Retournet jonglant avec papiers et téléphone dans sa cage de verre, et, dans le bureau attenant, baignés par la lumière crue des murs blancs, les mollets puissants de la fille qui n'attendaient que moi.

Le soir elle rejoignait deux amies près du pont, rires étouffés sur mon passage, propos esclaffés devant le remplaçant du docteur Gloirafeux. Contre le parapet c'était l'espace des jeunes du village, ils se retrouvaient là, en suspens, pas encore mariés, pas encore ouvriers ou étudiants, des bouts de vie empilés à ne rien faire, ne rien dire, instants ahuris qui se balançaient sur le vide.

Depuis que le vieux Gloirafeux était tombé malade et qu'on était venu me chercher à l'internat de l'hôpital, besoin de quelqu'un pour le cabinet! dare-dare! j'avais pas eu trop le temps, du matin au soir ventre à terre, faut aller chez les

Beaulavoir! la mère, une attaque! par les chemins et sur les canaux, à travers prés et maisons de la cave aux étages, ils en voulaient du jeune médecin, de la nouveauté médicale, les derniers renforts de la science, pas tellement des remèdes, non, rien, fallait pas changer le traitement, une institution, le traitement, le même depuis des années, le docteur qui l'a instauré! ils prévenaient, un avis donc, un chant différent, un regard rafraîchi sur leur misère, une oreille attentive, ça, oui! depuis tout ce temps, il nous écoute plus le père Gloirafeux! ils gémissaient, certains faiblement, vous au moins, ça fait plaisir, on peut vous parler! mais ne restez pas debout, que je vous raconte! On me forçait à m'asseoir, le mari, la fille, une voisine qui s'en mêlaient, m'entouraient, chacun son avis, tous à la fois, sacré tintamarre, et la malade qui reprenait son antienne, pas commodes les gens de la campagne, pour prendre congé, fallait de l'énergie aussi, parce qu'eux, ils n'en manquaient pas, attendez que je vous décrive! le fils jetait dans la cheminée des bouses séchées en galettes pour le feu, partez pas comme ça! des ordres ils me donnaient, ma jeunesse, ils en abusaient, je voyais bien, avec Gloirafeux, ils ne se seraient pas permis, bouche cousue, avec moi le défoulement, tous les maux, toutes les douleurs et mon pied! je vous l'ai pas montré, ma hanche, mon dos! attendez! l'oreille du petit, où il est le petit? va le chercher!

La visite du docteur, c'était l'événement au bout de cette bande de terre, et le remplaçant une aubaine, c'était leur récréation, avec mon vieux confrère ils étaient au garde-à-vous, là, ils avaient jaugé, apprécié, tâté du bout de la patte, tendre, j'étais trop tendre, pas l'expérience, ils pouvaient y aller, insister, un médicament, un certificat, c'était sans fin, la patiente restait à l'écart dans cette cohue, ce foin de tous les diables. En courant fallait que je parte, la feuille de maladie signée au vol, attendez! ils criaient encore, la mallette ouverte, je m'enfuyais le stéthoscope autour du cou, tensiomètre sous le bras, et pour mes bronches ? je sautais dans la voiture, la prochaine fois ! je finissais par une ruade, un semblant d'autorité pour la visite suivante mais ils n'en avaient cure, le docteur Gloirafeux, lui… que je culpabilise, que je me sente honteux, trente-sixième dessous, ils réclamaient du médecin, de l'information, de la parole différente de celle de tous les jours, ça y est ! chez les Beaulavoir, contact, démarrage, la portière avait claqué et les plus costauds, les plus rapides, attention les enfants ! éloignez-vous ! s'étaient accrochés au bastingage, ailes, chromes, pare-chocs, le gros, le gendre, tout rouge, dix apéros midi, dix le soir, prêt à stopper le véhicule, arrimé au rétroviseur, le moteur avait vrombi, cylindres à bloc, accélération, par miracle la Simca 1000 avait rejoint, à travers le groupe, sans écraser personne, poussez-vous ! les flaques boueuses au sortir de la cour, une langue d'herbe et de graviers qui menait, ciel ouvert, lignes grises et bleues d'un soir d'automne, entre deux lambeaux de canal perdus parmi les roseaux et les joncs, jusqu'au chemin vicinal.

J'en avais assez de la campagne, les premiers temps surtout, quand Hélène ne m'appelait pas, des jours, des semaines sans nouvelles, je m'en étais ouvert à mon copain Maurice au téléphone, insiste, Paco ! il m'avait encouragé, tu vas pas laisser tomber, tu viens d'arriver ! tiens bon ! qu'il me disait depuis son bureau en ville, bien assis, la pipe entre les dents, et puis je me suis habitué, leur accueil, leurs usages, les paysages aussi, à la longue j'ai même pris du plaisir à toutes ces randonnées.

Ils m'avaient adopté dans le village, sans façon, pas que la fille Retournet, son fessier calé sur le cyclomoteur, selle triangulaire pour plus d'assise, qui, dans la rue centrale, pétaradante, venait aux nouvelles dès que je garais la Simca devant le cabinet. Joues rouges, l'air enjôleur, elle était persuadée qu'il y avait quelque chose entre nous, un je-ne-sais-quoi au moins, sa mère qui avait dû la convaincre, le petit docteur, c'est ton genre ! le sien aussi, la belle-mère en puissance, avec une certitude comme on en a dans ces familles, en béton armé, comme on pense et pas autrement. Les laiteries Retournet, il leur fallait du docteur comme gendre, un minimum, ne te retourne pas ma fille ! n'hésite pas, c'est pour toi ! un peu anxieuse quand même, ces choses-là étaient délicates à souhait, elle devait éviter l'erreur, le moindre faux pas, et Maryse, la fille Retournet, laiterie-crèmerie, la moitié du village en rente immobilière, dot à la clé, c'était pas du sûr dans les arrière-pensées de la mère, manque de confiance en soi, d'audace, or le jeune remplaçant, futur docteur installé, plaque au mur, salle d'attente et secrétariat, faudrait pas tergiverser quand se présenterait l'occasion, pas à discuter, saisir à bras-le-corps, aussitôt, pas de désertion possible !

Marais, canaux, chemins de halage et routes forestières, j'en avalais des kilomètres, busards, éperviers dans le ciel bas et gris à l'infini, chouettes au fond des bois d'ormes et de charmes. Ils avaient compris le système, mes chers confrères du village, moi, le moussaillon, dernier arrivé, premier à l'abordage, j'étais de toutes les visites, de toutes les urgences, désigné, mandaté médecin officiel de l'immédiat dans toute la contrée. J'habitais chez l'un, chez l'autre, à tour de rôle, tantôt la mansarde sous les toits, loupiote sans abat-jour, repas froids et servitude, d'autres fois le tapis moelleux, chaleur, tentures et petits déjeuners, café, sucre, un pacha dans le bocage.

Tous bien contents de m'avoir déniché, les collègues, leurs nuits sur les deux oreilles. Quand la sirène du village retentissait, c'était pour moi, en exclusivité, je disposais de deux minutes pour enfiler mon pantalon, une veste chaude, saisir ma serviette au vol, toutes les injections prêtes, petite chirurgie, instruments, ne rien oublier, pas de retour possible dans ces expéditions. Le véhicule m'attendait devant la porte, direction l'embarcadère, on se connaissait avec les pompiers, tous des gars du village ou alentour, à force, de nuit en nuit des liens s'étaient créés, je comprenais mieux leur accent du fond des marais et eux le mien, landes de Gascogne et bords de Garonne, qui chantait et mangeait trop les mots à leur goût.

Nous stoppions devant un ponton de bois, là où le canal amorce un virage devant la mairie. Pirolleau, le chef d'équipe, appelez-moi sergent ! il m'avait dit tout fier la première fois, toujours le plus vif, détachait les amarres et allumait la grosse lanterne qu'il brandissait à la proue, vous savez, ici, dans les marais mouillés comme on dit, c'est rare qu'on emprunte les chemins l'hiver, tire un peu à droite, il donnait des ordres, le long du pilier ! là ! Les deux collègues faisaient glisser la barque sur le canal, bientôt les roseaux, les dernières maisons du bourg, de hautes herbes, nous dépassions des prairies plongées dans l'ombre, choc des perches à la surface de l'eau, bruit qui m'était devenu familier, douceur l'été, pluie et vent l'hiver, notre vaisseau avançait dans les ténèbres, droit et résolu.

Cette fois-là, au petit matin, nous filions les trois pompiers et moi, installez-vous, docteur, nous en avons pour un moment, entre des murailles d'herbes noires sur l'eau luisante, nous allons à la maison Dieupenché, au bout du canal. Les fermes se cachaient parmi les fumerolles de l'aube, traînées blanchâtres, ça va pas être facile ! a prévenu Pirolleau à la manœuvre avec sa hampe, mi-perche mi-godille, une pigouille il appelait ça, une branche, un tronc, il trouvait toujours moyen de s'amarrer, attention, toubib ! sautez pas là ! c'est que de la boue ! J'ai sauté quand même, pas la place ailleurs, les godillots dans la glaise, comme je vous l'avais dit ! il s'exclamait, professionnel, un peu rigolard, vous inquiétez pas, z'aurez pas besoin de vous essuyer les pieds là où on va !

Chez les Dieupenché, de la boue il y en avait jusque dans la salle à manger, sous la table et même près de l'âtre, plus sèche auprès du feu. Le lit de la vieille était dans un coin, quatre planches de bois sombre, un crucifix suspendu au mur et dans le lit, sous un édredon boursouflé, la tête rapetissée de la grand-mère noyée dans des volutes de draps gris.

Ça sentait fort dès qu'on les soulevait, les draps, une vraie initiation. Une douleur terrible ! a marmonné le gendre, sa jambe droite qu'est enflée depuis hier, la vieille, il y tenait, sa rente à lui, la ferme, les champs autour, le poulailler, les lapins dans les clapiers, c'était à elle, même le tracteur lui appartenait, rouillé, décoloré, qui ne marchait pas depuis des lustres, parce qu'on n'y met pas d'essence, voilà tout ! Il ne fallait pas qu'elle trépasse, il me l'expliquait à chaque visite, chaque urgence, elle morte, on peut nous expulser, ses neveux d'après lui qui se feraient un plaisir, faut qu'elle tienne le coup ! il m'affirmait, c'était pas à l'affection qu'il la bichonnait la presque centenaire, il contemplait les lambeaux de chair blanche qui flottaient encore autour des os, ça lui aurait inspiré du dégoût en d'autres circonstances, mais là, c'était sa cassette, son trésor, la tendresse, c'était pas le genre de la maison, ni de la région de toute manière, la vie trop dure sous les arbres et parmi les canaux, non, de l'attachement plutôt, un attachement terrible, atavique, charnel pour la survie de son bien, son seul salut, depuis longtemps il l'avait compris, alors, mamie, comment vous vous sentez ? dites-le au docteur ! c'est le moment de se plaindre ! il l'incitait, que je sache tout, que rien ne m'échappe, c'est bien vrai que vous aviez mal à la jambe tantôt, hein, mamie ? que je puisse réparer ça, répétez-le donc au docteur ! vite fait et au mieux !

C'était en septembre 1974, j'étais interne depuis l'hiver précédent à l'hôpital Saint-Pierre, le docteur Barbarelli, mon chef de service, m'avait averti, Gloirafeux est un vieil ami, mal en point, nous allons le prendre en observation et j'ai pensé à vous, allez-y ! foncez ! Ça ne se discutait pas, sabre au clair ! je suis sorti de la ville le soir même, des kilomètres de route nationale et aussitôt à gauche, c'était une étroite départementale bordée d'arbres, au bout d'une interminable ligne droite, le village avec le clocher de l'église comme repère, vous demanderez, on vous indiquera. La maison du confrère se situait sur une avenue dégagée, un jardinet devant, une volée de marches et un perron lui donnaient un aspect de pavillon de banlieue cossu.

Une jeune femme m'a accueilli, c'était la belle-fille, vous travaillerez avec mon mari, il est installé dans le même cabinet que son père ! ça paraissait une bonne nouvelle. À l'étage le père m'attendait, il était alité, m'observait d'un regard las et pourtant curieux, entrez ! entrez ! il m'a posé des questions, histoire de faire connaissance m'a-t-il dit, puisque mon ami Barbarelli vous recommande, c'est mieux qu'un sauf-conduit ! vous logerez chez mon fils et, au cabinet, Francine, ma secrétaire depuis vingt-cinq ans, vous expliquera tout. J'observais la commode derrière lui, deux oiseaux de bronze déployaient leurs ailes de part et d'autre d'une vasque, sur une photo ancienne un aviateur souriait, casquette sur l'oreille, sur une autre, en couleurs, deux jeunes hommes se serraient devant l'objectif, l'un, mâchoires crispées, l'autre, dégingandé et cheveux longs, mes fils ! a murmuré Gloirafeux essoufflé. Il était fatigué, le confrère, je passerai vous donner des nouvelles des patients, j'ai pris congé et suis sorti de la villa. Le soir tombait, un crépuscule inquiétant de début d'automne, traversé de stridences, des rouges, des mauves, porté par une lumière qui disparaissait au loin, un vent frais et cinglant annonçait la nuit.

Je devais commencer dès le lendemain mais je souhaitais découvrir le village avant de repartir. Je me suis approché des éclairages de la grand-rue, des façades frémissaient sous de maigres lampadaires et les vitrines désertes n'appelaient aucun chaland. Les trottoirs étaient vides, une camionnette remontait vers une hauteur au bout du village et partait s'engloutir dans l'obscurité bleutée qui absorbait le ciel. Dans l'autre sens, tout en bas de la rue, d'ultimes reflets dansaient dans l'eau du port, se débattaient encore, et je me suis dirigé vers cette dernière clarté. Aucun bruit, seul mon pas résonnait sur le bitume, un commerçant m'a fait un signe de la tête et a hélé un cycliste qui passait, puis plus rien, de l'ombre et du silence jusqu'à une devanture de magasin, au coin, juste en face d'un ponton étroit, éclairée par une loupiote, balayée par la fraîcheur du soir. Un étal de fruits débordait de raisins, reines-claudes, pommes mordorées, et, sur le seuil de la boutique, se détachait la silhouette fine d'une jeune marchande. Elle causait, voix chantante, avec un couple, s'animait, elle était à elle seule un élan de gaieté qui dépassait la grisaille de la grand-rue et son rire une salve joyeuse dans cette nuit tombante, à l'heure où les volets se ferment.

Fines particules du soir en suspens. J'aurais pu rejoindre la mélancolie des heures vespérales de ma jeunesse, me laisser aller à ce tremblement de la réalité, à ce vide oppressant dont le demi-jour s'empare. C'était, autrefois, à mon retour du lycée, un espace incertain où aucun projet ne prenait forme ni appui sur l'appel tangible d'une pensée, d'une action. Il me fallait alors m'ébrouer, me mettre au travail ou sortir pour m'échapper encore. Ici, j'aurais pu descendre jusqu'à l'eau du canal dont je percevais le murmure contre les piliers du pont, m'asseoir sur la barrière en contrebas et, dans un frisson, perdre la notion du temps, flotter doucement pour, sans souffrance, prendre la mesure de ma présence éthérée en ce lieu.

Mais le rire joyeux reprenait, il était sans excès, lançait des reflets de connivence dans la pénombre, il ancrait le réel ou ce qui en faisait office dans la lumière vacillante de l'ampoule nue au-dessus des fruits. Je me suis approché et, pour le seul plaisir d'une note chaleureuse, j'ai acheté des grappes de raisin noir, vous êtes d'ici ? ses yeux clairs riaient dans la délicatesse du visage, j'ai voulu parler, j'ai balbutié plutôt, et puis nous nous sommes salués. J'avais repris courage et je me suis éclipsé dans la nuit, convaincu que je pouvais revenir le lendemain sans crainte, la ville inconnue ne me serait pas hostile.

Je devais être à huit heures au cabinet selon le vieux confrère, Philippe, mon fils, vous accueillera, la route défilait, à la radio les Stones m'accompagnaient, *you can't always get what you want,* eh oui ! on ne peut pas toujours avoir ce qu'on veut ! a commenté le speaker, la route était luisante, les arbres gris et sans âme, *you can't always get what you want,* ma Simca ne pouvait pas accélérer, faut pas trop forcer ! m'avait conseillé le garagiste.

J'ai franchi le pont, le canal était encore noyé dans la brume, une vieille demeure, double porte, plaques en cuivre, j'étais un peu en avance. Francine, la secrétaire, m'a montré mon bureau, un antique cabinet de radiologie, l'écran de protection, le tablier en plomb, puis la salle d'examen et le matériel de petite chirurgie, il date du début du siècle, ma parole ! j'ai voulu plaisanter, il est impeccable ! elle a rétorqué, j'ai opiné, je n'en doutais pas.

Des consultations vous attendent, docteur ! elle a dit en insistant sur le mot docteur, je n'avais pas encore l'habitude ! J'ai enfilé la blouse, trop large, du confrère, retroussez les manches, ça ira comme ça ! m'a affirmé Francine, j'appelle votre premier malade ? elle désirait me conforter dans mon statut, il n'est pas un peu jeune ? j'ai entendu depuis le comptoir du secrétariat, ne croyez pas ça ! il vient de l'hôpital Saint-Pierre, il a de l'expérience ! Les patients m'avaient aperçu, je ne faisais pas le poids d'après eux, trop léger, trop jeune, ça va aller ! m'avait rassuré la secrétaire. Stéthoscope autour du cou, le marteau à réflexes dans la poche, deux stylos, bon ! je pouvais commencer !

Avec un sourire paresseux la première patiente s'est levée, est entrée, elle, c'était l'arthrose qui la taraudait, une affaire de famille, la mère, une tante, un oncle aussi, marcher qui devient difficile ! elle a soupiré, vieillir qu'il faudrait pas !

Consultations, des rhumes, des tensions artérielles, traitements à renouveler, la matinée avançait, Francine me faisait signe que ça marchait, que je ne m'inquiète pas, elle en faisait trop, Francine, tout allait bien, au suivant ! jusqu'à cet homme au teint gris, la quarantaine peut-être, difficile de savoir, il sortait de l'hôpital contre avis médical, se méfiait de moi, a tenu à me le dire, ne voulait parler qu'à Gloirafeux, ce n'est pas possible, débrouillez-vous ! il a coupé, un peu d'émotion faisait irruption, que puis-je pour vous ? vous, rien ! m'a-t-il affirmé, ce que je veux c'est que vous contactiez le docteur Gloirafeux parce que lui seul empêchera que je retourne à l'hôpital, c'est lui qui vous y a adressé, non ? ce sont les pompiers, la nuit, j'avais eu un malaise, le docteur est absent et je le remplace, il a eu un rire agacé, je m'en moque, trouvez-le ! et puis j'ai vu les yeux exorbités du type et tout a basculé, ah ! il s'est mis à hurler et a frappé des deux mains mon bureau, retrouvez-moi Gloirafeux ! vous avez compris ? il a menacé de me jeter à la tête toutes les encyclopédies, les anatomiques, les biologiques, reliées cuir, pleine peau, vous avez compris ? il répétait et moi sous l'avalanche ! ça commençait bien ! je veux Gloirafeux ! il scandait, c'était une idée fixe, il allait s'en prendre aux bocaux sur l'étagère quand, alertée par la tempête, Francine a surgi, roulé de gros yeux terrifiés et a crié elle aussi, docteur ! docteur ! elle ne savait dire que ça, mais ce n'était pas moi qu'elle appelait et au moment où l'excité allait s'emparer d'une boîte d'instruments pour la jeter dans la vitrine, avant que j'aie repris pied pour mettre fin à ses agissements, Lepreux, l'associé qui consultait de l'autre côté du couloir, est entré d'un pas autoritaire et calme, eh bien, Duchalomp ! que se passe-t-il encore ? c'est quoi tout ce bruit ? et l'autre s'est tu tout à coup, s'est immobilisé, la secrétaire en a profité pour se sentir mal, et c'est ainsi que le docteur Lepreux et moi-même avons fait connaissance.

En voilà une entrée en matière ! a souri mon confrère, venez par ici, Duchalomp ! l'autre le suivait, docile, ici, où, docteur ? dans mon bureau, alors, vous allez m'expliquer ! j'ai entendu pendant qu'il refermait la porte et me lançait un clin d'œil d'un air tout va bien ! je m'en occupe ! moi, il me fallait ranimer Francine et reprendre une contenance, c'était elle qui en avait pris un sacré coup, ce Duchalomp ! elle se désolait, la secrétaire, ça lui était déjà arrivé il y a deux ans, je crois, il n'a pas toute sa tête à lui cet homme !

J'étais furieux contre moi dans le fond, c'est allé très vite, je n'ai pas anticipé, vous ne pouviez pas savoir ! elle m'a assené, Francine, c'était bien ça le problème, je ne savais pas, le métier qui rentre ! j'ai préféré jeter d'un ton banal, pour ne pas me découvrir plus, j'en avais des fourmis dans les bras, dans la tête, de cette histoire, le rayon violence en consultation, je n'avais pas encore appris, c'était un fait.

Les jours suivants se sont enchaînés dans une asphyxie progressive, le temps de rien, trois matins par semaine, c'étaient les prises de sang, je poussais de menues portes, couleurs vives, petits carreaux, des grands-mères surtout, on m'attendait, le coton, l'alcool, serviette pour les mains bien pliée sur la toile cirée, monsieur Gloirafeux m'a toujours dit que j'avais de mauvaises veines ! il y avait un rythme de la médecine dans leur vie, fallait pas se tromper, le bon ton, la bonne distance, serrez le poing qu'on voie ça !

Nez sur le volant, je découvrais, tours et détours, les ruelles du village qui menaient d'un côté près du pont, sur le quai étroit auquel s'amarraient les barques, de l'autre à la grand-place où se défiaient le frontispice de l'église et la devanture du café des Pêcheurs.

Plus tard je m'élançais sur des routes qui sinuaient parmi les herbes jusqu'à des fermes cachées au-delà de toute vie imaginable, la secrétaire m'avait confié un plan pour les premières expéditions, des quinze, vingt kilomètres à travers les canaux et les joncs, les prairies inondées et les chemins dévastés par les fondrières des hivers précédents.

Au mois d'octobre, la nuit s'avançait de fort bonne heure. Les visites du soir se faisaient en voiture la plupart, certaines en barque pour des lieux inaccessibles. Les pompiers venaient alors me chercher, me conduisaient au port et la yole glissait sur l'eau noire des canaux que ridaient les dernières lueurs, ici, il faudra quarante minutes calculait Pirolleau, et là, une bonne heure et nous y sommes ! Après la courbe du canal, souvent la brume s'emparait de la cime des ormes et des peupliers qui jalonnaient le champ d'un côté, et de l'autre, une mare invisible où, dans le soir couchant, de concert s'éveillaient grenouilles et crapauds, à cette heure-ci, toubib, il souriait, c'est rare qu'on travaille pas en musique !

Après quelques longueurs l'embarcation s'engageait sous la voûte sombre des frondaisons qui se mélangeaient à la nuit, l'obscurité en un instant était totale, les coassements, d'autres cris d'animaux, s'estompaient derrière nous et le silence, seulement interrompu par le choc de la perche dans l'eau, ajoutait à l'atmosphère mystérieuse, on va allumer la deuxième lanterne annonçait Pirolleau, un vrai rituel. Au bout du tunnel de ramures, un ciel étoilé se déroulait par-dessus notre barque où les lumignons, à l'avant, à l'arrière, filaient sur un plan d'huile, semblaient nous protéger.

Il arrivait aussi que le téléphone sonnât en pleine nuit, docteur, une urgence ! au fond des marais ! et le fourgon passait me prendre. Cette fois-là, il était trois heures du matin, nous avons sauté dans l'embarcation, à bord, le sergent Pirolleau et deux pompiers avaient déjà tout préparé, à nouveau il a fallu traverser des courbes arborées où les hommes devaient se pencher pour éviter les branches les plus basses, en écarter pour permettre le passage, enfin la yole a débouché sur des fossés rectilignes qui parcouraient des prairies dont l'ombreuse et humide présence était plus familière. Au bout d'un bief droit et lisse, nous avons aperçu la loupiote qu'un homme agitait sur un ponton, c'est Languillon qui nous attend, on est arrivés, toubib, la croisière qui s'achève !

À peine débarqués nous nous sommes mis à tanguer sur les planches inégales, l'homme, Languillon, était sans âge, bouffi, et dégageait une odeur forte, c'est pour la patronne cette fois, il marchait tête baissée, une torche électrique découvrait le chemin herbeux sous nos pas, attention, docteur, il y a un petit gué ! il l'a enjambé, Pirolleau et ses hommes suivaient sans parler, le premier ahanant sous le poids du sac d'urgences, l'autre le brancard replié sur le dos.

Nous avons débouché sur un étroit terre-plein devant l'entrée de la ferme que délimitaient deux piliers de pierre grise, pas de portail, un chien aboyait, féroce, tais-toi ! c'était sans appel. En suivant le halo de lumières nous avons contourné le centre de la cour où luisaient des flaques dans la demi-obscurité, Languillon a frotté ses bottes à un paillasson de gros crin, ouvert une porte aux carreaux épuisés, allez-y, monsieur le docteur ! Il m'évaluait de ses yeux clairs rapetissés par l'attention, vous êtes bien jeune, il a souri, mais un docteur, c'est un docteur, hein ! il s'est avancé dans une grande salle au sol de terre battue, sur un rectangle de toile cirée, devant la cheminée, était posé un matelas à quelques centimètres de l'âtre, hé, la mère, c'est le docteur qui vient te voir ! une femme aux cheveux collés, le corps roulé dans une couverture, jetait un regard inquiet, je me suis approché, agenouillé, alors, madame, que se passe-t-il ? le visage vultueux, le souffle rauque, l'œil noir, terrible, se dirigeait vers le mari, qui t'a dit de le faire venir ? elle s'est retournée d'un bond, allez, j'ai tenté de l'apaiser, dites-moi plutôt d'où vous souffrez ! la femme ne bougeait plus, m'ignorait, je n'ai rien, rien du tout ! elle a crié, fichez-moi la paix ! je veux pas qu'on me soigne !

Languillon demeurait immobile, me laissait dans son silence la difficulté de la tâche, il s'est penché vers le sergent, vous la connaissez, vous, c'est pas la première fois que vous venez, hein ! Pirolleau fixait le corps recroquevillé sur le matelas, les touffes de cheveux qui dépassaient d'un drap rêche, j'espère qu'on aura moins de mal que d'habitude ! rien moins sûr ! a affirmé Languillon en haussant les épaules, après tout, il a jeté avec un sourire, c'est pas moi le docteur, hein, sergent ? et c'est pas vous non plus !

Dans l'atmosphère moite flottait l'odeur sure de la crasse et de l'air confiné, de l'eau qu'on n'a pas jetée sur le sol, des tables et de la vaisselle qu'on n'a pas lavées, des vêtements poisseux, des peaux pas ou mal nettoyées, ça embaume ! a protesté Pirolleau, d'un geste brusque il a ouvert la porte, j'ai besoin d'air, moi !

Une inquiétude s'insinuait que les boutades du père ne dissipaient pas, que le fatras dans la pièce aiguisait. La mère dans son refuge de draps au pied de l'âtre a laissé échapper un gémissement, le père observait un coin de la salle, l'air narquois tout à coup. Dans le lit, contre le mur du fond, sous une affiche sombre, l'une assise, l'autre emmitouflée dans une couverture, riaient deux adolescentes, les filles de la maison, allez, taisez-vous ! c'est pas le moment ! fortes et rouges, vêtues d'un seul pull-over, elles n'avaient pas esquissé le moindre repli, elles devaient dormir là avec le père, dans le lit conjugal, sous l'affiche qui, à bien y regarder, représentait le visage incliné d'une Vierge Marie. La mère, elle, couchait devant la cheminée, répudiée et réduite sans doute à toutes les tâches quand elle était valide.

Sergent, aidez-moi ! j'ai réussi à allonger la femme sur le dos, à relever une chemise de nuit maculée, le ventre était dur comme du bois, comme dans mes livres de médecine, c'était bien ça, vous avez envie de vomir, madame ? la malade était fébrile, tremblante, elle a agité la tête pour dire non, ou peut-être bien, c'était pas clair, au moins se laissait-elle examiner, respirez, madame Languillon, respirez fort ! je contribuais, j'imitais de fortes inspirations, je me donnais de la peine, ça oui ! elle a laissé échapper un léger souffle entre les lèvres, la tension était faible, le pouls au galop, elle demeurait là, immobile et sans forces, elle a gémi encore et, pour le coup, elle a vomi, un grand jet, dans un spasme, ça alors ! a crié, dégoûté, le père Languillon, il était tout rouge et embêté maintenant, il n'a plus ricané avec les filles, la malade, elle, avait des sueurs froides, je lui touchais le front, on sentait des gouttes fraîches et c'était bien chaud dessous, une brûlure de tout le corps que la peau exclamait, nous nous sommes regardés le sergent et moi, elle était perdue dans un chaos terrible, madame Languillon, ses yeux flottaient dans le vide, ne contemplaient plus rien, madame Languillon ? ah ! elle a fait comme une bête traquée dans son dernier refuge, j'ai saisi le poignet à nouveau, le pouls était petit, filant, là aussi la peau était brûlante, tenez ! derrière moi, le patron m'a tendu un torchon graisseux, je me suis relevé, j'ai dévisagé le sergent, le fermier, les deux filles qui tiraient sur leurs cheveux filasses sans rien dire, bon, il faut l'emmener, si c'est une urgence chirurgicale, c'est pas ici qu'on va opérer ! Pirolleau a soupiré, c'est sûr, mais, pour des affaires moins sérieuses, ça nous est déjà arrivé, vous savez ! vous demanderez au docteur Gloirafeux, il a eu un sourire, il a pas dû oublier, croyez-moi ! bon, vous deux, il a demandé à ses gars, vous avez entendu ? exécution ! Les pompiers ont débarrassé le pourtour du grabat, des gestes rapides, précis, ils connaissaient leur affaire, la malade était lasse, n'opposait aucune résistance, ils ont déplié le brancard, le sergent observait, allez-y doucement, elle souffre de partout, pendant que les deux hommes se penchaient vers elle, il m'a confié c'est qu'on est pas encore rendus, toubib, faudra pas traîner en route !

Dans la cour nous avons aussitôt mieux respiré, des vagues d'air frais coulaient sur le visage et emplissaient les poumons. Nous avons attaché la malade sur le brancard, une vraie momie ! vous avez l'air d'une vraie momie, madame Languillon ! a affirmé le sergent, une quoi ? elle a marmonné. Les deux pompiers à l'avant avaient compris la consigne, ça cavalait, pas de temps à perdre, le gué, le sentier herbeux, tout le chemin à rebours. Des reflets de nuit plissaient l'eau noire autour de la barque, de l'autre côté du canal, par-dessus les arbres, se dessinaient les premières traces claires de l'aube. Rapides, précis, les hommes ont installé le brancard au milieu de l'embarcation, bien calé la mère Languillon, des coussinets partout, ils la cajolaient, de la vraie compassion, y en a qu'ont jamais la vie bien drôle, a chuchoté Pirolleau, alors, un peu de soins, c'est pas de trop ! ils étaient bien de cet avis les deux collègues, ils bichonnaient la fermière mais elle ne réagissait plus, son expression se figeait dans les frimas du petit matin.

La barque a commencé de glisser le long du canal, tiens bien ta pigouille, matelot ! a lancé Pirolleau à son pompier qui, d'un mouvement régulier, plongeait sa perche dans l'eau que l'on devinait à peine. La patiente demeurait immobile, geignait de loin en loin, nous avons atteint les hautes frondaisons sous lesquelles nous nous étions engouffrés à l'aller et de nouveau avons sombré dans une obscurité que coupait mal le faisceau des lampes. Nous épiions le moindre bruit mais seul un vent léger chuchotait dans les ramures. J'ai mesuré la tension de la malade, elle chutait doucement, le pouls était ralenti, s'affaiblissait.

Au sortir de ce tunnel, branches et feuillages, une clarté hésitante encore nous a accueillis, dans sa pâle lumière argentée a jailli, battement feutré, l'aile lente et lourde d'un hibou, c'est un grand-duc, ma parole ! s'est exclamé un des gars. Nous commencions à mieux voir, à discerner les formes et les distances, à apprécier les obstacles, or, devant nous, s'en dressait un de taille ! Il ne manquait que ça ! a lancé le sergent, un tronc immense, en diagonale, barrait le cours d'eau dans une courbure du canal, s'opposait à tout passage, qu'est-ce qu'il fout là ce peuplier ? s'est interrogé le pompier, il n'était pas là à l'aller, il a scruté le canal, ses rives, les arbres alentour, c'est quoi cette histoire ? il n'y a pas eu un souffle de vent cette nuit. La yole a bifurqué, s'est arrêtée le long de la masse imposante, çà, c'est un tronc d'arbre ! a évalué un des hommes, surtout il fallait qu'il soit bien pourri pour tomber comme ça, a coupé Pirolleau, bien vermoulu qu'il était, bon ! il a donné une grande claque sur l'écorce, il aurait pu attendre deux heures de plus, tiens ! Le sergent m'a regardé, la malade sur sa civière marmottait, se plaignait à nouveau, nous allons faire le détour par le canal de Pineuilh, un quart d'heure de plus, toubib ! ça ira ?

J'ai dévisagé la patiente, le teint était verdâtre à la lueur de ma lampe frontale, je me demandais comment ça se passait à l'intérieur, s'il me restait assez de temps pour arriver jusqu'aux renforts, je l'ai examinée de nouveau, la situation empirait sans doute et la douleur montait, j'ai saisi la trousse, je vais faire une injection, bougez pas, toubib, on va vous éclairer ! le sergent a pris une lampe torche, l'a posée sur une sorte de trépied confectionné à l'aide de baguettes, pendant qu'un des hommes défaisait le harnachement de la patiente, que moi, dans une semi-pénombre, je cassais une ampoule, deux ampoules, je remontais la manche de la chemise de nuit, coton, alcool, boîte métallique, garrot vite attaché, je vais vous faire une piqûre, madame Languillon ! la malade me devinait à travers ses yeux embués.

Nous avons rebroussé chemin et rejoint la bifurcation des deux voies, une lumière grise flottait maintenant sur l'eau et le nouveau canal emprunté s'avérait plus large, ses berges plus solides, renforcées par des talus herbeux. Depuis ici, le talkie-walkie va marcher ! a estimé le sergent. J'étais impatient de partager avec un confrère mes inquiétudes médicales, allô, Papa Tango Charlie ? vous me recevez ? ça crachouillait au milieu des joncs et des branches que les premières lueurs soulignaient, ombres chinoises qu'agitait une brise de l'aube surgie du fond de la forêt.

Défense abdominale, vomissements, fièvre, j'ai tout décrit à mon collègue à l'autre bout des ondes, il notait, ok ! il a dit, on vous envoie l'ambulance du SAMU, c'est plus sûr, il y avait encore du trajet une fois accostés, l'hôpital, c'était encore vingt-cinq kilomètres de routes départementales, des contournements, des zigzags entre les canaux, les digues et les prés, en même temps qu'il m'interrogeait, que je lui faisais part de mes observations, pourtant préoccupantes, il me rassurait, le médecin des urgences, ça va aller, tu verras, elle tremble, elle a l'air choquée maintenant, j'ai toutefois insisté, c'est pas le froid au moins ? t'es sûr ? il a voulu me bousculer, un peu d'humour carabin, son genre, t'en fais pas, elle va tenir ta malade, et nous, nous faisons au plus vite, il a ajouté dans un crépitement.

Par-delà les halliers s'ouvraient deux larges prairies que le jour naissant dévoilait, gorgées d'eau, la yole avançait, nous immobiles, et se dirigeait vers l'ultime bosquet avant la route et le village. La malade, yeux fermés, semblait dormir, n'émettait plus de plainte, la piqûre sans doute. À l'amorce d'une courbure du canal, la lumière s'est obscurcie soudain et nous avons pénétré dans une zone traversée de fumerolles grises, horizontales, qui se détachaient doucement depuis l'entrée d'un bois. Au-delà d'un groupe de frênes, tiens, c'est elle, je suis sûr ! a lancé le sergent, une fumée plus compacte, rectiligne, s'échappait, Pirolleau gardait le visage fermé, une expression mystérieuse dans le regard puis amusée soudain, ce que je vous disais, docteur ! Le long du canal des silhouettes silencieuses scrutaient un espace en lisière, c'est votre concurrente, toubib ! la plus sérieuse, il a ri Pirolleau, rien à voir avec les confrères !

Derrière un buisson on apercevait un type obèse appuyé sur la carrosserie claire d'une Dauphine, bras croisés, coiffé d'un chapeau de paille insolite, effrangé, qui, d'un signe du menton, accueillait les clients sur le sentier bordant le canal. Pas d'autre voiture, des vélos, cyclomoteurs, tous entassés plus loin au pied d'un arbre, celui-là, c'est le gendre m'a expliqué le pompier, vous allez voir comme il les commande ! et tous ces moutons à se faire tondre !

La femme, elle, ne m'est apparue qu'une fois notre barque avancée, dans un mélange de brouillard et de vapeurs qui s'échappaient d'une cabane, la mise en scène est assurée, croyez-moi ! a dit le sergent, à l'intérieur, feu de bois et lanternes ! Elle a redressé la tête à notre passage, crinière de cheveux blancs qu'irisaient les premiers rayons, un châle sur les épaules, bras écartés, elle nous toisait. Le gendre, lui, se moquait sans finesse, le sergent Pirolleau gardait le cap, ne bougeait pas, un des hommes a sifflé, bien organisé leur petit commerce ! Les habitués de la sorcière comme ils l'appelaient ici, n'ont prêté aucune attention à l'arrivée de notre barque, ni même tourné la tête, elle les fascine, docteur, a soupiré Pirolleau, plus que vous ne le ferez jamais, avec aucun malade, sans vous manquer de respect, croyez-moi, et, chez elle, a ajouté un des gars, ils ne sont pas remboursés par la Sécurité sociale !

Dans le village, les commerces, au café, tous parlaient d'elle. Des patients avaient eu de curieuses réactions à l'écoute de mes recommandations, je devais contrevenir sans doute, j'avais découvert des signes étranges, des traces de crayon, sparadraps ou cotons imbibés sur des dos, des épaules, diverses parties du corps, c'est quoi ce coton ? des scarifications parfois, ils ne répondaient pas, le visage se fermait, la conversation terminée, vous ne voulez pas me dire ? Lorsque j'ai été un peu rodé, mieux accepté par les gens du coin, j'ai effectué des tentatives, insisté, non ? vraiment ? au lieu d'une expression hostile, ça se traduisait par un sourire gêné dans un silence, pas plus. Ils pouvaient mettre en doute ma science qui leur était bien étrangère au fond, ils ne nous croient jamais tout à fait, m'avait confié Gloirafeux, le confrère malade, faudra pas vous étonner, tandis qu'elle, ici, elle fait partie de la famille, des us et des coutumes, la tradition ! ils ont connu la mère, la grand-mère, guérisseuses toutes ! y a pas à lutter sur ce terrain, pas la peine ! il avait soupiré, ici, nous faisons notre travail et ramassons les urgences mais si, dans ces cas-là, elle se dérobe, notre amie, ils ne lui en tiendront jamais rigueur, mettez-vous ça bien dans la tête, elle appartient à leur vie et ils l'excusent de tout, vous voyez ? il était blasé Gloirafeux, amusé presque par une telle concurrence, je vous concède qu'ici les mœurs sont surprenantes, n'est-ce pas ? il m'avait regardé du coin de l'œil, ce jour-là n'en avait pas dit plus.

Dans le groupe à demi caché par les nuées, comme recourbé sur la pénombre, j'ai deviné des visages croisés à la consultation quelques jours plus tôt, le sergent m'observait, ils viennent pour une confirmation, docteur, entre vous et eux, il y a un fossé, vous n'y pouvez rien, jamais tout à fait confiance, c'est comme ça, votre diagnostic, c'est pas du tout cuit avec ceux-là. J'en voyais qui m'ignoraient, d'autres qui, dans leur docile attente, m'avaient déjà oublié, d'autres encore, les plus fins, qui tiraient sur leur capuche ou leur casquette, relevaient le col, pas si fiers d'être là, pas envie que je les reconnaisse, le commis de l'épicerie avec qui je plaisantais, je parlais foot pendant la dernière consultation, et, pire que tout, le laborantin de la pharmacie, le manieur de thériaques et de poudres d'apothicaire qui, tradition oblige, croyait plus aux élixirs de la bonne femme qu'à ses propres fioles.

La barque a dépassé cette assemblée surgie de l'obscurité et du brouillard entre abandon aux mystères de la forêt et ténèbres familières de leur histoire. Cette femme, à la fois crainte et louée, leur tenait un discours d'autorité et d'équilibre dont les mots les confortaient, résonnaient en eux plus fort que mes certitudes scientifiques dont la présentation ne devait guère éclairer leur route. De leur fidélité à ces pratiques qui franchissaient les années, les générations, ils étaient récompensés par le mot, le geste, justes pour eux, qui les intégrait à leur famille, leur communauté, peu importe m'a confié le sergent, que ce qu'elle dit soit vrai, à leurs yeux ce sera toujours plus réel que vos diagnostics les plus exacts, je contemplais cette chaîne de pèlerins attentifs et soumis, il avait raison Pirolleau !

Le matin suintait maintenant, le pâle et jeune soleil d'automne, au-dessus des lignes bleues des arbres au loin, projetait jusque dans les chemins crevassés les ombres interminables de hauts pins ciselés.

Ça y est, la dernière ligne droite ! s'est exclamé le pompier. Au bout du chenal que coupait un pont ancien de pierre grise, des voitures se croisaient sur la route, la journée qui commençait. Il nous restait quelques encablures jusqu'à un terre-plein où se détachait la tache blanche de l'ambulance. La malade a dû le sentir et s'est ranimée, on arrive bientôt ? elle a demandé dans un murmure, nous y sommes presque, je me suis penché, on va s'occuper de vous à l'hôpital, ce sera plus confortable. Elle a tourné les yeux vers les derniers peupliers qui longeaient le canal, sa figure était paisible, n'exprimait rien de son espoir ou de sa mélancolie.

Les nuits blanches au fil des canaux, les fermes reculées, la boue, la misère, l'inceste, tous les drames palpitant au fond des marais, ce n'était rien. À peine remis des urgences de la nuit, un café, deux, trois, la douche, docteur, il faut vous rendre chez les Gratineau, les quincailliers ! Gisèle, la bonne, me glissait la consigne, et monsieur Gloirafeux fils ne peut pas y aller ? ce sont des patients à lui, non ? ses pupilles noires accéléraient, à droite, à gauche, terrorisées, c'est-à-dire, soufflait-elle gênée, il n'est pas encore prêt, et il préfère que je m'y rende, c'est ça ? c'est ça ! elle souriait presque, elle était bien embêtée, Gisèle, mais fidèle, même quand il exagérait le fils de la famille, de caprice en caprice il avait grandi, les études sans difficulté, choyé à la maison, gâté, c'est sûr, elle haussait les épaules, à bout d'arguments, la vieille servante, il a toujours été comme ça, elle me jetait un regard, sa mère lui a tout passé. Je ne voulais pas la tracasser plus longtemps, Gisèle, ne vous inquiétez pas, je vais aller les visiter, les Gratineau, c'est vrai, quoi ! monsieur n'est pas encore prêt et moi je suis tout habillé de cette nuit, allez, donnez-moi un café, j'y vais !

Ce qui coûtait, c'était la vie chez le couple Gloirafeux jeunes, j'étais sans cesse en porte-à-faux avec ces deux-là ! aucune initiative qui ne convînt, ça râlait toujours dans mon dos, pas un échange satisfaisant et une façon de traiter le remplaçant qui en disait long. J'aurais dû me sentir coupable par simple insinuation, rien n'allait, tout de travers, et par ma faute, sûr et certain, suffisait de contempler leurs visages faussement consternés, l'agacement réprimé, je n'étais pas dans le style, voilà tout !

Le plus souvent on ne m'attendait pas pour dîner, ça, non ! un léger sourire du confrère, tu vas encore manger froid, mon ami ! et si je montrais du dépit, mais qu'es-tu allé te perdre chez les Perdrolant ! s'écriait-il, dans ces fermes du bout du monde ! l'œil pétillait derrière ses lunettes cerclées, et à cette heure en plus ! mais c'est toi qui m'as demandé d'y aller, non ? j'objectais, ah ! c'est vrai ! il s'esclaffait, jetait un regard à son épouse, tu aurais dû refuser, forcément, tu ne pouvais pas être de retour à l'heure pour le dîner ! Je me taisais, la lassitude, exaspéré tout de même, moi, continuait-il, je me demande si j'aurais accepté, l'épouse, bras croisés dans son canapé, pouffait, je te connais, sûr que tu n'aurais pas marché ! qui sait ! qui sait ! quelques francs à grappiller, hein, Lorca ! il m'interpellait goguenard, le bien nourri, déjà reposé, nous sommes tous pareils, non ? Je restais là, debout à les contempler, ils formaient un sacré tandem, ces deux-là, vautrés sur leur siège, vieux déjà, avec juste une petite flamme du côté de l'argent à gagner, de la fortune à acquérir, ils n'avaient même pas de désirs de conquête sociale, de rêves mondains, l'argent, juste l'argent, ça les travaillait cette affaire, ça brillait dans leurs yeux et dans leur indifférence au reste, tout le reste, je demeurais là, planté devant eux, ma serviette à la main, je me tournais vers leur téléviseur, un présentateur bien peigné leur expliquait la marche du monde, les nouvelles sont bonnes ? je les toisais pour la forme, afin de ne pas perdre la face, parce qu'ils m'épuisaient lentement avec leurs manières, les impôts vont baisser ? j'insistais, mais leur regard était neutre, leur sourire retombé, ils étaient dans l'absence, inatteignables, ils avaient déserté.

Les Gratineau, c'était dans la grand-rue, les quincailliers du village, de tout on trouvait chez eux, de la fourchette au soc de charrue, et de l'arrogance en prime. Avec les Retournet, ils étaient entrés depuis des années en compétition ouverte, sourires et amertume bien sédimentée en expressions figées et orgueil mal placé, dans cette campagne pleine de misère et de chemins chaotiques, au milieu de ces âmes rassemblées dans un bourg noirâtre où l'ennui s'épuisait, ils auraient voulu régner les uns sur les autres, la question de l'importance qui était en jeu, faite d'un mélange subtil de simplicité, apparence, vêtements, véhicules, et de supériorité affichée, immeubles et terres, manières et suffisance. Les femmes, maîtresses femmes disait-on, s'affrontaient par propos dispensés à bon escient, jugements impitoyables sur la rivale, le magasin d'outils dans la grand-rue, la laiterie au bout du village, résonnaient de paroles assassines, chez ceux-là jamais un outil qui marche ! leur lait qu'est pas frais, ils le font venir d'ailleurs ! propres à disqualifier l'autre famille pour des générations.

Il me fallait débuter mes visites par les quincailliers, ils n'auraient su attendre. Dès l'entrée le carillon de la porte suggérait une douceur de vivre trompeuse dans ces contrées. Le magasin était profond, traversé par une allée centrale et plongé dans une pénombre où rutilaient des reflets métalliques. Le parquet, noir et poussiéreux, corroborait l'inscription *de père en fils depuis 1905* et, seule clarté, les néons au fond de la pièce illuminaient le comptoir et la caisse, c'était là que ça se passait.

Le mari était un taciturne, on m'avait prévenu, un hochement de tête sous sa casquette à carreaux, c'était tout, madame Gratineau, elle, a pris les choses en main, ah ! voilà notre petit remplaçant ! Ça la réjouissait d'avance cette visite médicale, le visage s'enflammait sous le maquillage, le rimmel alourdissait les paupières, à la lueur du néon le fond de teint prenait une couleur brique, Raymond, mon chéri ! elle a convoqué son mari, le patron, c'était beaucoup dire, viens avec nous, s'il te plaît ! le docteur a besoin de toi, les yeux pétillaient, ne me lâchaient pas, la bouche s'entrouvrait, *Fellini Roma* ! un éclair m'a traversé devant cette poitrine énorme, cette masse corsetée dans son tablier à fleurs, le sourire montrait des dents redoutables, brillant sous le carmin des lèvres, la pupille était fixe, dictatoriale, entrez, docteur, je vous en prie ! je vais vous expliquer tout ça, se retournant, sourire encore plus large, Raymond, ne faisons pas attendre notre petit docteur !

L'homme à la casquette, à la blouse grise, au regard éteint, s'est détaché du comptoir, un vrai souriceau, et nous a suivis dans la cuisine qui servait d'arrière-boutique, son épouse a refermé la porte derrière lui, mouvement d'aise dans la grâce du poignet replié, alors, docteur, mon mari va vous expliquer, allons ! elle s'est irritée, un peu de courage, Raymond ! l'autre, le souriceau, me dévisageait, accablé, dis à notre médecin ce qu'il t'arrive ! il m'observait encore, un reflet de détresse est passé dans son regard, la patronne a laissé un silence, non, Raymond ? rien, vraiment ? bon ! puisqu'il le faut, je vais le dire, moi ! voilà ce qui se passe, mon mari ne parvient plus à uriner, docteur, elle a confessé en inclinant la tête, elle paraissait désolée d'une telle catastrophe, il ne peut pas rester comme ça, vous comprenez ? J'affichais une mine de circonstance, un peu d'empathie tout de même, oui, oui, j'ai fait, je me suis tourné vers le mari, il était au supplice, ça se voyait, le teint gris, l'œil humide, il aurait souhaité disparaître à l'intérieur de sa blouse, ne plus exister, n'exagérons rien ! il a balbutié au bout d'une longue minute, une gêne tout au plus ! on ne va pas en faire un drame ! et puis il m'a dévisagé, a semblé me découvrir, il s'est assis sur le rebord d'un buffet ancien comme pour y puiser sa force, pour prendre son élan, de toute manière, il n'est pas question que vous m'examiniez! il a explosé, il s'arc-boutait, soudain acculé! plus rien à perdre! il se défendait, Gratineau, plus un regard pour son épouse, plus de formule de politesse à mon égard, vous m'avez bien compris? il a insisté, le ton coléreux, l'index tendu, mais, Raymond, s'est offusquée la quincaillière, qu'est-ce qui te prend? elle m'observait, implorait mon aide, pour te soigner, il faut bien que l'on explique au docteur! hein, docteur? Lui se taisait, hostile, il attendait la suite, si vous me disiez vous-même, j'ai souligné avec le plus grand calme, ce qui vous tracasse, nous pourrions peut-être déjà avancer, il me dévisageait, bras croisés, nous déciderons ensuite, vous voulez bien? j'ai ajouté, bon! je me lève plusieurs fois la nuit et il m'arrive d'être pressé dans la journée, il a lâché encore exaspéré, mais rien de grave! il s'est redressé, le conseiller municipal, premier adjoint, soudain plus autoritaire, et il a levé le menton, alors, si vous avez une pilule pour soulager tout ça, il m'a gratifié d'un sourire, hop! hop! et on n'en parle plus! il a même frappé dans ses mains tant l'affaire était conclue et la solution trouvée, je me taisais, son épouse me guettait, comment allais-je me dépêtrer de cette histoire? un test pour moi, elle satisfaite, tout le village le saurait, le petit remplaçant, il se débrouille! à l'inverse, au moindre mécontentement, elle ne manquerait pas de faire connaître à la population ma notoire incompétence, consternant! vous ne pouvez pas savoir! si vous permettez, monsieur Gratineau, je ne crois pas que ce soit si simple, moi c'est ainsi que je vois les choses! il m'a rétorqué, il campait sur ses positions, le diable, Raymond, je t'en prie! l'épouse jouait la conciliation pour le moment, laisse le médecin donner son avis tout de même! j'ai voulu insister, je crois qu'il faudrait passer quelques examens, monsieur Gratineau, mais là, pas question! il a rugi, la cuisine en a tremblé, même si dans un premier temps, et je comprends vos réticences, j'ai assuré, on pourrait au moins tenter un premier traitement, voilà ! c'était moi qui cédais, la paix était en marche, qu'est-ce que je vous disais ! il a triomphé, eh bien ! commençons par là et puis nous verrons ! d'accord ? d'accord ! j'ai soufflé, allez, tiens, toubib, prenez-moi la tension ! une concession qu'il faisait à l'art médical, il a retroussé sa manche, soudain détendu, treize-huit ! j'ai annoncé, comme si c'était la meilleure nouvelle de la journée. Il n'y avait que les yeux de madame Gratineau qui, eux, ne riaient pas, elle n'en avait pas terminé avec moi, c'était sûr.

Son mari aussi l'avait remarqué et aussitôt choisi de s'échapper, une réunion à la mairie ! il ne souhaitait pas connaître la suite, madame Gratineau examinait ses ongles vernis, ne t'en va pas comme ça ! elle pinçait les lèvres, lui, avait remis sa casquette, m'avait déjà serré la main et empoignait le loquet de la porte quand elle a affirmé, théâtrale, nous avons encore des choses à dire au docteur, tu ne crois pas ? Là, il est devenu cramoisi, le quincaillier premier adjoint, je n'ai pas le temps ! il a grogné, comment, tu n'as pas le temps ? elle a froncé les sourcils, croisé les doigts, la tension se lisait, extrême, sur son visage, sa poitrine montait et descendait au rythme de son indignation, eh bien, tu vas le prendre, mon ami ! Ses yeux fusillaient l'époux que la détresse et la colère envahissaient pêle-mêle, je crois que nous n'avons pas tout raconté au docteur, n'est-ce pas ? j'ai senti le mari se liquéfier en quelques secondes, ses jambes se dérobaient, il s'accrochait au loquet et aurait voulu à l'instant fuir, quitter sa femme, sa famille et la région, vendre cette quincaillerie de malheur, à n'importe quel prix, et démissionner de son poste à la mairie, tout abandonner et partir dans d'autres contrées, loin, très loin, sous des cieux paisibles et inconnus où personne ne le connaîtrait, personne ne l'embêterait, ne le persécuterait, ne violerait sa dignité et son intimité, je n'ai pas envie d'en parler !

a-t-il bafouillé, sa lèvre inférieure tremblait un peu, parlons-en justement ! elle a insisté madame Gratineau, sanglée dans sa conjugalité outragée, dont les yeux dardaient mille feux qui emprisonnaient son mari, le clouaient au sol, le tétanisaient, eh bien, parle ! l'injonction comme une flèche, lui a hésité une seconde, jamais ! il a répliqué, jamais ! tu entends ? Moi, je m'étais assis, j'assistais au combat en silence, d'un côté, de l'autre, attaque, contre-attaque, ça bardait chez les Gratineau !

La patronne a esquissé une moue où on lisait l'humiliation, le désarroi, la peine et la révolte, les lèvres peintes s'étaient rapprochées en forme de cœur pour libérer l'aveu si difficile, vous êtes jeune, vous, docteur, elle a attaqué, vous ne pouvez même pas imaginer que la vigueur vous abandonne mais, hélas, elle a tourné la tête vers son mari, en prenant de l'âge, elle a levé les yeux au ciel, le corps chez certains hommes, ce n'est pas moi qui vais vous l'apprendre, a-t-elle accordé conciliante, peut connaître des défaillances et les hommes m'a-t-elle appris, ont bien du mal à admettre ces choses-là, ah ça, oui ! eux jamais rassasiés quand ils sont jeunes, voilà que, sans crier gare, pfuit ! fini ! la panne ! non pas que ce soit un problème vital, elle tenait à m'informer de sa largesse d'esprit, de sa bonne éducation, mais tout de même, comme ça ! d'un coup ! et elle a passé un doigt sur sa gorge déployée, couic ! terminé ! alors nous, les femmes, il faut qu'on s'adapte et, d'un air inspiré, pendant que le mari avait glissé le long de la cloison afin de s'asseoir sur une chaise, elle a lancé, après la canicule, la période glaciaire ! voilà notre destin ! et du jour au lendemain ! elle a longuement respiré pendant que sous la casquette le visage du quincaillier déficient disparaissait, alors, vous permettez ! elle a grondé en rassemblant sa puissance naturelle dans une intonation courroucée, il nous en faut de la patience, je vous prie de croire ! Jeanine, je t'en prie ! on a entendu murmurer contre la cloison, là-bas, derrière le buffet ancien, il n'y a pas de Jeanine! elle a protesté la patronne, pourquoi tu vas raconter tout ça? la défaite était cinglante, il était assis, l'adjoint au maire-notable, mais au tremblement de sa voix, on l'aurait cru à genoux, Jeanine! il a imploré encore, elle a bon dos, Jeanine! j'ai entendu claquer, mais, enfin, si on vous raconte cette... nous dirons, difficulté, docteur, c'est que nous comptons sur vous pour remettre un couple désormais en péril sur les rails, voilà!

Pas plus, pas moins! à l'heure du café au lait et des mâtines qui sonnent, moi qui étais venu pour une urgence, la belle difficulté qui m'échoyait! ça n'est pas si facile, j'ai biaisé, le regard de madame Gratineau à cet instant ne me lâchait pas, il faut remettre les choses dans leur contexte, j'ai tenté comme sortie, quel contexte? elle a aussitôt protesté, le mari a commencé à me considérer d'un œil intéressé, sans que la complication soit définitive, j'ai poursuivi d'un ton serein, l'homme, à l'âge de votre époux, peut connaître lors d'une période de fatigue, de sérieux mais, j'insiste, provisoires empêchements. Les deux époux m'observaient en se demandant où j'allais en venir, il est vrai que je prenais mon temps et noyais le problème dans des circonlocutions interminables, cela me permettrait peut-être de dissoudre dans un propos alambiqué ma propre impuissance à résoudre leur cas fort épineux. J'étais persuadé de comprendre là où seule l'expérience le permet, empathie presque impossible dont pourtant mes deux quincailliers ne doutaient pas et que, malgré leur esprit soupçonneux, ils réclamaient à cor et à cri, allons, allons, docteur! ne me dites pas que vous n'avez pas dans votre pharmacie une pilule qui pourrait, comment dire, encourager mon mari de temps en temps! Au moins c'était direct, c'est rare, je me disais, la morale, la pudeur, mais elle, la patronne, non, ça ne la gênait pas, il fallait trouver une solution et en avant! le problème sur la table! et pas par quatre chemins! il existe bien sûr des remèdes, j'ai courageusement poursuivi, à cet instant ont surgi en moi les fresques de carabins qui décoraient les murs de l'internat à l'hôpital Saint-Pierre, plutôt que mes manuels de médecine, je voyais le gnome en érection qui, sur les parois de notre réfectoire, vantait les vertus de la yohimbine, le médicament des fragilités sexuelles, avec Yohimbine, c'est fou c'que j'trombine ! avait inscrit un de mes collègues, il avait même signé et daté, il existe des remèdes, j'ai repris, cependant il faut reprendre le problème sous d'autres angles, j'ai aperçu les yeux du quincaillier qui s'adoucissaient voyant les perspectives de bérézina, d'humiliations, s'éloigner grâce à mes assauts de diplomatie, je me suis engagé, devant la mimique perplexe et figée de la patronne, dans l'évocation des bienfaits du calme, du repos, de la relaxation, avez-vous déjà essayé le yoga ? j'ai tenté à la limite d'une impertinence contenue sous un visage grave et médical. Là, le quincaillier, ça l'a décontenancé, voilà que l'entretien déraillait à nouveau ! c'était bien mon avis et cette histoire commençait à m'ennuyer, j'allais prescrire et puis partir, en courant même, au cas où la quincaillière en chef me poursuivrait à la recherche d'autres conseils médicaux et de garanties exigées, déjà je rédigeais l'ordonnance tout en marmonnant des propos lénifiants, c'était fini, je ne voulais plus rien donner, ça va passer, vous verrez ! ah ! elle a bondi, pour passer, c'est passé ! elle ne lâchait pas prise, madame Gratineau, maintenant qu'elle avait planté le problème au centre de la pièce, elle ne comptait pas abandonner aussi aisément.

Nous en étions là à nous examiner tous les trois, chacun espérant trouver une issue, surtout Gratineau et moi, elle, l'épouse, c'était plus complexe, elle voulait de la médecine miraculeuse, la rédemption et puis la résurrection de son mari, l'allégeance du docteur aussi, je prenais mon expression de calme et d'attente afin d'enchaîner sur le clac du départ, mais elle avait installé entre la porte et moi la masse compacte de son corps où le va-et-vient de ses énormes seins témoignait de son émotion, pas loin d'être à son comble en cette minute ultime où je la sentais prête à donner l'assaut de nouveau, ça n'allait donc jamais finir ! Le mari, lui, temporisait en se grattant le sommet du crâne comme s'il cherchait un arrangement, il avait l'air indifférent maintenant que l'heure de l'affront était passée, madame Gratineau a repris son souffle, bien ! faisons le point ! elle a exigé quand, dans un bruit de tonnerre, la porte du magasin s'est ouverte et a surgi le visage rond, rouge, illuminé, d'un jeune homme, vous êtes le docteur ? venez vite ! il y a un blessé au garage d'en face ! La quincaillière, d'un geste du poignet, en rétrécissant la bouche, docteur, je vous présente François-Régis, mon fils ! s'apprêtait à entamer les mondanités et en a été pour ses frais, venez vite ! a répété le fiston tout en sueur, j'avais déjà saisi ma mallette, vite ! vite ! nous avons filé par l'allée centrale, je le regardais courir à pas lourds devant moi, la rondeur de ses formes, le cou, les bras, tout rappelait sa divine maman, le patron, lui, s'est esquivé, casquette à pompon sur la tête, il a glissé vers le magasin, le long du comptoir, on ne l'a plus revu.

On entrait dans la forêt par des trouées feuillues, les arbres se courbaient sur le parcours, tamisaient de leurs plus hautes branches la lumière, l'étouffaient presque par temps de brouillard ou de nuages bas. Le ciel n'éclairait qu'un vaste terre-plein devant la ferme des Gemilleau.

Le mardi, en fin de matinée, je me rendais auprès du grand-père qui avait perdu la parole, quelques mots lui restaient, et l'usage d'un bras, une attaque il y a trois mois, m'avait expliqué la belle-fille, il mangeait trop, cet homme, elle paraissait dans une même inflexion de la voix indifférente à son sort et attachée à lui par les liens du devoir et de la fatalité, pour la bibine aussi, il était pas en reste, et maintenant, voilà ! en plus des travaux de la maison, faut qu'on s'en occupe ! elle le contemplait entre colère et compassion. Lui dévisageait sa bru d'un œil fixe et larmoyant par-dessus sa joue effondrée, faites pas cette tête-là ! elle ajoutait, vous savez bien que ce que je dis, c'est vrai ! allez, monsieur Gemilleau, montrez-moi ça ! je ne prolongeais pas le dialogue, le cœur, la tension, les pulsations, des gestes brefs pour les progrès neurologiques, je filais sur le médical, suivez mon doigt sans bouger la tête ! tendez les bras ! ça prenait du temps, ça le distrayait, le père Gemilleau, le docteur Gloirafeux ? il me demandait en bafouillant, une vieille entente qui devait unir les deux hommes, il reviendra, je rassurais, le ton joyeux, lui aussi est malade, vous le savez, mais il est comme vous, il va mieux !

Quand je rejoignais en voiture la lisière, souvent, dans un fourré, je rencontrais la mobylette bleue des filles Languillon, sans leur père cette fois, je les voyais qui rêvaient là, au soleil, une tige d'herbe à la bouche et la jupe courte et colorée qu'elles voulaient aguicheuse. Sur ce chemin perdu qui menait à la route, j'avais remarqué un va-et-vient surprenant de vélos, cyclomoteurs, bérets, casquettes, tous des hommes, et ils n'allaient pas tous chez Gemilleau ! Les deux filles se relayaient au bord du fossé, rieuses, impertinentes, d'autres bicyclettes dans les buissons, une vraie clientèle ! Vous ne vous étiez douté de rien ? m'a lancé incrédule le sergent Pirolleau lors d'une sortie nocturne, et le père ? j'ai demandé, lui, au mieux, il ferme les yeux, mais il faudrait voir si c'est pas plus grave, il guidait sa barque sur l'eau lisse et noire, prenait appui sur sa perche, en fait, les gendarmes s'en occupent, mais à la façon d'ici, j'observais pensif la lanterne fixée à la proue, lentement ! lentement ! a murmuré Pirolleau.

Un matin, au cabinet, je m'en suis ouvert, non pas au fils Gloirafeux, mais à Lepreux, l'associé, je suis au courant, ici, c'est délicat, prudence ! il a multiplié les consignes, diplomatie toujours, j'en parlerai au grand-père, c'est lui le chef de famille, lui qui peut faire cesser ça, il a réfléchi, le confrère, faut à tout prix éviter le drame, pour ce qui est, disons, des relations familiales particulières, certains ici trouvent cela sinon normal, du moins habituel, vous comprenez ? ça s'est toujours fait ! ils vous répondront, mais si cela venait sur la place publique, le déshonneur serait pire que tout, quant au reste, c'est sérieux, en ce moment, je le sais, la noria des filles Languillon bat son plein, m'a confirmé Lepreux, ça a débuté l'hiver dernier, à peine nubiles, le père les a mises dans son lit, l'année suivante, il les a envoyées courir dans les buissons, tout en me parlant, il feuilletait un dictionnaire médical sans y prêter attention, ce type est un bon à rien, un fainéant, heureusement son frère est là qui travaille pour deux sur l'exploitation, mais cette situation l'exaspère et il n'y aurait pas le père, un vrai patriarche, sans cœur mais avec plus de sens moral que son fils cadet, pas difficile! j'ai coupé, eh bien! les frères en seraient venus aux mains plus d'une fois, je vous le garantis! à plusieurs reprises, il a poursuivi, les choses ont mal tourné, Gloirafeux ou moi, on nous a demandé, le village ou même la famille en dernière extrémité, de trancher dans des circonstances périlleuses, les filles partaient avec des types louches qui n'étaient pas d'ici, le père qui ne venait au bistrot que pour recruter des clients, toi, elle te connaît, va la voir, elle sera contente! Nous parlions tous les deux, le soleil d'hiver entrait par la véranda de la salle d'attente, c'est ce genre de propos, a repris Lepreux, qui pourrait lui valoir de sérieux ennuis à la longue, j'ai entendu le brigadier en parler et je crois qu'ils ne vont plus en rester au stade de la mise en garde, de toute manière, il faut mettre un terme à tout ça! il m'a tapé dans le dos, alors, bienvenue dans le marais, cher ami! il m'encourageait, Lepreux, se montrait bienveillant, vous viendrez vivre à la maison le mois prochain, il classait des dossiers, l'air distrait, au fait, ça se passe bien chez les jeunes Gloirafeux? je n'ai pas répondu, vous verrez, vous serez bien chez moi!

À l'autre extrémité, au bout du long canal qui sortait du village, se tenaient les rassemblements pleins de fumées et de rites charlatanesques de ma concurrente, la guérisseuse. Dès mon arrivée, j'avais pris l'habitude de m'arrêter au café des Pêcheurs, sur la place. La salle était mal éclairée, chaises et tables de bois, long comptoir où s'appuyaient les hommes, quand j'entrais les visages et les conversations se figeaient, seule la patronne m'avait accueilli, voilà notre nouveau docteur! c'est bien ça? l'assemblée m'avait considéré avec un mélange de méfiance et de crainte, sans répondre à mon bonjour toutefois, j'avais tenté d'entamer le dialogue, vous savez si c'est loin Perrinand ? la meilleure route ? par là ! m'avait répondu un vieux, casquette et vareuse, qui n'était plus pêcheur depuis longtemps. La patronne, une forte femme celle-là, agitait sa chevelure blonde décolorée dont les boucles fusaient en couronne, éclatantes dans la pénombre. Les vieux ivrognes au comptoir l'admiraient, attendaient, entre deux cafés-rhum, un conseil, une parole aimable, dite de façon bourrue si possible, tu me l'as déjà demandé trois fois, Germain ! tu as compris ce coup-ci ? et les yeux mouillés d'alcool riaient en silence et jamais ne se vexaient.

Au début, je n'avais pas prêté attention aux propos murmurés, faces bougonnes, t'y vas-t-y, toi ? aux phrases si peu articulées que j'avais cru à un patois local, j'y va donc si t'y vas ! l'ai pas peur, moi ! marmonné, la cigarette au bout de la lèvre et la lèvre, elle, immobile. Les intonations pourtant respiraient le secret, les hommes se penchaient, lançaient un coup d'œil par-dessus l'épaule, et quand une expression montait, c't'homme étions bien là, moi-même, à cinq heures ! plus forte, plus distincte, dans la salle, *puisque les médecins y avont tous perdu leur latin,* j'entendais Molière, *un habit jaune et vert ! c'est donc le médecin des paroquets ?* joué pour moi seul sur le plancher du café des Pêcheurs, place centrale, tout au bord des marais.

C'est-y que c't'homme avions attrapé accident ! point d'autre moyen ! ça sonnait clair tout à coup et sombrait à nouveau, des hauts, des bas, dans la confidence grommelée, fallait tendre l'oreille, ma présence en plus très peu désirable, depuis le début j'aurais dû comprendre, de santé on causait, de bras, de têtes, d'infections, fièvres et malédictions, pendant que la patronne me lorgnait d'un œil fixe et, dans un tintamarre de soucoupes et de tasses jetées dans l'évier, couvrait les voix de tous les conspirateurs.

Au fond de la salle, une assemblée de notables, regroupée autour d'une table ronde, se détachait des autres clients, ce matin-là, plusieurs m'avaient salué en entrant, comment va notre nouveau docteur ? alors, vous vous faites au pays ? ne s'étaient pas attardés, faut du temps ici, faut du temps. L'œil brillant, les joues rouges, ils causaient, componction, parole basse, des bribes me parvenaient, le bruit du café, les voix des clients, noyaient le reste, il était question de municipalité, la route des Boucholeurs qui n'est point terminée, les travaux d'assainissement, le mot était prononcé avec gravité. Autoritaire et corpulent, le père Retournet, la laiterie en gros, menait le débat, s'exprimait avec calme quand, derrière moi, avait surgi la casquette de Gratineau, le quincaillier, qui rejoignait les autres, l'air guilleret, satisfait de me rencontrer ailleurs que dans son magasin, dites-moi, toubib, vous fréquentez ces lieux de perdition ? Il était le premier à m'adresser un sourire hormis celui de la patronne du café qui, entre respect et mise à distance, me montrait une rangée de ses plus belles dents.

À la table, la conversation s'attardait sur la guérisseuse, qu'ils appelaient la femme du saule pleureur, ses effets magiques, son influence sur la vie de ces messieurs et la politique locale, qu'on le veuille ou non, nous aurons besoin d'elle ! avait même soufflé le vieux Retournet, les autres dans un silence étaient prêts à acquiescer.

Mon confrère Lepreux m'avait bien dit, elle les a tous dans sa poche, et je l'ai constaté une semaine après la réunion des conseillers au café. J'étais rappelé chez les Languillon, la mère était rentrée de l'hôpital, pas d'urgence cette fois, de barque plate ou de virée nocturne avec le sergent Pirolleau. J'ai pris la route pour me rendre jusqu'à la ferme, c'était un détour de plusieurs kilomètres. Après les premiers fourrés et le petit pont de pierre, ma Simca 1000, en sautant sur des ornières, a longé des prairies gorgées d'eau, c'était au lever du jour, la campagne était grise et le soleil peinait à dissiper d'épais nuages, j'empruntais maintenant un chemin parallèle au canal de Pineuilh, une rangée d'aulnes les séparait et des franges de brouillard s'étendaient entre les troncs.

Après le tournant, là où bifurquait le bief, j'ai aperçu les premières fumerolles et, dans la gaze blanche et humide qui flottait, près d'un ample saule pleureur, la sombre procession des pèlerins de la rebouteuse. Tout était lent et étrange dans ce rassemblement et je le dépassais sur ma droite quand, d'un bosquet, ont débouché la calandre, les roues, enfin la R16 vert sombre tout entière de Retournet, le laitier, le conseiller municipal, pas forcément heureux de me croiser sur ce chemin, son regard une seconde dans le mien, fixe et peu amène. En me penchant j'ai vu d'autres véhicules qui stationnaient là, derrière les arbres. Je repensais à Lepreux s'écriant, ici les élections bénéficient d'une curieuse alchimie, et, quand je dis alchimie, c'est bien le mot !

Je suis parvenu à la ferme par une route trouée de fondrières, Languillon m'attendait à la porte de l'étable, chez eux, la clarté du jour pénétrait dans la salle jusqu'au pied de l'âtre, une sensation de rangement, les meubles en ordre, la mère dans le grand lit avec un léger sourire, rien n'évoquait plus la visite de l'autre nuit, je reviens de loin, vous croyez pas ? il était temps en tout cas, madame Languillon ! Les filles absentes, le père faisait des efforts afin que tout se déroule au mieux, vous prendrez bien une goutte ? merci, j'ai répondu, mais la journée m'attend ! il tournicotait aussi, vous savez, ici, les gens parlent beaucoup, je ne levais pas les yeux de mon ordonnance, des bêtises, des saletés qui se disent, il a continué, les mains sur les hanches, il voulait m'avoir à la faiblesse, la gentillesse, je me dis qu'un docteur, c'est quelqu'un qui connaît les gens, qui est honnête, il me prenait à témoin, vous vous rendez compte des choses, vous, quand elles sont fausses, que ce sont que des mensonges qui font du mal, voilà ce que je dis ! je l'ai regardé dans les yeux, monsieur Languillon, je suis arrivé ici il y a peu de temps, voyez-vous, mais soyez sûr que je ne me base pas sur les racontars, il a acquiescé, prudent, mais il attendait la suite, c'est vous qui savez ce que vous faites ou pas, non ? oui, mais il faudrait leur dire que tout ce qu'on dit c'est faux, dire à qui ? aux gendarmes, au maire, je sais pas, moi ! vous qui les connaissez ! soyons clairs ! si vous avez votre conscience pour vous, vous n'avez pas besoin de recommandations et, d'autre part, je ne mène pas d'enquête à votre sujet, mais vous pourriez témoigner, docteur, que nous sommes des gens corrects ! comprenez bien, monsieur Languillon, dans certaines circonstances un médecin peut être délivré du secret médical et, aujourd'hui, je ne possède ni ne cherche de preuve pour ou contre vous, voyez-vous, je suis venu pour soigner votre épouse.

Il était perplexe, le fermier, déçu de ne pas m'avoir convaincu, les ennuis se rapprochaient et il aurait voulu mon soutien. Il y a eu un silence et à la fin de ma prescription, j'allais me lever quand j'ai vu qu'il hésitait, je voulais vous demander de l'aspirine, mal aux dents, il m'a expliqué en ouvrant la bouche, je n'y croyais pas trop, il était mauvais comédien, il forçait le trait. C'était curieux, depuis quelques jours ils me réclamaient tous de l'aspirine, des gens du village mais aussi des inconnus venus de bourgs alentour s'étaient présentés à ma consultation avec des motifs futiles, pas leur genre, ils cherchaient des raisons, ce qu'ils voulaient, c'était de l'aspirine ou bien ils me tendaient un bout de papier chiffonné où était inscrit d'une écriture tremblante *paracétamol*, c'est Francine qui m'a éclairé, ils ont déjà fait le coup au remplaçant, l'an dernier, les médecins du cabinet refusent, ils le savent, alors, ils essaient avec les nouveaux, vous avez au moins compris pour qui est ce trafic ? pour votre concurrente ! elle a ri, elle prépare ses mixtures, mélange des plantes, des bouillies, elle en fait des pâtes, des décoctions, et au milieu, qu'est-ce qu'elle y met ? votre aspirine, docteur ! et le tour est joué ! c'est comme ça qu'elle les soulage, votre amie !

Les journées se déroulaient selon un rituel bien établi, je devais attendre la venue du fils Gloirafeux pour connaître mon programme, il passait en coup de vent le matin au cabinet, allez, Francine, le menu ! la secrétaire récitait un chapelet de visites à faire, trop loin ça ! envoyez notre meilleur remplaçant ! il coupait, lui ne se déplaçait que dans le village et ses environs immédiats, à moi les randonnées au fond des marais, les expéditions interminables dans les fermes ! Depuis cette crise pétrolière, ça coûte plus cher en carburant que le montant de la visite ! pour un homme pressé de trente ans qui n'avait pour toute lecture que le cours de l'or dans la dernière page du journal, temps et argent perdus, il était préférable d'envoyer l'apprenti. Devant ma moue dubitative, de quoi te plains-tu ! s'écriait-il, je t'offre l'opportunité rare de découvrir la faune et la flore du pays ! Après avoir consulté le cahier de son confrère Lepreux, il s'engouffrait dans le vestibule, allez ! je file, ma tournée ! à ce soir, Francine ! qu'elle n'oublie rien, car rien ne devait manquer.

C'est avec Lepreux que je passais le plus de temps, il entrait dans mon bureau entre les consultations, son esprit ne se bornait pas au chiffre d'affaires et à la hausse des impôts, un matin, il s'est enquis de mes derniers malades, des traitements difficiles, et s'est mis à contempler le jardin qui descendait en herbes folles jusqu'à l'embarcadère, quand j'ai débuté, je me demandais comment j'avais pu atterrir ici, il s'est tourné vers moi, dans ce trou, n'est-ce pas, vous aussi, il a poursuivi, vous

vous dites, jusqu'à quand vais-je rester? ou, je ne ferai pas long feu ici, il a détaché le stéthoscope de son cou, nous nous sommes tous dit ça au début, la médecine, on la veut la plus universelle possible quand on commence, on souhaite voir rayonner ce savoir accumulé, on a couvé des rêves pendant toutes ces années, on se dit c'est le moment de les mettre en pratique, n'est-ce pas? et puis on finit par cultiver son lopin de terre, chaque jour de la même façon et le mieux possible, sans être satisfait, jamais, il a décrit une courbe dans l'air avec sa main, mais dans le fond on aime ce lien qui nous attache.

Lepreux était un homme longiligne, élégant, il lissait sa barbe grisonnante, je vous raconte ça mais vous n'êtes pas attaché au piquet, vous! comme s'il m'avait deviné, et puis vous êtes jeune, vous avez encore la fougue, alors, croyez-moi, vivez! circulez, cher ami! Il parlait de lui, certes, en même temps je me sentais écouté, compris, vous qui aimez le Sud, allez-y! foncez! j'ai hésité cette fois-là à lui expliquer que son jeune confrère voulait devenir médecin, oui, mais rêvait aussi de toros, que loin, si loin des côtes espagnoles, au milieu de ce décor, si peu propice aux jeux taurins, une autre passion s'effilochait, je l'aurais entraîné trop au large de sa pourtant réelle indulgence, peut-être aurait-il eu du mal à intégrer cette illusion-là. Il s'est levé, en attendant, allons rejoindre nos patients! ce sont eux qui nous aident à vivre, il a soupiré, souvent nous nous disons déçus mais il y a de l'amitié qui passe, c'est tout, c'est précieux, et c'est ce qui nous reste à la fin.

Je poursuivais mes visites avec le sentiment que ces chemins boueux me menaient au bout du monde, que le monde allait basculer après la ligne d'horizon qui s'échappait un peu plus loin chaque fois au-delà des prairies et des bocages. La campagne était parfois si immobile que mes rêves la traversaient de part en part sans trouver de résistance. Mon esprit essayait de rassembler les illusions auxquelles il tenait le plus, de les confronter à ces parts de terre et d'eau et c'était comme si ma tête se fragmentait, fracassée contre cette vision immatérielle du monde, cette déréalisation du paysage sous mes yeux. Un fin tremblement s'emparait de l'herbe des prés, de l'ombre des halliers, et les séparait des bosquets qui, eux, perdaient leurs contours et leurs formes. Le souvenir me revenait, distinct, de ces années d'adolescence où mon univers se liquéfiait au fur et à mesure que je progressais mais ne trouvais aucune prise, aucun élément de choix pour meubler, structurer un rêve, où tout était plat, neutre, brutalement défait.

Le long des canaux, au cœur des fermes, la médecine m'attendait cependant, présente dans sa nécessité, et je reprenais mon rôle avec la préoccupation du débutant, des expériences à vivre. De quoi serait fait mon itinéraire médical ? je l'ignorais, mais, à chaque visite un peu plus, il se consolidait, se révélait susceptible de me construire dans une partition à jouer tant que me reprendraient l'enthousiasme et, dans des moments de total oubli, la fable enjouée que je voudrais bien interpréter.

Au fond du marais, parmi des prés inondés, peuplés de hérons et de grands-ducs, les derniers vestiges du mirage tauromachique se démembraient dans une irrémédiable perte. Un geste, un éclat, une passe surgissaient encore du néant, fulgurants, comme remonte le chagrin, mais l'illusion s'effaçait et plus rien ici, un paysage, une lumière ou la moindre conversation, n'aurait pu la réveiller.

Je roulais sur les chemins et j'étais vite extrait de mes rêveries, corps qui ne fonctionnaient plus, difficultés à résoudre, plaintes à entendre, dès que ma voiture s'arrêtait devant une porte, le rideau se tirait et le tablier à fleurs d'une vieille patiente apparaissait, le pansement à faire et le souci d'une empathie vite établie, le docteur Gloirafeux me bandait la jambe comme ça, il venait le mardi matin pour ma prise de sang, je viendrai de même, madame Tessonneau ! ses yeux clairs m'observaient derrière de fines lunettes, à quelle heure voulez-vous que je passe ? et je lui opposais un large sourire, elle ne bougeait pas, assise, les mains sur ses genoux, vous avez un accent charmant, un accent qui chante, m'a-t-elle confié, le vôtre, j'ai rétorqué inspiré, coule comme de l'eau de source, elle a ri, ah ! c'est bien gentil ça ! le soin s'achevait sur une jambe douloureuse et violacée, voilà qui est mieux ! ça cicatrise ! c'est le chat, elle m'a raconté, un coup de griffe il y un mois et aussitôt l'ulcère s'est creusé, le coupable dormait pelotonné sous la table de la cuisine, c'est ma seule compagnie, vous comprenez ?

J'occupais le cabinet du docteur Gloirafeux, le père, meublé Empire, table, fauteuils, armoire, et, pour les patients, deux chaises en skaï qui détonnaient. Sur le bureau une lampe métallique, le Vidal, le dictionnaire des remèdes, et ses notices explicatives, que j'avais décidé de ne pas consulter en cachette, ils vont vous croire inexpérimenté, et vous faites jeune qui plus est ! la méfiance, ici, ça vient vite ! m'avait averti Francine. La secrétaire était un pilier de la maison, elle connaissait toutes les familles, village et alentours, leurs mœurs, leurs défauts, moi, je suis née ici, on ne me la fait pas ! enfin trônait le téléphone noir en bakélite qui sonnait, métallique, pour les visites, vous pourrez aller chez madame Pinsonneau ce soir ? monsieur Bingard demain ? ou les appels personnels, c'est pour vous, docteur ! et parmi eux, celui que j'attendais, qui n'avait retenti qu'une fois, à mes débuts ici, je te rappellerai, m'avait promis Hélène après une de ces conversations aigres-douces dont nous avions le secret, et puis les jours étaient passés, s'étaient accumulés dans le silence comme une épaisseur ouatée, autour du travail, à certaines heures plus amères, le soir, le matin, au détour d'un paysage désert qui me confrontait au vide. Hélène n'avait pas rappelé mais elle le ferait, ainsi en était-il de nos relations de plus en plus espacées, relâchées puis resserrées brusquement, étouffantes un soir, le lendemain absentes.

Notre dernière rencontre remontait au mois de juillet, Hélène m'avait rejoint la veille dans mon studio à l'internat, elle venait de renouveler un contrat d'assistante à l'IUT de la ville, deux ans au moins et cette fois j'ai trouvé un appartement ! près du port, Paco, et pas loin de l'hôpital ! elle a éclaté de rire, nous pourrons nous retrouver, tu vois ! mais elle était déjà en partance, je ne reste que deux jours ! le temps de régler tout ça ! ensuite je retourne à Bordeaux, mes derniers examens, et je pars en vacances, je ne sais pas où encore, je saisissais au vol ce qu'elle voulait bien me confier de sa vie, de ses projets, tu vas me trouver velléitaire, mais j'hésite à me lancer dans une maîtrise l'an prochain, depuis le temps ! j'ai ironisé, mes engagements m'ont pris beaucoup d'énergie, tu sais, ces dernières années, elle brossait ses cheveux, s'habillait déjà, j'essayais d'embrasser ce souffle sur son passage, un bruit de robes, des baisers, une étreinte, une course où, parmi les rires, sincères ou forcés, n'évoquons pas ces choses-là ! des paroles d'avenir commun étaient évitées, le présent, juste le présent ! disait-elle et moi, de mon côté, je le répétais à la longue, même si j'avais toujours eu du mal, la seconde d'avant, celle d'après, avec cet instant-là précisément, mais, comment ça du mal ? elle ne voulait rien entendre. Nous n'aimions pas ces discussions, instants éprouvants pour le cœur et l'esprit dont nous sortions à chaque fois amoindris, envahis d'une lassitude que dissimulaient mal la courtoisie et le masque des sourires, je dois prendre du recul ! combien de fois elle m'avait assené cette phrase qui lui laissait le dernier mot devant mes promesses hésitantes, des perspectives qui se dessinaient sans elle ou bien n'affleuraient pas, jusqu'où ? jusqu'à quand, Hélène ? j'avais demandé, elle avait une fois de plus esquissé une moue dubitative et ironique aussitôt suivie d'un geste de tendresse, nous verrons ! je connaissais la parade, elle ne m'apportait plus rien.

Je contemplais les moulures au plafond, le lit d'examen installé dans une alcôve. La consultation venait de s'achever, je m'étirais dans le fauteuil. L'air du soir montait du jardin par la fenêtre entrouverte, une lumière horizontale, jaune pâle, inondait la cime de jeunes peupliers de l'autre côté du canal, moment de répit, de silence absolu. Francine était partie, à demain, docteur ! avait tout rangé, vérifié. Dans un instant je me rendrais chez les Retournet, pour le fils cette fois, après dix-neuf heures trente, quand les bureaux sont fermés ! avait exigé la mère, comme ça vous prendrez la tension de mon mari !

J'ai rangé ma chétive Simca dans la cour contre les lourds camions de la laiterie, ils sillonnent la région entière, du matin au soir et du soir au matin, ça on peut le dire ! m'a accueilli le vieux Retournet, entrez, docteur ! il me faisait les honneurs, nous avons pénétré dans une large pièce carrelée aux meubles récents, façon ancien, aux murs, sur des reproductions, des cerfs n'en finissaient pas de traverser des sous-bois et des embarcations de descendre des canaux, la pièce était mal chauffée, vouée au travail, des dossiers, des papiers sur la table, et peu au confort, c'est pour ce grand dadais ! a annoncé le patron, m'est avis qu'il a attrapé une angine, à vous de voir ! Le fils était un adolescent haut et costaud à la figure rouge, peu causant, j'ai mal là, il désignait le côté droit de son cou, les yeux étaient fiévreux, la gorge vermillon où fleurissaient des taches blanches, c'est bien une angine, cher confrère ! j'ai voulu plaisanter, mais madame Retournet est alors arrivée dans une tenue simple, jupe, large chemisier, qui sentait l'endimanché, bonsoir docteur ! son exclamation faisait de ma visite une fête, alors, comment va notre Guillaume ? dans deux jours sur pied avec les antibiotiques ! à la bonne heure ! elle s'est réjouie, voix aiguë, tandis qu'est apparue, apprêtée elle aussi, Maryse, la fille, dans l'embrasure de la porte, gauche, intimidée, une sacrée carrure, dont les joues rosissaient à l'idée de jouer un rôle, sa mère à la mise en scène, savez-vous que Maryse va être notre nouvelle reine des fêtes à la fin du mois ? s'est enflammée madame Retournet, nous avons cet honneur ! et elle a joint les mains pour contempler sa fille comme on admire une toile de maître, au moins cette année ils ont eu du goût et fait le bon choix ! et, sans que je m'y attende, n'est-ce pas ? a-t-elle ajouté, certainement ! j'ai répondu de l'air le plus distrait possible en rédigeant mon ordonnance, l'an dernier, a repris la mère de famille devant ses hommes, le père, le fils, hébétés par autant de virevoltes verbales, ils n'ont rien trouvé de mieux que de nommer la nièce des quincailliers, les Gratineau, vous les connaissez, je crois, eh bien, on va encore dire que ce sont nos vieux antagonismes qui remontent, mais, en toute objectivité, moindre fréquentation, aucune ambiance, ils l'ont amèrement regretté, je vous le dis ! elle a eu une moue éloquente devant le désastre évoqué, ils auraient mieux fait d'y regarder à deux fois !

J'avais paraphé la feuille de maladie et déjà rempoché mon stylo quand monsieur Retournet s'est approché à son tour et, en toute solennité, vous nous ferez bien ce plaisir, docteur ! m'a invité à assister à la fête du Marais, faut absolument que vous découvriez ça ! j'ai dit oui, bien sûr ! aucune échappatoire et, le temps de me lever, qu'on me règle mes honoraires,

Maryse, la future reine, m'a coulé deux regards de ses yeux immobiles qui en disaient long sur les intentions de la famille, je croyais alors pouvoir boucler ma mallette et prendre congé mais madame Retournet ne l'entendait pas de cette oreille, bon ! s'est-elle exclamée d'un air tout sauf naturel, vous allez bien, docteur, prendre l'apéritif avec nous ! voilà pourquoi elle désirait ma visite tardive ! que nous bavardions un peu ! fassions connaissance ! Émile, s'il te plaît, sors les verres et sers-nous du pineau ! c'est mon cousin, viticulteur en Charente, qui le fait, vous verrez ! c'est que je dois encore... j'ai voulu résister, taratata, docteur Lorca ! elle m'a affirmé, vous avez quand même cinq minutes à nous accorder ! un vin liquoreux comme celui-ci, vous nous en direz des nouvelles ! tout est sain là-dedans, au moins on connaît le producteur et puis, elle m'a adressé un clin d'œil complice, comme ça se passe en famille, nous l'avons pour pas cher, je vous assure ! j'ai hoché la tête, admiratif, formidable ! j'ai susurré. Le père s'est mis à me verser un plein verre, un doigt seulement ! il m'a regardé, étonné, vous n'y pensez pas ! ici, il a rigolé, de toute manière, on a le doigt large ! allez, Maryse, apporte les biscuits salés ! tout était prévu ! une vraie cérémonie ! Ça n'en finissait pas, la conversation qui a suivi a eu du mal à se mettre en place puis est devenue compliquée, des tours, des détours pour en venir à mes intentions question carrière, parce qu'ici, c'est un bon coin, vous savez ! m'a informé madame Retournet, et un jeune médecin plairait beaucoup, j'en suis certaine, hein, Émile ? le mari a grommelé une confirmation, il laissait son épouse à la manœuvre, et c'est là que, brusquement, elle a attaqué, la laitière-crémière, la liste des diplômes que se promettait d'obtenir sa brillante fille, fleur du pays, non seulement reine de beauté, mais aussi tête bien faite, comme la région en aura bien besoin, docteur Lorca, vous ne pouvez pas savoir ! des portes qui s'ouvraient, des avenirs qui se dessinaient, des associations possibles, voire des rapprochements nécessaires, elle était forte, madame Retournet ! comme a dit monsieur Émile Retournet, conseiller municipal, son mari, pour entreprendre, ma femme n'a pas son pareil ! et pendant ce temps, pendant que sa mère bâtissait des hypothèses d'avenir, les rendait à force d'imagination vraisemblables, Maryse, sa fille, emberlificotée dans ses doutes et toutes ces occurrences, continuait, avec un sourire contraint et aimable, de me contempler.

En sortant la mère citait encore des noms d'universités où Maryse allait se rendre, mais je n'écoutais plus, j'étais dans la cour, toute la famille m'emboîtait le pas, pour la fête je compte sur vous, n'est-ce pas ! le village compte sur vous ! a proclamé d'un ton vainqueur le père Retournet, oui, bien sûr ! j'ai répété. La Simca avait encore de la ressource, elle a démarré aussi sec. En face, dans un champ, un busard aux ailes mouchetées s'est envolé vers un bois épais, chênes et ormeaux, je l'aurais bien suivi jusqu'au cœur des arbres.

Je ne pouvais échapper à la fête du Marais, même ceux du café des Pêcheurs m'y avaient invité, le peu loquace quincaillier Gratineau aussi, on vous voit samedi, docteur ? Quant aux Retournet, leurs camions paraissaient deux fois plus nombreux depuis une semaine, ils sillonnaient la grand-rue, montaient, descendaient, remontaient, on ne voyait qu'eux aux abords de l'embarcadère, ils n'auraient pas compris mon absence, l'auraient vécue comme un affront, notre fille Maryse est sollicitée de toutes parts, a tenu à m'informer la mère croisée sur la place, heureusement qu'elle ne manque pas de sang-froid ! heureusement ! j'ai ponctué, et, encline à la confidence, elle m'a glissé qu'après une telle organisation et tout ce que la famille avait donné à la ville, elle ne voyait pas qui, de façon plus légitime que son époux qu'elle appelait monsieur Retournet, pourrait briguer le poste de maire l'an prochain, elle était en verve, la laitière, je ne pouvais plus m'en libérer, je dois vous quitter, le devoir m'appelle ! mais elle était lancée, on ne va quand même pas laisser les clés de la ville à la gauche, non ? comme je me taisais, ou plutôt à une poignée de gens qui, depuis 68, trouvent mieux de se dire de gauche, ah oui ! mais ce coup-ci, je devais avoir l'air rêveur car elle n'a pas insisté, l'important, c'est que la fête se déroule bien, avec une telle reine ! elle a conclu.

Le ciel était bleu et la lumière déjà automnale, les eaux du canal scintillaient, ah ! nous avons de la chance ! a lancé Berluet, le maire, un bonhomme rond aux joues rouges que personne n'écoutait dans l'effervescence, quand les trois barques plates décorées sont apparues à l'extrémité du port. La batterie-fanfare, pantalons blancs, chemises bleu de France, a attaqué aussitôt *La Madelon* d'un air martial, en léger contretemps les clairons, on ne peut pas trop leur en demander! en a conclu mon confrère Lepreux assis à mes côtés, l'alcool, c'est terrible pour les cliques et les harmonies! Gloirafeux fils était là aussi, donnant des nouvelles de son père, il va mieux, il voulait même venir, être là parmi vous! il serrait des mains, embrassait, on l'aurait cru en campagne électorale.

Sur la yole centrale, la plus imposante, des arceaux de roses trémières et de grands liserons avaient été disposés en croix au-dessus d'un fauteuil recouvert de velours rouge, de part et d'autre, des marins en tenue traditionnelle, appuyés sur leurs pigouilles repeintes, juchés sur des sièges enrobés de papier enluminé, entouraient la reine des fêtes, sanglée, elle, dans une robe blanche immaculée, depuis quand le blanc fait mincir? a sifflé madame Gratineau, la quincaillière, devant moi. La foule massée sur le quai s'est mise à applaudir, la musique s'en est pris à une version très personnelle de *Sambre et Meuse* au moment où, l'embarcation glissant jusqu'à la tribune officielle, Maryse Retournet est apparue en majesté, rougissante et heureuse d'après sa mère qui, au bord de l'extase, s'est écriée, on dirait qu'elle se marie une première fois!

Le maire, solidement encadré par Retournet, Gratineau, d'autres qui jouaient des coudes, est grimpé sur une estrade munie d'un pupitre, guirlandes, papier crépon, on a fait signe à l'harmonie d'interrompre sur-le-champ sa prestation, enfin! a gémi Lepreux près de moi, le micro crachouillait et des hommes sans attendre se sont pressés à la buvette, lignes de drapeaux triangulaires, rayons multicolores, chers amis! s'est exclamé le maire, savez-vous que certains ici l'appellent *Faute de grive* depuis les dernières élections? m'a raconté Lepreux qui cherchait à me distraire, les Capulet et les Montaigu locaux qui ne pouvaient se départager l'ont bien choisi, notre maire ! il m'a regardé en souriant, insignifiant, totalement insignifiant, chers amis ! a repris l'élu, je contemplais les girandoles et les bouquets de couleurs, j'écoutais les flonflons et je pensais à Hélène, à Maurice et mes amis, que faisais-je là, perdu au bord de l'eau, dans une tribune qui frétillait de festivités où la gaieté et les petites haines locales, une mince écume d'humeurs mondaines, leur suffisaient à vivre les uns et les autres dans un cortège de satisfaction et d'amertume alternées ? La veille, Hélène m'avait appelé enfin, je suis ici pour trois jours, j'aimerais te voir, et comme je restais silencieux, dubitatif, elle avait su me convaincre, Paco Ibañez à la maison de la culture, samedi soir, deux places.

Justement, la fanfare entamait *Auprès de ma blonde* dans une cacophonie de cuivres que le passage à la buvette, deux blancs limés ! allez ! on entendait, trois gnôles, c'est fête ! n'avait pas améliorée. Les édiles transpiraient en plein soleil, les dames s'éventaient, je songeais à ma grand-mère Maria qui n'était plus là et à un de ses vieux refranes, *el que bebe nunca es tonto, el que bebe mucho es loco*[1] *!* Je contemplais l'assemblée, les mines colorées, les cols défaits, Lepreux et son air ennuyé, la reine engoncée dans sa robe, pataude et immobile, au milieu des corolles de fleurs, l'ambiance douceâtre dans laquelle tout se délitait, ici, dans ce pays de marais et de lisières atlantiques, marins et goélands, l'Espagne se faisait rare, le Sud lointain.

Deux places pour Paco Ibañez ce soir avec peut-être la tête d'Hélène sur mon épaule, on oublie tout ? elle me chuchoterait, ça ne se refusait pas, les clairons de la clique ont lancé une deuxième attaque, ça ne pouvait même plus attendre. Je suis descendu de la tribune où, au bas de l'escalier, les dames Retournet et Gratineau se sont retrouvées face à face, regardées

1. Dicton : Qui ne boit jamais est un sot, et qui boit beaucoup est un fou.

en chiens de faïence, des années que ça dure ! a regretté Lepreux qui s'en amusait, comment va la laiterie ? et la quincaillerie ? leur façon à elles de se saluer. Un espace autour d'elles s'était créé, personne ne s'approchait, leurs maris respectifs surtout qui, après avoir confié le maire au responsable de la buvette, jouaient les amphitryons avec les invités, Rongeval, approchez ! personne ne vous a servi à boire, Rongeval ? André ! le serveur encore à l'ouvrage. L'alcool circulait, les rougeurs s'accentuaient, déjà des cris montaient depuis la berge et deux des marins en tenue traditionnelle, le teint bistre, les chairs cuites par l'eau-de-vie, titubaient. À la première poussée de la foule, costume, épaulettes, pantalons de cérémonie, sont partis à l'eau au milieu d'exclamations, rires et drame, je sais pas nager ! criait le rameur, attrape la pigouille ! hurlait l'autre, tout le village affairé au sauvetage, la masse regroupée au pied de l'estrade s'est mise à onduler, à déplacer loin de l'escalier les deux épouses des édiles qui ne se lâchaient pas du regard, à l'aide ! à l'aide ! on entendait sur le quai, la fanfare, ce qu'il en restait, effectifs décimés, reprenait *Sambre et Meuse*, Lepreux seul demeurait assis à sa place, le bas des marches était libre maintenant, j'ai pu me faufiler derrière la guinguette, des cris montaient encore, la fête battait son plein, j'ai même cru qu'on m'appelait, Paco ! qu'un nouveau venu allait me retenir un instant, de l'autre côté des tréteaux, j'ai aperçu Gloirafeux fils en pleine conversation avec la fruitière, celle qui vivait en bas de la grand-rue, près du pont, je ne voulais pas qu'ils me rattrapent avec leurs fêtes, leurs couleurs, leurs effusions, leurs explosions, attrape c'te pigouille ! où est passée la reine ? mais où est-elle passée ? bois un coup ! t'occupe pas ! et l'autre qui va s'noyer ! bois un coup, j'te dis ! j'étais déjà dans la grand-rue, fallait pas se retourner !

Hélène m'avait attendu devant le théâtre, je le voyais à ses yeux, je ne parvenais pas à m'échapper ! j'ai lâchement expliqué, elle avait surtout douté de ma venue, une dérobade au dernier instant, ce n'eût pas été nouveau. Nous avons gravi les marches pleins d'entrain, de joie de se revoir, c'était toujours ainsi le premier jour, je savais bien, le deuxième survenaient les nuages, le troisième ils se chargeaient, sombres, électriques, enfin l'orage éclatait.

La maison de la culture avait fait le plein, en haut, en bas, les strapontins, marches, plus une place pour écouter Ibañez, Paco ! Paco ! a scandé la foule au bout d'un moment. Sur scène les deux tentures de velours rouge se sont écartées, un micro, une chaise, le chanteur avait fait simple, il a surgi dans la lumière, mèche sur le front, œil et barbe noirs, sa guitare à la main, acclamations, ça va ? il a interpellé les premiers rangs et puis attaqué, un *villancico,* chant de Noël, une poésie, on cherchait, on précisait dans les travées, *La poesía es una arma cargada de futuro,* ça y était, le spectacle abordait le palier politique, quelques poings se sont dressés, il continuait, voix chaude, un lézard, une lézarde qui pleurent, García Lorca cette fois, une légende, et il a annoncé, de Nicolás Guillén, *Soldadito boliviano,* tout était clamé dans une atmosphère moite et communiante, pas une voix discordante, la foule adhérait, *soldadito de Bolivia, soldadito boliviano,* l'oppression américaine, il enveloppait, enchantait, Ibañez, déterminé, il alternait messages et ballades, le public suivait, envoûté, une révolution en douceur, voilà ce qu'il leur offrait, sans armes et toute en poésie, juste ce qu'ils désiraient, pas de violence, le tour de chant nous racontait l'histoire d'un chevalier noir, celle de gitans chargés de colliers et d'anneaux blancs, des applaudissements se sont retenus à l'évocation d'une jeune fille sur le pont, son éventail, on se congratulait, on était tous d'accord, on est ensemble ! c'est ce qu'il a déclaré, Paco, les spectateurs, un à un et tous ensemble inondés d'enthousiasme, mélange épanoui de révolte et de sagesse, et tout ça en chansons ! m'a glissé Hélène dont le regard luisait dans l'obscurité, qui m'avait presque oublié le temps du spectacle, Paco ! Paco ! elle criait avec les autres, mais ce n'était pas moi qu'elle appelait.

Nous sommes allés sur le port après le récital, les terrasses des cafés étaient bondées, le soir doux et humide, elle m'a pris la main, enfin ! Quelle belle soirée ! elle a soupiré, un fond d'esprit grincheux en moi voulait lui dire que certains se donnaient bonne conscience à peu de frais en allant écouter Paco Ibañez, mais ce n'était pas le moment, ces réflexions pourraient attendre un jour ou deux entre nous, et puis Hélène resplendissait ce soir sous les lumières du quai, des reflets maritimes brillaient dans son rire et sa bonne humeur, éclat du visage, sveltesse du corps, devant tant d'élégance je devais garder mes sarcasmes, la moindre des politesses.

Nous aurions pu nous laisser aller un instant à la douceur des choses, le temps d'un verre, le temps de contempler la Vieille Tour que les lumières détachaient du fond noir de la nuit, mer et ciel confondus, mais, ah ! Hélène ! je te retrouve ! un grand type en chemise rouge, cheveux au vent, s'est arrêté devant notre table, je t'ai aperçue ce soir, il désignait du pouce la maison de la culture, tout de même ! ça remet d'aplomb ! il a considéré en rajustant sa sacoche sur l'épaule, Hélène était tout sourire, Michel Frolichon, un collègue de l'université ! Ce que je redoutais est arrivé, il s'est assis avant que nous ne l'y invitions, a pris ses aises, m'a tendu la main sans me regarder, Frédéric Lorca, dit Paco, a plaisanté Hélène pour me présenter, Frolichon n'a pas ri, il a repris la parole, j'ai compris qu'il enseignait la psychologie, mais la route est large! il a précisé, on avait parlé de lui et de son ouvrage *Champ libre* ces dernières semaines, des accusations d'emprunt avaient circulé, de compte d'auteur dissimulé aussi, j'aurais voulu le raconter à mon amie mais elle m'aurait traité de jaloux, là encore, ce n'était pas la peine, Hélène, je t'ai vue, j'étais assis derrière vous, il souriait, satisfait, tu semblais emportée par le récital, il a laissé un temps, l'a dévisagée avec insistance, plus que monsieur, vraiment! il a dit d'un ton appuyé, ça y est! il ne manquait plus que ça! le procès pouvait commencer, j'étais aux prises avec une relation sentimentale compliquée, pour une fois ça ne se passait pas trop mal, j'étais aux prises aussi avec moi-même ces temps-ci, je bataillais, je m'agrippais aux cordages que je me lançais, j'essayais d'y voir clair, de trouver mon chemin, c'était pas facile, et cet olibrius, sans crier gare, venait me faire le coup du chien dans un jeu de quilles! Je l'ai regardé, je vous demande pardon? je dis que tu n'avais pas l'air bien convaincu pendant le tour de chant, si, si, j'ai beaucoup aimé! je me suis défendu de la façon la plus neutre possible, il m'évaluait depuis son fauteuil, l'œil plissé et amusé, j'ai aussitôt pensé à mon copain Maurice, lui, dès qu'on prononçait le nom de Paco Ibañez, ça l'avait tant énervé lors de récitals précédents cette adhésion des foules, ces mélopées monocordes et tristes selon lui, qu'il se mettait à hurler à la mort, aouh! aouh! on ne l'arrêtait plus, il hurlait vraiment, Maurice, lui aussi, il m'énervait, mais le Michel Frolichon, devant moi, avec ses poses d'intellectuel infaillible, il me chauffait les oreilles, il faut plus de foi pour la révolution! il a déclaré, j'avais le sentiment que c'était pour Hélène, rien que pour Hélène, qu'il récitait tout ça, attention!

il nous a prévenus, la lenteur bourgeoise nous menace, l'apathie et, donc, la défaite ! Tout seul devant mon demi de bière, Hélène perplexe qui baissait les yeux, je me suis senti ahuri devant notre censeur, vous en savez des choses ! j'ai provoqué inutilement, en adoptant un air assez niais, ce n'était pas le moment, je l'ai compris aussitôt, il a alors dégainé un monologue vibrant, il ne regardait plus que mon amie et le ciel noir par-dessus le port, il était question de révolutions, toutes les révolutions, et, de son propre aveu, s'étant levé ce soir plusieurs fois de son siège pendant le concert, il se sentait plus que jamais républicain espagnol, rempart contre les fascistes et les capitalistes, porte-étendard des insurrections à venir. Je le contemplais, hébété, je contemplais Hélène qui ne me regardait plus, elle ne savait trop quoi dire, prise entre deux mondes et deux acquiescements, lui, ses yeux dardaient, action, enthousiasme, mille feux, il était en route en tout cas, tout en lui l'affirmait. Sacré Ibañez ! je me disais, trois notes de musique, deux paroles bien ajustées, et notre ami et d'autres s'étaient réveillés sur le front de l'Èbre, un fusil à la main.

Le lendemain Hélène m'a quitté plus tôt que prévu, la rencontre avec Frolichon l'avait laissée morose, il m'agace, elle avait lâché après son départ comme pour me rassurer, mais parfois, Paco, ton absence d'engagement politique aussi ! auquel je substitue mes idées folles ! j'avais voulu répliquer, mais je n'avais pas répondu, nous nous plaisions, nous étions sans horizon commun, ce n'était pas nouveau.

À l'internat de l'hôpital où nous avions passé la nuit, j'ai croisé le directeur, je voulais vous parler, Lorca, une prolongation de votre stage chez nous, ça vous irait ? je n'avais pas le choix, je connais les équipes, avec plaisir ! Le salaire était bien chiche mais j'aurais du temps pour mes remplacements et je continuerais à sillonner les canaux et les prés.

En revenant au village j'ai rendu visite au père Gloirafeux de retour chez lui, alors, mon remplaçant ? il était chaleureux, fatigué, derrière ses lunettes et son ton aimable, on percevait une inquiétude qui l'avait rattrapé, qui n'allait plus le lâcher, je dois réfléchir, il me jaugeait, j'arrive en fin de carrière, vous savez ! au cas où j'aurais eu des envies d'installation, Hélène peut-être à qui ça aurait plu, mais, pour le moment, j'avais des fourmis dans les jambes, je les voyais ceux de mon âge qui quittaient l'internat en petits couples, on se marie à l'automne ! partaient s'installer à droite, à gauche, oh ! je ne me déplais pas ici, mais je ne suis pas mûr pour ça, pas encore, je l'ai averti le vieux Gloirafeux. Il ne paraissait pas déçu, ni surpris, il voyait ma bougeotte, mes envies d'ailleurs qui me tracassaient, il les devinait, le confrère, et puis s'associer avec son fils qui lui ressemblait si peu, ce serait bientôt des histoires, il fallait un Lepreux et ses considérations désabusées sur l'existence pour supporter, avec moi ce ne serait pas longtemps le cas, je le savais, il le savait, il n'a pas insisté, à ce propos, a-t-il poursuivi, nous en avons convenu avec mon ami Lepreux, vous logerez chez lui désormais, ce n'était pas pour me déplaire, il a eu un sourire depuis son fauteuil de malade, son fils, sa bru, le vieux Gloirafeux les connaissait mieux que quiconque.

Cependant j'ai dû demeurer une semaine supplémentaire chez ses enfants et ce fut la semaine de trop. Quand je suis arrivé le lundi matin, les portes claquaient, on entendait la voix stridente de la belle-fille dans le salon, j'ai aussitôt compris au regard terrorisé de Gisèle, l'employée, que ça bardait, mais cette tension montait surtout du petit pavillon situé à l'arrière.

D'habitude fermées, les fenêtres étaient ouvertes sur une voix grave, sonore, qui marquait par saccades une colère contenue répondant à celle, tonitruante, du fils Gloirafeux, c'est monsieur Bertrand, m'a soufflé Gisèle, il ne devait pas revenir, elle hésitait sur le seuil, avait préparé quelques paquets, un carton rempli de vêtements, de livres, monsieur Philippe est l'aîné, il est ici chez lui, et il ne veut plus voir son frère, même dans le bâtiment du fond, rien à faire pour que ces deux-là s'entendent, elle se désolait, ça a toujours été comme ça, depuis leur enfance, y en a assez ! qu'il parte ! une bonne fois pour toutes ! scandait la belle-fille pour ponctuer le conflit. À quelques mètres les deux frères s'affrontaient, tu as bouffé ta part et maintenant tu veux celle des autres, disait Philippe, le médecin, on te connaît, va ! Gisèle secouait la tête et moi, mallette à la main, j'étais dans l'allée devant la maison me demandant si je devais entrer ou plutôt repartir de ce pas, au café des Pêcheurs par exemple, avant que la secrétaire n'ouvre le cabinet à huit heures.

Bertrand, je l'avais déjà croisé, une visite furtive un soir, je récupère des bouquins et je file ! les autres ne s'étaient même pas levés, n'avaient pas tourné la tête, Lorca, avait raillé l'aîné, je te présente mon frangin, un ex de la Gauche prolétarienne ! il avait ri, il n'est donc plus trop de ma famille, c'est vrai, que, dans ce cas, vous ne partagez pas les mêmes préoccupations, j'avais remarqué en lui désignant la page économique du *Figaro* posée sur le canapé, mais il n'avait pas répondu, celui-là, on ne le voit que quand il a besoin d'argent, le reste du temps, monsieur fait la révolution ! il parlait pour lui, ressassait, mon père, oui, qui a été trop patient !

À la suspicion des premiers jours avait succédé, un panaris, une angine vite soignés, un accueil plus favorable des villageois, des patients s'étaient approchés sans qu'il s'agisse d'une urgence, si vous pouviez renouveler le traitement, celui du docteur Gloirafeux, et puis, prenez-moi la tension, tiens! on échangeait des propos, des sourires, je m'informais des familles, j'ai deux enfants, ma fille qui travaille ici à la laiterie, et mon fils qui vit à Paris avec sa compagne, lui, je ne le vois pas souvent, il vient à Noël, une année sur deux, des peines suggérées que des paroles rendaient plus supportables, eux, petit à petit, m'offraient leur confiance, des bonjours s'échangeaient dans la rue, on commençait à me demander des conseils, le docteur Lepreux m'a dit que je pouvais vous en parler, j'étais vigilant au début, ignorant d'où la difficulté pouvait surgir, au fur et à mesure mon univers de malades prenait consistance, les premiers succès me confortaient, celui de la vieille Turlube qui habitait près du port, on l'avait trouvée inanimée sur le carreau de sa cuisine, j'étais seul au cabinet, docteur, venez vite! en trois enjambées j'étais là, la tension effondrée, une injection, elle était revenue à elle aussitôt, la grand-mère, le crâne ouvert en tombant, quatre points de suture, des soins, de la patience, et, d'après les témoins, des voisines, des pêcheurs, la nièce qui habitait pas loin, je l'avais pratiquement sauvée, la vieille Turlube, et pourtant, c'était pas facile! avait commenté la mercière d'en face, c'était un exploit de l'avoir ranimée dans l'état où je l'avais récupérée, elle était formelle, en plus, avec le caractère qu'elle a! elle avait ajouté, même au café des Pêcheurs, le regard des habitués et le sourire de la patronne étaient devenus plus chaleureux après cet épisode. Moi, j'avais considéré plus compliqué le cas d'une jeune mère de famille, on m'appelait tous les matins pour une fièvre qui ne voulait pas dire son origine, les analyses, les radios, au début rien ne parlait et je la voyais qui pâlissait, maigrissait, tremblotait, le mari avait quitté son travail et me jetait un drôle de regard, je luttais, je cherchais, le doute s'installait, en fin de compte, je l'avais diagnostiqué son abcès périnéphrétique, hospitalisée, opérée, soignée, huit jours plus tard, elle était rentrée guérie, les yeux du mari avaient changé.

C'était nouveau ce sentiment de faire reculer le mal, de le suspendre un instant, si cela s'était déjà produit à l'hôpital, c'était le fruit d'un travail d'équipe, de la science de mes aînés, de la perspicacité d'un tiers, au mieux y avais-je contribué. Ici, tout seul, face à face avec l'adversaire, c'était différent.

La même semaine, que n'avais-je déménagé chez Lepreux ! une nouvelle tempête a secoué la maison Gloirafeux. J'avais bien remarqué que l'indifférence de Gloirafeux fils, cette façon d'adresser en guise de salut un rictus aux patients, de ne pas les écouter avec des signes d'acquiescement, mmh ! mmh ! je comprends ! et de mener tambour battant sa consultation, allez ! rhabillez-vous ! avait parfois fait place à une fébrilité d'un autre genre, des allées et venues à grands pas jusqu'au secrétariat, puis vers le téléphone ou bien son agenda, le secrétariat à nouveau. Et quand la jeune fruitière, celle du magasin près du pont, venait consulter et pénétrait dans le hall du cabinet, cet homme, jusque-là sensible aux seules vertus de l'argent, se transfigurait, précipitant le geste, rougissant un peu, et s'empêtrait enfin dans un humour charmeur, ah ! voilà *la più bella* ! qu'à l'évidence il ne maîtrisait pas.

Malgré ses efforts pour masquer le bouleversement dans son rythme et celui du cabinet, un zéphyr ironique effleurant le visage de l'associé et l'expression verrouillée de Francine, plus que jamais plongée dans ses cahiers, signifiaient combien, dans le désert sentimental de cet homme âpre au gain, une source fraîche avait jailli, au point, cette semaine-là, de manquer tout submerger quand la fruitière, rayonnante dans sa robe à fleurs, a fait irruption à la consultation du mardi matin et qu'elle s'est avancée vers le comptoir du secrétariat. Le soleil qui filtrait par la verrière illuminait ses cheveux courts, sculptait sa silhouette, Philippe Gloirafeux, le champion de l'acte médical, sortant de la salle d'examen au même instant, comme à l'arrêt, parut vaciller, ah ! vous voilà ! s'est-il étranglé, Lepreux et moi qui conversions dans le hall avons cru qu'il allait s'affaisser, que ses jambes d'homme jeune et sportif, toujours emporté par le vent de l'action, allaient sous lui doucement se dérober, il a balbutié un instant puis s'est repris et, sans attendre, a fait entrer sa jolie patiente, la porte sur eux s'est refermée, c'est le printemps même en hiver ! a susurré Lepreux en retournant dans son bureau.

Dans la salle d'attente, les malades, sidérés par l'éclat de la scène, demeuraient figés dans un tel silence que j'ai cru entendre le grondement souterrain d'un chaos imminent, les regards s'interrogeaient, les fronts se plissaient, et devant tout le monde en plus ! s'est désolée Francine qui n'en finissait plus de classer ses dossiers, désormais ce n'était pas dix, mais cent, mille patients qui avaient compris, le village entier savait, allait savoir et la rumeur invincible irait se propageant.

Ce jour-là justement, j'avais le temps de déjeuner et il y avait mouclade au menu chez Gloirafeux, mais, au visage de la belle-fille, j'ai vu aussitôt de sombres nuages flotter sur les moules et la sauce à la crème, ah ! tu es là ! m'a-t-elle lancé. À la façon que son mari a eue de ne pas me regarder, j'ai senti ma présence encore plus indésirable qu'à l'accoutumée, il a essayé de parler travail, c'était rare chez lui, chez Gemilleau, ça va ?

de façon automatique, feignant la décontraction, pendant qu'à la cuisine les assiettes et les verres atterrissaient sur la paillasse dans un bruit de colère.

Des certificats à rédiger, pas de dessert, merci ! je suis monté dare-dare dans ma chambre mais, à l'heure du café, l'orage a éclaté, un rugissement d'abord, celui de Patricia, la belle-fille, un choc ensuite, objet brisé, meuble renversé, tu aurais pu m'en parler au moins ! avant que je sois la risée du pays ! Les voix résonnaient, montaient par l'escalier, j'ai vu par la fenêtre Gisèle qui galopait dans le jardin, qui ne voulait pas en savoir plus. Dans ma mansarde, j'étais pris au piège de leurs déboires conjugaux, salaud ! bon à rien ! des insultes, des cris maintenant, quelle maison ! mais, Douce ! Douce il l'appelait son épouse ! une porte a claqué, des pas ont retenti, je m'étais engagé dans l'escalier à pas feutrés pour tenter une sortie mais c'était déjà trop tard, et moi qui croyais que nous faisions équipe ! a explosé la belle-fille, que nous voulions réussir ensemble ! j'entendais les espèces, sonnantes, trébuchantes, tintinnabuler quand elle a dit ça, je ne bougeais pas, et monsieur joue les sentimentaux ! fait le joli cœur ! devant tout le village en plus ! elle a fait mine de retenir un sanglot mais c'était la rage qui l'habitait, tu nous as trahis, tu as trahi notre entreprise ! à peine commencée ! il va falloir qu'on partage maintenant ! et, je te préviens, je ne te ferai pas de cadeau ! proférait-elle, je voulais bien la croire, le ton était convaincant, la déclaration assourdissante, mais, Douce ! a protesté Gloirafeux, cesse de m'appeler Douce ! tu as compris ?

J'attendais qu'elle entre dans le salon, libère le couloir, j'étais tétanisé, tu veux que je dise partout comment tu la rentabilises ta clientèle ? comment tu multiplies les actes ? tu me fais du mal, elle a continué déchaînée, je vais t'en faire à mon tour, tu vas voir ! Au fond du jardin, j'ai aperçu Gisèle qui s'affairait sur des rangs de salades, les voix tremblaient dans le salon, ils parlaient en même temps, les époux Gloirafeux, ce n'est pas ce que tu crois ! il a tenté encore, c'est ça, en plus tu me prends pour une imbécile ! je vais leur dire, moi, aux gens qui tu es vraiment, ils vont vraiment te connaître, comment tu les traites et qui t'a permis d'acheter cette maison, et la BMW ? et la cuisine équipée ? les vacances en Espagne ? hein ! elle était hors d'elle, madame Patricia, comme l'appelait Gisèle, eh bien, avec ce que je vais te laisser, tu pourras aller la rejoindre, ta poule, et vendre des fruits et légumes avec elle, voilà ce qu'il te reste à faire !

Le vacarme était à son comble, c'était le moment, en deux bonds je me suis retrouvé dans le jardin, j'ai fait signe de la main à Gisèle, elle m'a répondu par un long soupir.

Depuis que le père Gloirafeux était en convalescence, je lui rendais visite. Il se tenait le plus souvent dans le bow-window qui dominait son jardin étagé tout en arabesques, fleurs et buis, avant je m'en occupais chaque jour, maintenant on me l'interdit, il a écarté les bras, vous imaginez ! ça reviendra, vous allez de mieux en mieux, je l'entretenais des malades, des familles, il avait connu plusieurs générations, le travail baisse un peu ces temps-ci, j'ai dû avouer, je sais, Francine me tient au courant, peut-être que vos patients vous attendent ! j'ai suggéré, il a souri, m'a regardé, vous croyez que c'est la seule raison ? je ne sais pas, je constate que je reçois moins d'appels, mais vous n'ignorez pas qu'il y a toujours autant de malades ? j'ai bien dû l'admettre, eh oui ! place aux jeunes ! mon fils aidé de ma belle-fille sont très actifs, vous savez, il a ri encore, ils ne voudraient pas que cela sorte de la famille et prennent les devants, appelons ça une transmission des avoirs et des savoirs, ses yeux se plissaient derrière ses lunettes, et ils mettent du cœur à l'ouvrage, vous avez remarqué ! il a haussé les sourcils, aussi, à ce rythme, quand je reprendrai ma clientèle, je ne serai pas fatigué, vos patients reviendront vers vous, j'ai hasardé, croyez-vous ! ils se disent que c'est le moment pour moi de passer la main, qu'en choisissant Philippe, ils m'abandonnent tout en me demeurant fidèles, il a levé le menton, c'est sans doute bien ainsi, et puis mon fils aîné a toujours tout conquis sabre au clair, les personnes et les choses, sans demander, c'est sa manière.

L'homme était doux, résigné, il contemplait le ciel entre deux phrases, éprouvait le besoin de retrouver une force qui l'avait quitté, rétablissez-vous, cher confrère, vous avez encore le temps, je me levais quand, sous la fenêtre, est passé l'autre fils, Bertrand, depuis les marches qui descendaient au jardin il m'a adressé un salut rapide, celui-ci m'a causé bien des soucis, a continué le père Gloirafeux, que n'ai-je entendu en 68 et les mois qui ont suivi ! il était en confidence, après tout, je traitais bien ses patients, je ne serais plus là dans quelques semaines, et puis la maladie, la sienne, avait restauré chez lui un sentiment de liberté qui le laissait s'exprimer avec une sérénité procurée par une mise à distance des tracas inutiles, que ne m'a-t-il pas dit, mon cher cadet, à cette époque ! vieux bourgeois réactionnaire, oppresseur, exploiteur, bien sûr ! et en tant que médecin, tartuffe de la solidarité, rouage du capitalisme, bras armé de la réaction ! armé de quoi, je vous le demande ! il m'interrogeait, de mon stéthoscope ? de mes feuilles de maladie qui garantissent des soins pour tous ? de mes horaires interminables où j'ai usé ma santé ? comme je ne répondais pas, il a repris, peut-être que vous étiez de cet avis après tout ? en 68, j'étais jeune et pas vraiment politisé, j'ai lâchement objecté, eh bien, ce n'était pas le cas de mon fils, croyez-moi ! pendant que l'aîné était prêt à monter à Paris pour défiler avec les soutiens de de Gaulle, eh bien ! le second n'avait cure de ses études et a décidé de les arrêter pour travailler en usine, voyez-vous ça ! ah ! il y en a eu des séances, des cris, des anathèmes, des portes claquées, il hochait la tête, il évaluait, et puis un jour, plus rien, il avait disparu, il a eu un geste d'impuissance, que pouvais-je faire ? j'avais accepté le dialogue, je m'étais épuisé à entendre ses discours, à le ramener à ce qui me paraissait des analyses plus raisonnables de la société que sa révolution, il n'avait que ça à la bouche, la révolution ! mais là, d'un coup, nous n'avons plus eu de nouvelles, pendant plus d'un an, ma femme était folle d'inquiétude, nous avons mené des recherches, c'était difficile, son visage de vieil homme se plissait, devenait grave, notre fils aîné était très remonté contre lui, ces deux, ça a toujours été l'eau et le feu, il était partisan de laisser tomber, quand l'oiseau aura faim, il retournera au nid ! affirmait-il, pas comme on l'aurait prévu, mais c'est ce qui s'est produit, il a baissé les paupières, le père Gloirafeux, il se remémorait, j'apercevais Bertrand qui rangeait des râteaux contre un mur, enlevait ses sabots afin de nous rejoindre, et puis, voyez-vous, depuis que je suis malade, c'est lui le plus affectueux, il est aux petits soins avec moi, c'est lui qui m'accompagne aux différents rendez-vous, à l'hôpital, peut-être parce que je ne l'ai jamais renié, que je n'ai jamais voulu couper les ponts, au début il était peu loquace, par bribes, j'ai perçu son renoncement, la confrontation au réel a dû être dure, le vieil homme a repoussé le plaid qui couvrait ses genoux, il souhaitait travailler à la chaîne, je pense qu'il a été servi ! il voulait changer le monde, mais le monde lui a dessillé les yeux !

La porte du jardin s'est ouverte, vous êtes partout, docteur Lorca ! Bertrand Gloirafeux est entré, affable et brusque à la fois, ici, c'est plus calme, n'est-ce pas ? comment trouvez-vous le paternel ? prêt, ou presque, à reprendre du service ! nous sommes d'accord, rien ne presse, tant que vous pourrez le remplacer… vous vous faites au pays ? Il était décontracté, vif dans ses gestes, le cheveu et la barbe en broussaille, le pull marin comme vestiges d'un univers qu'il n'avait peut-être pas tout à fait quitté.

Au même instant, on a sonné trois coups rythmés à la porte et, pendant que j'aidais le père à se lever de son fauteuil, je vais vous raccompagner m'a-t-il dit, ça me fera un peu d'exercice, Bertrand Gloirafeux est descendu au garage pour ouvrir au sous-sol. Depuis le couloir je l'entendais parler à un homme, voix graves, paroles brèves, murmurées, le ton était peu amène entre eux, cette voix de l'homme, ce timbre qui montaient de l'escalier, j'aurais juré les connaître, et puis Bertrand a fermé la porte et je n'ai plus rien entendu. Revenez quand vous voulez ! le père Gloirafeux a pris congé sur le perron de la maison, m'a serré chaleureusement la main. Une allée de gravier me séparait de la grille d'entrée, derrière une rangée de fusains, devant le garage, j'ai aperçu le pan de la chemise verte de l'homme, le haut de sa chevelure bouclée, tu l'as dit à Alphonse ? est-ce qu'Alphonse le sait ? répétait-il nerveusement, mais mes pas sur les cailloux de l'allée ont interrompu la conversation, l'inconnu et le fils Gloirafeux se sont éclipsés. En traversant la rue, j'ai remarqué une Volkswagen beige stationnée cinquante mètres plus loin, il y avait deux hommes à bord, l'un d'eux a allumé une cigarette, il penchait la tête et observait la maison des Gloirafeux.

Je partageais désormais mon temps entre l'hôpital et le village et rentrais dormir à l'internat deux soirs par semaine. Les locaux, le réfectoire, la salle de télévision, celle de baby-foot, s'étaient vidés avant les fêtes de fin d'année, seuls demeureraient les internes de garde dont je faisais partie et Alou, le Sénégalais, l'assistant en chirurgie digestive, trop loin, Dakar ! j'irai plus tard, répondait-il triste et souriant. Les larges fresques à l'humour estudiantin, les blagues de carabin, étaient figées, sans âme, sur les murs dans le silence des couloirs et des salles, ne revivraient qu'en janvier quand nos collègues rentreraient de leurs contrées respectives.

Lors de la première assemblée du semestre, il y a eu foule dans la salle de télévision où les canapés étaient occupés par les anciens, prioritaires. Nous avons choisi nos stages et j'ai pu conserver mon poste en médecine chez Barbarelli. J'ai aussitôt reconnu le nouvel interne du service, cheveux longs, légère barbe, pommettes hautes et cernes bleutés sous des yeux pâles, Marcheneau avait toujours sa tête de séducteur, de rockstar comme ironisait Maurice, Marcheneau le copain de lycée, le rebelle, le folk-singer, s'est avancé vers moi, tu vois, Lorca, tu ne peux pas te passer de moi ! Marcheneau le solitaire, mais le révolutionnaire, le responsable des comités d'action en 68, mais aussi l'instable, l'éternel insatisfait, tu as fait comment pour suivre des études de médecine ? t'as pu tenir ? je savais qu'il avait arrêté, hésité, puis repris, pas possible ! je me suis extasié, eh oui ! il s'est amusé de ma surprise, ça t'en bouche un coin, hein, monsieur le bon élève ! ma parole, mais c'est long des études de médecine ! comment as-tu pu, toi, avoir la patience ? sans doute, Lorca, il a grincé, que je me suis assagi ! nous avons devisé encore et puis, soudain, j'ai perçu son regard fixe, autrefois si familier, il s'est levé, l'entretien était terminé, je le retrouvais bien là.

Nous nous sommes revus deux jours plus tard, il était assis sur la terrasse en retrait des autres internes. Lui, le narquois, l'intransigeant, comment allait-il s'accommoder des patients, de leurs petites faiblesses, leurs péchés inavoués, leurs mensonges qu'il fallait traduire, comprendre, leurs plaintes aussi ? comment allait-il s'y prendre pour leur adresser des paroles réconfortantes sans, comme il le faisait dans la vie ordinaire, rompre là sans discussion ? j'ai changé, Lorca, m'a-t-il répété et, dans un élan supplémentaire, m'a fait cet aveu, je compte beaucoup sur la technique, tu sais, la garantie de son exercice, sa voie d'accès, la médecine désormais sera scientifique, crois-moi, la médecine de papa, les diagnostics aléatoires, les bilans sommaires, les symptômes transformés en envolées littéraires, c'est fini tout ça ! il me voulait convaincu, Marcheneau, comme il l'était lui-même quand il prenait appui sur une foi inébranlable, qu'il parlât de politique, de médecine ou de musique, le thème pouvait varier, la parole était forte et la certitude si vitale pour lui qu'elle ne pouvait ni ne devait paraître réfutable par lui et par les autres, je te le dis, Lorca, crois-moi ! Je le reconnaissais là, l'œil vif, autoritaire, le verbe assuré me projetaient dans la cour du lycée, la classe de monsieur Maurin, le prof de lettres, vous m'écoutez, Marcheneau ? les condisciples tout autour. C'était l'époque où il s'imprégnait des raisons indiscutables de la nécessaire révolution, il les déclamait devant un parterre de lycéens sommés d'adhérer ou bien de se taire, camarades ! tentait-il déjà, il n'y a pas d'alternative, et cela à plus court terme que nous ne l'envisageons! Il était pénétré de son rôle, le peaufinait, l'affirmait devant un public d'élèves de terminale qui, la plupart, le regardaient, éberlués, mais déjà coupables de ne pas s'engouffrer sur ses pas dans l'évidence de l'action.

J'étais curieux de voir en quoi il avait changé depuis ces années, si cette fureur intérieure que j'avais alors côtoyée, cette fièvre devant le public des assemblées générales, des meetings en 68, étaient retombées et si, dans ce cœur tourmenté, elles avaient pu se mettre en paix avec Marcheneau lui-même.

Comme nous avant lui, il découvrait l'organisation du service, ses rythmes, ses priorités, et aussi le personnel avec lequel nous devions former une équipe. Il semblait n'écouter que d'une oreille distraite les consignes du surveillant, dites-moi plutôt comment fonctionne le respirateur, le défibrillateur, où vous rangez les cathéters! pour s'intéresser aux seules connaissances techniques qui lui fourniraient le plus vite possible l'autonomie à laquelle il aspirait, montrez-moi le branchement de l'écran, après je ne vous embêterai plus! afin d'exercer la médecine comme il l'entendait, se frayer son propre chemin, de cela, après plusieurs interventions brèves, sèches, je ne doutais plus.

Je n'étais pas le seul, Brûlenoir, le surveillant, un grand type barbu qui avait fait la guerre dans les hôpitaux de la banlieue parisienne comme il disait, n'avait pas une souplesse naturelle qui pût se plier aux injonctions de Marcheneau, écoutez, mon vieux, vous venez d'arriver et je vais vous dire une bonne chose, toutes les explications techniques, vous les aurez, il s'était rapproché pour le dévisager, au fur et à mesure et en temps voulu, d'accord? mais ce qui importe le plus dans un service où l'on traite des pathologies très diverses et en équipe restreinte, pour le bon déroulement de l'accueil et des soins, c'est la discipline. Marcheneau se taisait et laissait venir Brûlenoir sans ciller, l'autre avait pointé son doigt, même si vous êtes médecin, ce que je respecte, et je ne le suis pas, ce qui compte ici, c'est l'expérience, il nous avait tous regardés, Brûlenoir, et la solidarité, avait-il ajouté, pas mécontent de son allocution, mais c'est à Marcheneau qu'il s'adressait, vous verrez, lors des premiers coups durs, des situations aiguës que nous connaîtrons, vous en tirerez bénéfice et nous ferons de notre mieux pour vous aider. Il avait frappé dans ses mains, le surveillant, allez ! rompez ! avait-il lancé sous forme de boutade.

J'avais levé les yeux, Marcheneau m'observait, me laissait mesurer avec quelle ironie il accueillait tout ça, nous en reparlerons plus tard ! m'avait-il confié en s'éloignant.

Mes allers et retours jusqu'au village se sont multipliés au début de l'hiver, la campagne était vide, grise, parfois je m'y rendais, dans le reflet des phares, pour une consultation, pour des visites urgentes aux premières clartés de l'aube ou à la nuit tombée. Je me suis bâti une petite clientèle à cette époque, des patients me réclamaient, c'est vous qu'ils veulent ! me confiait Francine tout heureuse, ils n'étaient pas bien nombreux, mes fidèles, mais c'était un début, un encouragement. Ma Simca 1000 toujours sillonnait la route, des va-et-vient derrière une bétaillère ou un camion-citerne perdus au milieu des marais.

Dans la lueur éteinte de ces journées d'hiver, j'écoutais la radio à bord, cette fois c'était un débat sur la télévision, un chanteur comme Jean Ferrat est clairement censuré, protestait l'un, c'est lui qui se censure par ses déclarations provocatrices ! rétorquait un représentant du ministère, pire, les gens s'autocensurent pour pouvoir passer à l'antenne ! ajoutait un troisième, souvent des cassettes, la voix d'Eric Burdon, *in the steady old part of the city,* me réchauffait ou je pouvais passer *Tommy, Tommy can you see me ?* l'opéra des Who, en boucle, des heures durant, *Tommy can you hear me ?* je chantais, voix de tête, en longeant les arbres de la route nationale.

L'après-midi, dès la fin de ma contre-visite à l'hôpital, je filais au village. Ce soir-là, le jour déclinait, ciel de janvier, taches noires et blanches, contrastées, en découpe, les passants glissaient comme des ombres, il me fallait une demi-heure environ pour rejoindre le cabinet médical. J'ai contourné la sortie de la ville encombrée à cette heure, emprunté un raccourci, une rue interminable, étroite, qui longeait la caserne et des maisonnettes aux volets peints, quartier de retraités, d'habitations modestes, sans vie particulière, trottoirs déserts. Au bout de la rue j'ai aperçu deux silhouettes jeunes, gestes vifs, qui descendaient, coup d'œil rapide, d'une Volkswagen beige. Devant Marcheneau lui-même, dos voûté, démarche souple, j'ai reconnu le type barbu qui s'engouffrait dans une maison, c'était celui qui avait sonné chez le père Gloirafeux l'autre jour, ma main à couper ! J'ai roulé sans ralentir, l'homme qui leur ouvrait la porte et les accueillait, n'était autre que Bertrand Gloirafeux, par chance il me tournait le dos, pas besoin qu'il me voie, avant qu'il se retourne, ma Simca et moi, nous étions passés.

Pendant le trajet je me suis interrogé, Marcheneau, Gloirafeux, le barbu, pourquoi ne se seraient-ils pas connus, vieilles amitiés politiques qui auraient survécu au reflux, pourquoi pas, je me perdais en conjectures, malgré moi j'échafaudais des plans mais, dès mon arrivée, il faut que vous alliez à Fonville ! m'a dit Francine, la première ferme à gauche en entrant dans le village, leur enfant qui va mal, ils ont appelé plusieurs fois, attention au coq ! m'a crié Lepreux depuis son bureau.

Il faisait nuit noire quand j'ai trouvé le portail, une loupiote au fond de l'allée, des aboiements dans le garage et puis, avant que je parvienne à la seule porte éclairée, dans un fracas d'ailes déployées, ergots, bec, un coq gris, énorme, m'a attaqué, piqué à la jambe, sauté au visage, élans terribles, juste le temps de me protéger avec ma mallette, ah ! bon Dieu ! j'ai entendu crier du fond de l'obscurité, une ombre a surgi de guingois, maladroite, bon Dieu de bon Dieu ! c'est encore le coq ! une femme aussitôt s'est approchée, l'animal avait repris des forces et s'est lancé dans un deuxième, un troisième assaut, je le distinguais mal dans le noir, lui me voyait bien, aucun doute, j'ai eu envie de hurler, couché ! comme à un chien, mais pour un coq gaulois irascible, je n'avais pas la formule, je criais, je hélais, surtout je dressais mon cartable comme un bouclier, c'est pas fini, non ! voilà que la vieille femme était entrée dans la mêlée, à coups de balai, il a résisté, le coq, puis un peu moins, elle ne le lâchait pas, enfin il est parti, c'est terminé, docteur, vous pouvez y aller ! elle m'a rassuré, la jambe me brûlait, quand je suis entré dans la salle à manger, j'ai vu mon pantalon déchiré, sanguinolent, une écorchure dessous, ce n'était rien, absolument rien ! j'ai certifié, je verrai ça plus tard, je me suis dit, tenez ! elle m'a tendu du coton, de l'alcool, mais venez voir ! j'ai senti l'impatience, le petit qui va mal ! elle a poussé une porte, une chambre sombre, un lit bateau et, au fond, la forme frêle, minuscule, d'un garçonnet, son épi dépassait des draps, ses yeux creusés brillaient dans la pénombre, il a mal à la gorge, beaucoup de fièvre, comment t'appelles-tu ? Clovis, a répondu la grand-mère à sa place, le prénom de son grand-père, elle m'a regardé, il peut à peine parler, s'est-elle excusée, et ses parents sont au travail, reviendront bientôt. Clovis était bien faible, pâle, si pâle ! et tremblant, sa gorge inquiétante avec ses taches hémorragiques et mes moyens fort réduits, en quelques jours ça l'a pris, jeudi dernier, il s'amusait encore avec le chien, elle réajustait son fichu sur la tête, son visage faisait des plis d'anxiété, de chagrin, c'est aujourd'hui surtout que la fièvre a grimpé.

Elle m'observait, nous ne nous connaissions pas, j'étais porteur de tous les dangers possibles, et le docteur Gloirafeux qu'est pas là ! a lâché le grand-père qu'elle a fait taire d'un regard. Clovis, il n'était pas bien gaillard, il respirait sans difficulté, était paisible même si la fièvre et des douleurs le rongeaient, je dois faire une prise de sang et je reviendrai demain, en attendant, je vous prescris des remèdes pour le soulager, qu'en pensez-vous ? m'a-t-elle demandé, j'ai fait la moue, moi, je ne les aimais pas ces taches rouges au fond de la gorge, cette blancheur de tout le corps, et elle, pas besoin de longues études de médecine, elle avait compris, c'est pas bon, hein ? elle m'a dit à voix basse, j'ai laissé un silence puis asséné, si l'analyse de sang n'est pas satisfaisante et Clovis pas mieux demain, il faudra prendre une décision, vous vous en doutez, elle a secoué la tête, un enfant de huit ans, s'il est en danger, il faut l'hospitaliser ! j'ai prévenu. Je les regardais, j'avais tout dit, au moins l'essentiel.

Je suis arrivé tard chez les enfants Gloirafeux, ils étaient devant le poste, une émission de variétés, et maintenant, Sacha Distel ! claironnait le speaker, j'ai dû leur adresser un regard corrosif, ça lave le cerveau, tu devrais essayer de temps en temps ! m'a aussitôt lancé le fils, ça détend, je t'assure ! Patricia, l'épouse, m'a dit qu'un en-cas m'attendait à la cuisine, ses cheveux noirs moutonnaient en boucles serrées, ça montait très haut, une vraie construction, la coiffeuse va bien ? j'ai tenté, mais elle n'a pas ri, elle m'a juste annoncé qu'ils partaient à Paris en fin de semaine, le Salon de l'automobile ! il a expliqué, porte de Versailles ! elle a précisé.

J'ai dîné sans y prêter attention, ma tête était lourde, les visages de la grand-mère et du petit remontaient en un éclair depuis un abîme de noirceur, cette fois il me faudrait la plus haute vigilance, je devais relire mes cours, la leucémie, ses symptômes, ne pas me tromper, peut-être pas ! espérais-je, attendre les résultats de la biologie, l'état de Clovis le lendemain, ne pas s'alarmer trop tôt, après tout il était possible que je le retrouve fringant et soulagé, le petit Clovis, qui sait ? je m'encourageais, je me forçais presque à une escapade optimiste mais ça ne durait pas, sinon il faudrait agir au mieux, être ferme, ne pas perdre de temps. Des rires et des chansons résonnaient depuis le salon, Gloirafeux s'est levé, est venu me parler un moment, des cas médicaux, des détails de la journée, ses derniers déboires amoureux l'avaient adouci, moins sûr de lui, plus aimable, vous partez longtemps ? j'ai demandé, quatre jours, le temps de s'aérer, il savait ce que je pensais, depuis la scène de l'autre jour, on n'avait pas revu la fruitière au cabinet, elle ne se montrait même plus sur le seuil de sa boutique et lui parlait un peu plus aux autres, comme s'il en avait besoin des autres, comme s'il avait pris conscience de leur existence et de leur nécessité. Le Salon de l'auto ! Quelle idée ! j'ai pensé mais puisqu'ils aimaient ça, elle et lui, les bagnoles et la France de Giscard, autant qu'ils en profitent, bon séjour ! je les ai salués.

La nuit, Clovis et sa grand-mère, le grand-père, le coq et le chien aussi ne m'ont pas quitté, j'aurais les résultats des analyses en fin de matinée, d'ici là il me faudrait téléphoner à l'hôpital, avertir, prévoir, pas d'alternative, pas la peine de rêver ! me disais-je.

Le lendemain j'ai débuté par des consultations au cabinet. Dès huit heures la salle d'attente était pleine, Francine en passant m'a averti que l'état du père Gloirafeux s'était aggravé durant la nuit, monsieur Philippe va peut-être renoncer à son voyage à Paris, j'ai songé avec ironie à la mise en plis de la belle-fille, tout ça pour rien ! Le premier de mes patients, c'était Languillon, le père des filles, avec ses yeux plissés qui m'interrogeaient autant qu'ils me défiaient, j'en aurai pas pour longtemps, docteur, il a déposé sur le bureau un sac de jute, je voulais vous faire un petit cadeau, en a extrait un bocal rempli de bestioles noires, mais ce sont des sangsues !

bien sûr ! je les ai pêchées pour vous ! il m'a annoncé radieux, plus madré que jamais, je me suis dit, le docteur, ça va lui faire plaisir, peut-être qu'il connaît pas encore les soins par les sangsues ! il se frottait les mains, vous demanderez à monsieur Gloirafeux, il va mieux, au fait ? vous lui enverrez le bonjour et le respect, s'il vous plaît ! je n'y manquerai pas, monsieur Languillon, mais elles sont énormes ! ça va être pire que des saignées ! vous verrez, vous serez content et vos malades aussi, il me montrait le bocal, ils aiment ça dans le coin, ils vous le revaudront, soyez sûr ! J'ai remercié, eh bien, de rien ! il a dit, a hésité, paru se raviser et puis il est parti sans demander quoi que ce soit, à la prochaine, docteur ! on se reverra bien, hein ! qu'on se reverra ?

Le patient suivant, je le connaissais bien, alors, monsieur Gratineau, qu'est-ce qui me vaut l'honneur ? il n'avait pas coiffé sa casquette ce matin, s'était presque endimanché, voilà, docteur, je voulais consulter sans mon épouse, qu'on puisse s'expliquer entre hommes, voyez-vous ! il me regardait bien en face, décidé, le quincaillier, pas du tout le mari falot entrevu au magasin, vous savez, dans une petite ville comme celle-là, nous nous connaissons tous, et il n'est pas toujours facile de confier un secret, même à son médecin et même si on l'estime, il s'est redressé, alors, je me suis dit que peut-être avec vous, qui n'êtes pas à proprement parler du village et m'êtes sympathique, je pourrais un peu m'exprimer, je l'écoutais, j'ai vu brutalement sa belle assurance se briser, ses yeux s'humecter, c'est difficile mais je suis venu pour ça, il a écarté les mains, voilà, docteur, ce que je vous dis ne doit pas sortir de nous deux et je vous sais de toute façon tenu par le secret médical, mais, grosso modo, l'autre jour, mon épouse vous a fait part de mes difficultés par rapport à ce que vous savez, et, sur ce point, je tenais à vous rassurer, j'ai opiné mais j'attendais la suite, je n'ai plus de désir pour elle, ça, oui, mais il se trouve, cher docteur, il a commencé, sans les voir, à contempler les moulures au plafond, les lattes du parquet, que je connais depuis trois ans une personne, avec qui ça se passe très bien, il a tenu à préciser, et si ce n'était mon sens de la famille, mon fils, le magasin, ah ! le magasin ! eh bien, il y a longtemps déjà que je serais parti, que j'aurais foutu le camp, cher docteur, il a articulé avec jubilation, comme je montrais mon intérêt étonné, eh oui ! c'est ainsi, il me livrait tout, sa vie secrète, ce qui lui servait d'aventure, là où il mettait sa vie en jeu, et je dois reconnaître, a-t-il repris, qu'entre les apparences, la comédie du quotidien, et ce que je vis intérieurement, je n'y tiens plus ! je comprends, j'ai dit sobrement, non, vous ne comprenez pas, mais il faut que vous m'écoutiez pourtant, il a inspiré, le Gratineau qui passe pour un imbécile, le Gratineau que sa femme malmène devant tout le village, le Gratineau des représentations municipales, il en a marre ! il s'est arrêté, a insisté, vraiment marre, docteur ! et, il a marqué son désarroi, je ne sais que faire, a souri, ni quoi lui conseiller à mon ami Gratineau, mais de faire ce qui lui plaît ! je lui ai répondu, c'était risqué, délicat à souhait, mais je l'ai senti bien aise de m'entendre parler ainsi, je suis content que vous me disiez ça ! comme si nous avions franchi un pas dans la complicité, nous avons échangé quelques paroles encore et il m'a serré la main, fort, longtemps, c'est bien ! c'est bien ! il répétait, nous allons réfléchir ! il a conclu et s'est éclipsé, l'œil malicieux, la mimique soulagée.

Entre-temps les résultats de l'analyse de sang m'étaient parvenus, ils étaient mauvais et j'ai dû faire hospitaliser Clovis. J'en ai parlé à Lepreux avant de me rendre à la ferme, besoin de partager la charge, confronter nos avis, pas une minute à perdre ! il a conclu, là, au moins, nous étions d'accord.

Une pluie fine tombait sur l'allée de gravillons, le coq se cachait, le chien s'est tu, et la grand-mère m'a regardé venir de loin parce qu'elle savait ce que j'allais dire et qu'elle n'en voulait pas, tout en elle, son corps, son esprit tendus, rejetait à l'avance les mots que j'allais prononcer. Elle m'a écouté immobile, à l'affût, puis elle a soupiré et tremblé à la fois, m'a fait signe d'entrer, comment va-t-il ce matin ? il a saigné du nez et même des gencives, il ne mange plus rien. J'ai examiné le petit Clovis dont le regard se durcissait à l'épreuve de celui des adultes, perdu au lieu d'être serein, trop sévère pour lui rendre de l'insouciance, tu as toujours mal à la gorge ? montre-moi ! il s'est exécuté sans rechigner, on le sentait faible, vaincu presque, mais il a rassemblé ses dernières forces et m'a demandé, vous croyez que je pourrais aller à l'école pour le Carnaval ? ses yeux s'étaient allumés un instant, c'est quoi cette histoire ? raconte-moi ! mais il était las, la semaine prochaine, ceux de sa classe doivent se déguiser et faire une fête pour Mardi-Gras, a repris la grand-mère, depuis tantôt il ne parle que de ça, elle l'a observé, quand il parle, bien sûr ! C'était ça qui le taraudait, Clovis, il voulait bien être malade, en assumer la peine, avaler les potions, mais il voulait revenir à l'école pour partager la fête avec ceux de son âge, les autres soucis, même les siens, c'étaient ceux d'adultes comme nous, lui, il voulait jouer et rire, des habits et des lumières, et moi, j'allais lui proposer l'hôpital, les soins, les murs gris, la douleur, je ne peux pas te le promettre, il faut qu'on te soigne pour le moment, tu comprends ? il comprenait si bien Clovis qu'il ne désirait pas entendre ce que je lui demandais, franchir un cap, je n'ai surtout pas prononcé le mot raisonnable, sois raisonnable, Clovis ! mais il lui faudrait à son tour mûrir, devenir un peu plus adulte afin de supporter ce qu'un enfant n'aurait pas dû connaître, maintenant il y avait de la tristesse dans ses yeux et je l'ai trouvé plus pâle encore, dans sa tête enfiévrée, chaude et bourrelée de délires, une sacrée farandole devait le faire rêver et, par la mauvaise grâce de ma décision, la voilà qui filait, qui s'échappait.

J'avais tout organisé, l'ambulance, la chambre dans le service de médecine, quand tu seras là-bas, je viendrai te voir, d'accord ? c'était un peu court comme promesse, j'aurais tant voulu lui offrir un plaisir, même léger, autre chose que de la contrainte, dis-moi, il y a des illustrés que tu aimes ? c'était difficile, je ne trouvais pas, les grands-parents regardaient le sol, pétrifiés, lui, Clovis, ça le laissait indifférent ma visite à l'hôpital, je lui parlais d'un monde étranger et opaque où rien, lui semblait-il, n'aurait dû le convoquer.

Je ne savais plus quand Hélène me mentait dans la préservation de son seul intérêt ou nous mentait à tous deux, pouvions-nous parler de nous encore, dans l'explosion finale et imaginative de son esprit ébouriffé ? Le vieux téléphone de bakélite du cabinet avait retenti, métallique et péremptoire, je voudrais te voir, tu es libre ce soir ? j'avais hésité une fois de plus, mais le désastre de Clovis, la litanie des tensions à vérifier, des constipations invincibles, migraines intenables, segments de vies banales chuchotées, la solitude au fil des marais, prairies inondées, la lumière terne du ciel et des arbres, tout m'appelait à la rejoindre, à espérer encore une complicité qui romprait, même provisoirement, avec ce déchirement, ces instants de dénuement, je les avais trop connus dans mon adolescence, la présence de Marcheneau à nouveau dans mes parages me le rappelait avec force, ces minutes aiguës où trop de doute devant une occurrence amoureuse me remplissait de pensées si paradoxales qu'à la fin je renonçais et repartais vers d'obscures exaltations.

Tu m'attendais depuis longtemps ? elle est arrivée lumineuse, tout à la joie des retrouvailles, la séduction devait venir à bout de nos réticences communes, et poser l'engouement comme préalable relevait pour elle de la moindre des politesses et de la meilleure façon d'éloigner tout conflit mais, j'ai dû m'absenter ces jours derniers, le travail, des séminaires à préparer, je suis arrivée ce matin, le mensonge était là, cruel, morsure froide, moi qui l'avais aperçue l'avant-veille traversant la place de l'hôtel de ville et, plus tard, absorbée dans une discussion avec Marcheneau lui-même, qui allait finir par me donner le tournis, Marcheneau, son omniprésence, sa silhouette voûtée, son air entendu et ses gestes lents de vieux guerrier revenu de toutes les batailles qui, cette fois, s'immisçait dans ma vie privée, mais l'était-elle vraiment ? était-elle toujours privée ma vie avec Hélène, plus imaginée que réelle, où les moments partagés, sous-tendus par les mensonges, ressemblaient de plus en plus au décor carton-pâte d'un mauvais théâtre, à ces paysages factices qui défilent derrière les acteurs dans de vieux films ?

Dans le petit restaurant proche du port où nous avions rendez-vous, le garçon est venu allumer une bougie à son arrivée, un compte à rebours peut-être, les sourires d'Hélène, son maquillage, son éclat même, tout m'a paru artificiel, me glaçait dans l'instant, qu'as-tu ? tu sembles contrarié, c'était le mot, le mot exact, et, une fois de plus, je ne savais pas dissimuler, je me suis jeté à l'eau, tu connais Marcheneau depuis longtemps ? Hélène s'est redressée et le rideau s'est levé sur la première scène, pourquoi tu me demandes ça ? parce que tu me sers un brouet infâme, indigne de nous d'après moi, elle a examiné la nappe à petits carreaux comme s'il y avait une tache, longuement, et m'a regardé, ça, Paco, c'est une autre partie de ma vie, je me taisais, le refus du combat, le désir d'une explication, j'attendais, elle hésitait, je voyais bien, tout me dire ? une partie seulement ? comment présenter l'affaire ? tu le connais depuis longtemps ? j'ai répété, il n'y a rien entre lui et moi, si tu veux savoir ! elle s'est irritée, tu es jaloux, c'est ça ? jaloux, ça peut m'arriver, oui, mais là, je ne comprends plus ou alors je ne te connais pas, c'est possible, le garçon s'est approché, nous a proposé un vin du pays, la bougie commençait à fondre en coulées rouges au bord de la flamme, un vrai mélo de pizzeria, Yvon Marcheneau n'est pas un intime, elle a repris, celle que je connais, et que tu connais elle a précisé, est une de ses amies, une vieille connaissance du temps du MLAC[1], quand je militais, c'est vrai, elle a croisé machinalement les doigts, avec plus de ferveur que maintenant, pourquoi cloisonner de la sorte ? je me suis étonné, je n'ai pas le droit de connaître tes amis ? je suis imprésentable ? elle a voulu me prendre la main, envie d'apaiser le débat, mais je n'étais pas d'humeur et ne souhaitais pas tout mélanger, ce n'est pas ça du tout, tu le sais, mais, mais ? mais quand je participe à des réunions, des actions, je n'éprouve pas le besoin de t'en faire part, elle a laissé un silence, l'engagement politique n'a jamais été ton fort, reconnais-le, elle me souriait maintenant, au fur et à mesure qu'elle prenait l'avantage, mais pourquoi me mentir ? quelle nécessité ? d'abord, Paco, je ne te mens pas, et puis je ne veux pas que tu me poses des tas de questions, je ne veux pas avoir besoin de me justifier, d'argumenter, les discussions, il y en a assez comme ça, elle s'est montrée impatiente, et du bavardage, trop de bavardage ! L'exaspération montait en elle, a envahi son visage, crispé ses mâchoires, et toi, pendant ce temps, tu préfères aller faire l'artiste en Espagne, donner des passes à des toros imaginaires, c'est bien ça ? je ne me trompe pas, là, quand je dis ça ? d'abord mes toros ne sont pas tous imaginaires, Hélène, et ils font mal quand ils t'attrapent, et puis il arrive aussi à l'écervelé que je suis de soigner des malades, à l'occasion, de tâcher de se rendre utile pendant que toi, tu milites, certes, mais tu exprimes aussi un intérêt prononcé pour le confort et une forme de tranquillité, c'est ta liberté, bien sûr, d'avoir des goûts bourgeois comme tu dis, même si tu t'en défends, mais je ne sais pas si tu peux venir me faire la leçon après ça, vois-tu ?

1. Mouvement pour la liberté de l'avortement et de la contraception.

La lueur de la bougie s'atténuait, la cire, coulée rouge, s'affaissait dans la soucoupe, je vous apporte vos plats ! nous a rassurés le garçon avec son faux nœud pap, sa chemise fripée, le temps s'effilochait, c'est moi qui ai repris l'offensive, je me demande ce que tu attends de moi, ou plutôt si tu ne cherches pas en moi ce qui ne me correspond pas, une sécurité que je suis incapable de te proposer, une situation, pour dire le mot, que je ne peux ni ne souhaite t'offrir, le médecin, sa plaque, sa maison, son caducée, mariage et stéthoscope ! j'ai lancé, elle a pris l'air blessé, Hélène, comme si elle n'avait jamais envisagé notre relation sous ce jour-là, de quoi parles-tu ? ses yeux ont eu un drôle de reflet, c'est une mauvaise part de toi qui s'adresse à une fausse part de moi, j'ai affirmé, c'est ainsi et c'est dommage ! dans la salle se répandait en sourdine une chanson de Nana Mouskouri, manquait plus qu'elle ! *le tournesol ! le tournesol !* tu ne sais pas ce que tu veux, j'ai poursuivi, *n'a pas besoin d'une boussole !* et je sais ce que je ne veux pas, je l'ai observée, fixement, où est donc notre terrain d'entente, Hélène ? le sentiment, la sensualité, la tendresse, l'intelligence des choses et des gens ? je ne sais plus à la fin !

Pendant le repas Hélène s'est tue, le silence comme un reproche, ne m'a pas regardé, l'amie de Marcheneau que tu connais m'a-t-elle annoncé au dessert, tu ne l'as pas vue depuis longtemps, depuis Bordeaux en fait, elle s'est arrêtée dans un demi-sourire, nous l'appelions Juliette à cause de Gréco, tu te souviens ? oui, je me souvenais, corps maigre, longs cheveux, la frange sur les yeux, *si tu crois qu'ça va, qu'ça va, qu'ça va durer toujours* nous fredonnions quand elle débarquait au café, *la saison des za, saison des za, saison des zamours,* le Caducée, vingt mètres carrés tout au plus, comptoir et lambris d'un autre siècle, Juliette ! bon sang ! décidément toute l'agitation bordelaise s'est repliée ici ! je me suis écrié, trop spontané peut-être, Hélène n'a pas relevé, Juliette ! Geneviève de son vrai nom, les souvenirs qui affluaient, le jour où elle et le Musicien, un drôle de leader celui-là, intellectuel, médecin fou, poète à ses heures, et quelques autres avaient monté un commando yaourts contre les dirigeants du Conseil de l'ordre dans l'amphi d'anatomie à la fac, à l'attaque ! avait lancé le chef, embrassant sa militante transformée en crémière, produits laitiers, plateaux à volonté, bagarre générale sur les gradins de bois, costumes sombres des professeurs, tais-toi, vieil imbécile ! insultes, messieurs, je vous en prie ! protestations des étudiants, prenant la défense, grimpant les marches, montant à l'assaut du poulailler, camp retranché, tirs de yaourts, crèmes, fusées blanches ! cris, jets, coups de poing, depuis on avait baptisé l'amphi le Tir aux pigeons.

Le plus souvent, ça ne riait pas au Caducée, Juliette enrôlait autour d'elle des gens, étudiants ou pas, qui y croyaient, ne parlaient que de ça, du matin au soir, et avaient tout laissé tomber pour la lutte, messes basses, deux ou trois amis sûrs, avortements, tracts, motions, dans ces cas-là, ils chuchotaient entre eux. Prudence. Ils avaient raison, dans leur désir d'aller au-devant du peuple, ils en avaient comme des complexes, des maladresses parfois, se savaient intellectuels, ne souhaitaient rencontrer que des prolétaires, des vrais, nous autres, tous les autres, nous étions trop bourgeois, même nos chimères étaient bourgeoises ! Juliette et son équipe, c'étaient pas des plaisantins ! de la culpabilité partout, à la moindre conversation, des airs entendus. Ils avaient fini par en trouver deux qui avaient le profil, prolos à souhait, un vrai pedigree chacun, l'usine de piles sur les boulevards pour l'un, fabrique de chaussures pour l'autre, à la débauche ils venaient jouer au baby-foot, Joe Dalton et Lulu on les appelait au Caducée, des marrants les deux, toujours de bonne humeur, le petit râblé, le grand maigre. Juliette, elle s'était méfiée au début, pas assez pourtant, c'étaient des flics, on les avait plus vus du jour au lendemain, disparus les deux perdreaux, une semaine plus tard, des collègues à eux étaient venus arrêter la petite troupe, les IVG qui passaient pas, tous emmenés au poste, fermeture de locaux, fouilles, enquête, deux jours, convocation, et ils les avaient relâchés.

C'est Juliette qui a repris contact avec moi ici, m'a confié Hélène, c'est elle, tu te souviens ? qui nous a présentés, moi, j'assumais des permanences au MLAC, participais aux manifs, elle me donnait rendez-vous au Caducée, au début, je t'ai pris pour un farfelu anachronique, j'étais indifférente, trop occupée par les réunions, la cause des femmes, les premières IVG clandestines, la flamme agonisait dans ce qu'il restait de bougie sur la table, je ne sais toujours pas comment nous avons fini dans les bras l'un de l'autre, Paco ! un philtre sans doute ! j'ai ironisé, non, tes rêves fous, plus fous que les nôtres en réalité, tu crois ? peut-être étaient-ils seulement différents, pourtant, elle a repris, certains étaient vraiment engagés, certains rêvaient d'héroïsme, étaient courageux, pour ceux-là, la déception fut aussi rude que leur implication, a-t-elle conclu, c'était le cas de Juliette après 68, elle y croyait à la révolution, au PSU elle était dans la branche dure, ne cédait sur rien à l'époque, reprendre le dialogue avec la classe ouvrière ! elle répétait, Hélène fixait la flamme sur la table en parlant, la lutte à plein-temps ! Juliette voulait être sur tous les fronts, manifs, commissions, assemblées, tracts aux portes des usines, l'action sous toutes ses formes ! elle préconisait, au bout de trois ans pourtant, elle s'est sentie plus isolée, a fini par lâcher prise et rejoint un poste ici dans un collège, c'est comme ça que nous nous sommes retrouvées, pour la plupart, nous avons effectué un repli, et quel repli ! teinté d'une amertume qui n'a pas toujours dit son nom, c'est vrai, Hélène, certains se sont même effondrés, d'autres en revanche ont rebondi de façon extravagante, oubliant même ce qu'ils affirmaient l'année d'avant, tant de chemins inattendus ! j'ai marqué un temps d'arrêt, elle m'écoutait, attentive, en ce qui nous concerne, c'est peut-être alors que l'erreur a été commise, je me voulais diplomate, que tu as imaginé avec moi une voie qui n'était pas vraiment la mienne, où tu militerais encore, et où tu t'installerais aussi, je n'ai jamais cherché ça ! elle a protesté, elle me fusillait du regard, ne voulait pas de cette hypothèse, il fallait cesser, la colère l'emportait et j'allais à la rupture, laissons, Hélène ! j'ai dit, ça ne sert à rien.

Je l'ai raccompagnée, nous avons flâné le long du port, la mer était basse, odeurs de vase, de mazout, une brise se faufilait entre navires et cordages, douce pour l'hiver, elle m'a pris le bras, Paco, je ne veux pas la guerre, moi non plus, mais j'aimerais plus d'entente, je l'ai embrassée dans le cou, sa peau était lisse, cotonneuse, ce soir restons-en là, tu veux bien ? elle m'a demandé. Je l'ai laissée à sa porte, j'ai marché dans la lumière fanée de cette nuit brumeuse, le cœur triste, tout demeurait dans l'incertitude, seul fait concret, le petit Clovis, le lendemain, aurait besoin de moi.

Au lever du jour, le brouillard maritime, si habituel ici, s'était dissipé, la lueur rouge du soleil naissant ratissait le ciel en longs nuages rectilignes, reflets orangés, bruns, air frais saturé d'azur sombre encore.

Je suis sorti tôt, l'envie de retrouver Hélène était là, besoin physique au-delà du désaccord, elle ne m'apparaissait plus que comme un oubli possible, son corps, étreinte, tout arrêter, sa douceur, la volonté de dissiper ma propre réalité dans ses bras. L'évocation du Caducée à Bordeaux m'éloignait d'elle, remontaient en moi des discours rigides, jugements à tout va qui fusaient vite dans la salle enfumée, l'humeur qui me prenait parfois et me poussait vers le quartier espagnol, j'y retrouvais Moreno, l'ancien torero, casquette sur l'oreille, le récit de ses exploits, Litri m'a crié, encore! recommence! sa cape s'envolait dans le ciel de sa jeunesse, Aparicio est venu me féliciter après la course! la vie redevenait aérienne, l'aventure à nouveau à portée de courage, si je fermais les yeux, une fièvre en moi renaissait, une arène solitaire dans le campo inondé de soleil, un petit toro noir, sa charge idéale, l'esquive, couper la trajectoire trop droite, l'infléchir, maîtrise, fluidité du geste effaçant tout le reste, entre ciel et terre, recommencer, refermer les yeux à la fin, liberté dans l'instant suspendue, mort furtive dans la seconde occultée, j'ai signé huit contrats avec eux! Moreno soulevait sa casquette, ils n'ont pas hésité, pas une seconde! Aparicio, Litri, Moreno, et nous avec eux, nous avec lui.

En attendant, je descendais une rue étroite s'éclairant de volets peints, fleurs s'ouvrant au matin, j'allais avant le port bifurquer pour rejoindre l'hôpital, service de pédiatrie, mes collègues en charge du dossier de Clovis, Clovis lui-même que je voulais réchauffer d'un sourire, de ma présence un peu plus familière que les visages et les murs de ce lieu pour lui inconnu.

Dès le seuil, j'ai vu les yeux excavés de mon petit malade, son visage était d'une scandaleuse pâleur, sa mère, mince femme brune recourbée sur son fils, était à son chevet cette fois, il a mal dormi, déliré toute la nuit, Clovis était épuisé, loin déjà de la fête de l'école et des amusements, le mal qui lui était infligé le faisait vieillir de façon accélérée, je vais rester longtemps ? le temps qu'on te soigne, Clovis, on va te faire des examens, ça prendra forcément quelques jours, j'ai expliqué, par la fenêtre on apercevait un enchevêtrement de tuiles roses, plus loin, on pouvait imaginer le port et l'océan au-delà des tours, la mère me dévisageait, anxieuse, ensuite tu pourras rentrer chez toi, je viendrai te voir, d'accord ? il ne bougeait pas, Clovis, il attendait, j'espère que le coq ne m'attaquera pas cette fois ! il a essayé de sourire enfin, je ne savais pas si c'était de la détente ou simple politesse, son regard demeurait suspicieux, les paroles des adultes ne lui apportaient rien de bon ces temps-ci et, entre propos édulcorés, ordres et contraintes, le ciel à chaque phrase s'assombrissait un peu plus, pourquoi je peux pas me lever ? a-t-il gémi, il s'est retourné vers sa mère, moi, nous, tous les médecins, il n'avait plus le désir de nous parler, de nous faire confiance, ces règles que nous lui imposions lui étaient étrangères, j'en ai assez ! a-t-il soufflé, pas une protestation, une plainte tout au plus, ils vont bien s'occuper de toi, tu verras ! j'ai voulu le rassurer, il m'a opposé un regard neutre, je n'ai rien pu ajouter, au pays des prises de sang, des injections, des ponctions sternales, lombaires, des perfusions, que pouvais-je lui promettre ?

Dans le couloir, la mère m'a rattrapé, nous ne nous connaissions pas, elle explorait mon visage, tortillait ses doigts en gestes rapides, les docteurs qui sont venus m'ont parlé d'une maladie du sang, c'est ça? c'est probable, c'est une leucémie, c'est ça? elle avait osé, elle s'est arrêtée, ne pouvait pas aller plus loin, je fixais le mur et l'encadrement d'une porte par-dessus son épaule comme s'ils allaient absorber toute la gravité de l'instant, du propos, puis je l'ai regardée, c'est ce que nous redoutons, mais il nous faut encore des éléments pour confirmer, je n'ai pas encore rencontré mes confrères, je vous tiendrai au courant, elle était là, suspendue entre incertitudes et désarroi, si peu d'espoir dans tout ça, un mince filet de lumière, elle broyait ses doigts les uns contre les autres et dans un soupir m'a demandé, supplié presque, il y a des chances qu'il s'en sorte? attendons, pour le moment, je ne peux pas vous en dire plus, je vous tiendrai au courant, j'ai répété, elle a hoché la tête, je la voyais en contre-jour dans le couloir, sa silhouette était minuscule, avait rétréci depuis tout à l'heure.

Le service de médecine, celui du docteur Barbarelli, le mien, était à l'étage supérieur. Venant de quitter Clovis, en entrant, j'y ai trouvé l'atmosphère plus paisible, la maladie, la douleur, cruelles ici aussi, plus tamisées, presque plus acceptables que celles si aiguës de l'enfance où le mal était à l'œuvre sans contrepartie. Ici, dans les chambres des adultes, le combat tenait toujours un peu du compromis, dans un halo de fatalité, la responsabilité du patient, le temps de vie qui lui avait déjà été octroyé se mêlaient à la misère, la malchance, un enfant, rien, seule l'innocence. Celui-là, Joseph, j'ai commencé ma visite par lui, je le connaissais depuis une semaine, il avait perdu son épouse l'année précédente, se battait contre un cancer à son tour, à 38 ans, docteur! ça fait un peu jeune, non? on a causé, j'ai trop bu, trop fumé, je sais ! il se reprochait, rien ne dit que, mais si ! il m'a coupé, seulement, voilà ! j'ai deux enfants, six et neuf ans, qui va s'en occuper si je clamse ? hein ! il se désespérait, la Croix-Rouge ? la voisine ? J'apprenais, je cherchais la note, la juste note pour répondre, le silence même, pour accompagner une entente, il avait les larmes aux yeux, Joseph, pas facile ! il a conclu, nous nous sommes regardés, lui, moi, les mots n'étaient plus indispensables au bout d'un moment.

D'autres fois ils le redevenaient, je partais alors dans des considérations matérielles, des possibilités d'aménager le traitement, si la radio et l'analyse de sang sont correctes, nous pourrons attendre pour la prochaine corticothérapie, vous croyez ? murmurait Joseph, nous nous efforcions d'installer un peu d'espoir malgré tout, le malade et moi, dans cette sinistre affaire, nous disposions du quotidien afin d'en faire un décor vivable, j'en parlerai au docteur Barbarelli, c'est lui qui décide, vous savez. À petits pas, dans la noirceur et au bord du précipice, voilà comment nous tâchions d'avancer.

Des malades encore, des chambrées de trois ou six, un ciel gris tombait par les hautes fenêtres, Barbarelli, sa barbiche, son air patelin, m'avait rejoint dans la matinée, entre son cabinet privé et l'hôpital, il oscillait, le diable ! Lorca ! à la cinq, le cirrhotique, son ascite à ponctionner, vous n'oublierez pas ! il nous laissait porter le fer, vous devez vous former ! Marcheneau ne l'acceptait pas toujours, explications tendues, le docteur Barbarelli, son linge à la main, auscultait sans stéthoscope, il nous gratifiait de ses connaissances anciennes, vieux termes médicaux, le signe de la sonnette, fondamental, et facile, Lorca ! ne jamais omettre ! À midi pile, son tour achevé, décisions prises, il s'échappait, j'appellerai ce soir, je terminais la visite en compagnie de l'infirmière, l'après-midi, ce serait Marcheneau, changement de style, et moi, je me rendrais dans les marais.

Je suis sorti de la ville par le raccourci, la radio me tenait compagnie, deux journalistes débattaient des tensions entre le Premier ministre Jacques Chirac et le président de la République, c'était un délice de les imaginer, parler distingué, manières élégantes, chacun rêvant d'offrir la tête réduite de l'autre à des Indiens Jivaros. J'ai emprunté la rue austère où j'avais entrevu la petite troupe la dernière fois mais, volets clos, façade hermétique, le trottoir même était désert, un chroniqueur sportif s'inquiétait de la forme physique de l'ailier Dominique Rocheteau, l'ange vert, pour le prochain match de Saint-Étienne, en passant par la route qui borde le canal, jalonnée de vannes ouvragées, j'ai rejoint le village à travers des marais desséchés, chemins de halage, lumière blanche, des aigrettes piquetaient le paysage de taches claires, un long virage et j'ai aperçu le clocher.

Francine m'avait prévenu, madame Gratineau veut vous consulter, elle vous attend au magasin. Après les visites à Clovis et aux grands malades du service, l'intermède me distrairait, ah ! docteur ! la quincaillière m'a accueilli, la tête inclinée, je suis bien aise de vous voir ! elle était là, face à moi, massive, tout sourire, rutilante, j'avais du mal à ne pas laisser mes yeux éberlués se perdre dans l'étendue impressionnante de ses seins, voilà pourquoi je vous ai appelé, m'a-t-elle annoncé en me tendant une feuille, j'ai examiné, eh bien, docteur, qu'en dites-vous ? mazette ! les lipides ! le cholestérol ! le sucre ! tout à la hausse, rien à la baisse ! c'est sûr, ça sent le régime, madame

Gratineau, ah ! quand j'ai vu ça, m'a-t-elle confié atterrée, j'en ai eu presque un malaise, moi qui ne mange rien, demandez à mon mari, le soir un potage, un fruit, c'est tout ! elle était scandalisée, et vous avez vu ces chiffres ? ce n'est pas croyable ! elle réfléchissait, se demandait à qui elle pouvait s'en prendre, des mois et des mois que je fais des efforts et voyez le résultat ! elle a agité son poignet potelé, à ce point, je n'ai pas peur des mots, c'est dramatique, docteur ! comme je restais serein et devais lui paraître à une distance sidérale de son affolement, et vous, c'est tout l'effet que ça vous fait ? elle a contre-attaqué, mais oui, ne vous inquiétez pas, nous allons arranger ça ! j'ai dit, avec votre aide, madame Gratineau, bien sûr !

Mais là, un air mystérieux s'est emparé d'elle, elle s'est immobilisée, m'a considéré, longuement, que se passe-t-il ? j'ai repris devant son silence prolongé, l'atmosphère de stupeur qui flottait dans la pièce, c'est que vous ne savez pas tout, cher docteur ! elle a entamé, quand je vais vous dire ce qui motive mon appel, ce pour quoi mon mari et moi sommes tout bouleversés, vous n'allez pas en revenir ! Elle a remis en place d'un air machinal un bibelot sur le buffet, s'est retournée avec un demi-sourire, figurez-vous que mon mari, par ses activités municipales, connaît très bien, que dis-je ! est intime avec monsieur Frétillet, le conseiller général du canton, j'ai froncé le sourcil, toute mon attention était requise, eh bien ! ce monsieur Frétillet est lui-même très ami avec monsieur le préfet de région, Alexis de Saint-Chamond, qui, elle a écarquillé les yeux, est auvergnat, auvergnat, mon cher docteur ! et elle a joint les mains, vous vous rendez compte ! j'ai bien supputé, mais je n'osais pas trop, et alors ? me suis-je enquis, eh bien ! vous n'êtes pas sans savoir que monsieur le président de la République a manifesté à plusieurs reprises le désir de visiter les familles françaises, de passer une soirée avec eux, au coin du feu, j'ai commenté, c'est ça, au coin du feu ! à la bonne franquette en somme ! parfaitement ! et là, au bord de l'extase, elle m'a annoncé, et vous ne savez pas ce que monsieur Frétillet a dit à mon mari ? elle m'a regardé, illuminée, en lévitation presque, non ! je me suis écrié, si ! elle a glapi, que nous pourrions fort bien être choisis, elle se montrait du doigt, pour recevoir Valéry Giscard d'Estaing, et Anne-Aymone, bien sûr ! elle a précisé, chez nous, comme ça, en toute simplicité, pour bavarder un moment ! pour papoter, quoi ! j'ai ponctué, c'est ça, pour papoter, pour passer une soirée agréable, elle a secoué la tête, je n'en reviens pas encore ! ah ça, madame Gratineau, je comprends, Giscard ici, dans votre cuisine, pas possible ! nous étions dans le même élan enthousiastes à cette évocation, c'est merveilleux ! s'est pâmée la quincaillière, enfin, elle a levé la main, ce serait merveilleux, il faut que le projet se concrétise, ce n'est pas fait, mais, elle regardait au loin, et sans doute un peu du côté de la laiterie des Retournet qui ne connaîtraient pas cet honneur, eux ! monsieur Frétillet, après avoir consulté le préfet, nous a confirmé que nous avions toutes nos chances, je contemplais madame Gratineau, son mari, sa casquette à carreaux, faudrait savoir ce qu'elle en penserait, Anne-Aymone, de la casquette à carreaux de Gratineau, et de quoi allez-vous parler ? j'ai demandé, oh ! j'y ai pensé, elle a pris des airs, fait des mimiques, la quincaillière, il faut que ce soit simple, spontané, voyez-vous, nous parlerons de la vie de tous les jours, voilà ! la vôtre ou la leur ? j'ai dit, elle m'a examiné, interloquée, les deux je suppose, elle est restée bouche bée, pensive, l'ombre d'une déception l'a soudain traversée, elle s'est assise et a pris un air boudeur, dans ce cas elle a repris, je pourrais toujours lui parler de ses initiatives au président, je sais pas, moi, comme le changement de bleu du drapeau tricolore, le ralentissement du rythme de *La Marseillaise,* son regard s'est perdu une fois encore dans une réflexion profonde, ça paraît secondaire mais c'est très important pour signifier que nous vivons dans une société plus douce, sa mine était circonspecte, pour adoucir les mœurs, quoi! elle livrait bataille, madame Gratineau, mais la teneur de cette conversation lui paraissait incertaine tout à coup, vous n'allez de toute façon pas lui parler de la politique extérieure de la France à Giscard, non? j'ai voulu la conforter, ou la bousculer, je ne savais plus, et pourquoi pas, monsieur le docteur! elle s'est rebiffée, j'ai un mari qui s'intéresse au sujet et qui en connaît un rayon, figurez-vous! là, j'ai battu en retraite, les yeux dardaient des intentions guerrières et la poitrine gigantesque avait repris un mouvement de va-et-vient qui allait dans le sens de la colère, parlons plutôt du motif de ma visite, le cholestérol, c'est ça? c'est ça, et ce qui en découle, elle m'a regardé, vexée, le poids, cher docteur! je ne rentre plus dans aucune de mes robes, elle s'est désolée, c'est une véritable catastrophe, allons! allons! j'ai voulu minimiser le désastre pondéral, alors que des larmes venaient à perler au bord des cils, il faut agir et vite! a-t-elle ponctué, je suis bien d'accord! j'ai renchéri, mais d'abord, j'ai saisi mon stylo, nous allons établir un plan de bataille, madame Gratineau, voyons ça!

Deux jours plus tard, après avoir accompli ma tournée de prises de sang çà et là dans le village, je me suis rendu sur un îlot à la sortie d'un hameau, Troussé-les-Marais, un monticule de terre pelée où trônait une maisonnette aux volets d'un bleu pervenche écaillé, elle était claire et chantante dans le soleil du matin, une tache de gaieté au milieu de cette lande grise.

Deux bonshommes assis côte à côte sur des caisses m'y attendaient, les frères vanniers, c'est ainsi que Francine me les avait désignés, ils tressaient leurs branches d'osier en prenant le soleil appuyés contre le mur blanc de la maison, c'est-y donc vous le docteur ? pas causants les deux frangins, le gros, le plus âgé, la parole enfouie dans une épaisse moustache, et l'autre, glabre, au visage figé, penché sur son ouvrage, c't'y donc que le docteur Gloiréfeux viendra plus ? m'a quand même interrogé le premier, il me tendait son bras nu, manche retroussée, la tension, qu'on en finisse ! les remèdes qu'il faut ! son frère, c'était le cœur, il a lâché son panier, croisillons, fines tiges, pour me désigner la poitrine et me montrer, objet magique, une boîte de comprimés d'un vert éclatant, il a secoué la tête, avec ça on meurt plus, il paraît ! il a ri d'un rire d'asthmatique, a poussé sur ses jambes pour se lever, traîné ses sabots à l'intérieur de la maison, filets de pêche, escopettes, vieux bocaux où je devinais des crapauds, des salamandres, des herbes enroulées, un spécial pour les maléfices, je l'aurais parié, rempli de couleuvres, et puis des crucifix, flèches, tableaux sur les murs, sur un buffet poussiéreux des thériaques, des vases, des paniers, bien sûr, toutes formes, un capharnaüm où il circulait avec la précision que lui conférait l'habitude, des chauves-souris, des pattes de lièvre enguirlandées, magie locale, symboles aux ramifications mystérieuses pour qui n'avait pas grandi dans la brume des marais, sous le ciel épais et parmi les eaux vertes des bocages, vous êtes un peu sorcier, non ? j'ai demandé, il ne m'a pas répondu, ça vous étonne, hein ! il lissait sa moustache grise, ici, c'est pas les Galeries Modernes ! pour sûr que c'est sûr ! il se moquait un peu, je n'étais pas loin de le croire, la science, c'était bien beau pour le cœur, mais pour la vie, pour l'ensemble, il s'en remettait à une tout autre culture, coutumes ancestrales, chacun ses traditions, monsieur le docteur, que voulez-vous ! il a conclu.

Les frères vanniers, leur lenteur, le décor de la salle, le paysage alentour, bocage, canaux, aucune trace de modernité, un poteau électrique peut-être, planté sur la butte, leurs habits, leur artisanat même, tout était en décalage. Un ponton efflanqué fait de planches inégales les reliait au monde, une balance y pendait pour la pêche aux écrevisses, pour le transport des charges une barque échouée dans les vases du rebord leur servait de navire marchand.

Le plus maigre des deux hommes me dévisageait de ses yeux plissés dans un mélange de défi et de curiosité qui aurait pu passer pour de l'ironie. De leur influence dans l'entourage de la rebouteuse, je ne doutais point, des propos saisis au café des Pêcheurs les avaient évoqués, ceux-là, les deux de l'île là-bas, qu'ils y sont pas pour rien, c'est sûr ! quand on parlait de chouettes clouées aux portes, de pierres savamment disposées en cercle au seuil d'une maison, mines effrayées, conciliabules avivés, des mimiques entendues qui m'avaient intrigué au début, puis lassé à l'usage, un surnaturel d'abracadabra dont je discernais les lourdes manigances, mais qui, par l'effet de surprise provoqué, savait instaurer une forme d'attente interrogative chez les sceptiques et, chez les plus soumis, une frayeur ou une obéissance chaque fois chargées d'émotion. Je m'en confiais à Lepreux qui souriait, levait les sourcils, vous n'imaginez pas au bout de vingt ans !

J'ai pris congé, la consultation m'attendait au village. Après les premiers halliers entrecoupés de barrières, j'ai longé une rangée de saules noueux bordant un ruisseau en contrebas, la lumière était blanche, aucune ombre, les arbres, les prairies, les canaux et les chemins semblaient un tapis paysagé cloué à la surface de la terre, pétrifié dans une clarté hivernale.

Au sortir d'un bosquet de frênes et de charmes, la tache bleue d'une mobylette se découpait sur un talus, les filles Languillon avaient repris du service, aucun doute. En face, dans un pré clôturé, paissaient des moutons, les pattes dans des flaques herbeuses, de jeunes chênes avançaient leurs branches jusqu'au milieu du chemin, fraîcheur de l'air, douceur presque naïve de la nature retrouvée qui dissimulait les croyances occultes tapies dans ses sous-bois.

En parvenant à ce que l'on appelait la route goudronnée, la départementale en fait, j'ai croisé une estafette de gendarmes, gyrophare bleu, vestes noires, mitraillettes, ils avaient disposé un barrage à hauteur du vieux pont de pierre, ceux du village m'étaient familiers, nous étions intervenus, les pompiers, eux et moi sur des accidents, des urgences, mais là, vos papiers, vous pouvez ouvrir le coffre, je vous prie ? vous êtes médecin ? remplaçant ? vous remplacez qui ? je n'en connaissais aucun, visages fermés, inspection, vérifications rapides, les longues silhouettes des militaires, les voitures immobilisées devant les herses, en rase campagne, scène glacée qui surprenait le quotidien, y laissait flotter une émotion insolite.

J'ai rejoint le village en écoutant *Corinna, Corinna,* Dylan en ritournelle, *I got a bird that whistles,* du rythme et des histoires, j'en avais besoin. En haut de la grand-rue, les pères Retournet et Gratineau devisaient côte à côte, avançaient de guingois, ils plaisantaient même, débonnaires, je suis sûr qu'ils plaisantaient, tout n'allait donc pas si mal, le soleil se reflétait sur les vitres de la porte d'entrée du cabinet, Francine me guettait, c'était peu dire, elle roulait de gros yeux noirs, la fruitière, mademoiselle Marion, elle veut vous voir, moi ? vous êtes sûre ? vous et personne d'autre ! elle a articulé, elle se tortillait, qu'y a-t-il, Francine ? ça doit être sérieux ! elle a chuchoté, je me suis permis de l'installer dans votre bureau. La pièce était plongée dans la pénombre, la secrétaire avait tiré à demi les contrevents, la jeune femme était assise, immobile, un foulard noué sous le menton, l'atmosphère de secret était à son comble.

Au début je n'ai vu que ses yeux, immenses, en proie au malaise, plus question d'exclamations rieuses cette fois, je voulais absolument vous parler, les premiers mots ont trébuché, les joues tremblaient, et puis, dans un sanglot, tout a été emporté, les paroles hésitantes et les mimiques de circonstance, un flot énorme, une secousse de tout le corps, je n'en peux plus ! elle a gémi, elle s'est repliée sur sa chaise, je ne voyais plus que le foulard, le dos recourbé dans son imperméable, je n'en peux plus ! elle a répété, j'ai attendu quelques secondes, si vous me racontiez, j'ai demandé, mais elle ne bougeait pas, je connais le responsable ? elle m'a observé, son regard était plein de colère, d'incrédulité, il n'y a que vous qui puissiez m'aider, il faut alors que vous m'expliquiez, elle a serré les lèvres, elle recouvrait son équilibre, repartait au combat, vous avez compris qu'il y avait une relation entre Philippe Gloirafeux et moi, elle a repris son souffle, au départ c'était un peu fou, mais j'ai cru qu'il était amoureux et moi, je devais l'être aussi, elle a secoué la tête, des escapades en ville, sur la côte, des moments volés, et puis c'est devenu compliqué, et vite minable, elle scrutait un point fixe par la fenêtre, des explications, des prétextes, il ne savait pas comment me mentir, il nous accordait des espaces de plus en plus restreints, elle a eu une moue dégoûtée, c'était pitoyable mais je voulais y croire, il m'avait promis tant de choses au début ! je suis une vraie midinette ! incorrigible ! et puis je me suis lassée, elle a essuyé ses yeux, il l'a compris, s'est irrité, et là-dessus s'est éloigné alors même que je suis enceinte, depuis longtemps ? non, un mois, il le sait ? elle a hésité, oui, il le sait ! ce salaud ! elle a ajouté, comment a-t-il réagi ? d'après vous ? un éclair de révolte a traversé son visage, comme un lâche, voilà comment il a réagi ! il ne parlait que de sa femme, du scandale, c'était charmant. Elle s'est détournée, Marion la fruitière, son regard scrutait le même point fixe hors de la pièce, il m'a proposé, monsieur, de me payer le voyage à Londres et, grand seigneur, de prendre tous les frais de l'avortement à sa charge, elle s'est mise à rire, monsieur est trop bon, mais, bien sûr, à condition que je me taise, elle a haussé les épaules, comme si j'allais le crier sur les toits que je suis enceinte !

Je l'observais, je ne parvenais pas encore à discerner ce qui l'emportait chez elle de la colère ou du désarroi, seule ma sœur qui vit en ville, et vous maintenant, êtes au courant, ça suffit comme ça ! et moi, j'ai avancé, comment je peux vous venir en aide ? en même temps j'ai allumé la lampe du bureau, elle m'était reconnaissante de ma patience mais nous n'étions pas familiers, elle ignorait quelle serait ma réaction future et hésitait dans sa demande, en fait, elle a redressé la tête, je ne veux rien lui devoir et ne souhaite pas me rendre à Londres, à Amsterdam ou en Suisse, on aurait dit qu'il me déroulait un catalogue d'agence de voyages quand il m'en parlait, ce que je voudrais, elle m'a dévisagé, c'est que vous m'aidiez à ce que ça se passe en France, la loi vient d'être votée, j'ai confirmé, mais je crains que votre grossesse n'arrive trop tôt, rien ne doit être en place, je m'en doute, mais je me suis dit que vous êtes extérieur au village, à ses histoires, ses médisances, qu'à Bordeaux vous deviez connaître un médecin qui pourrait s'en charger, je réfléchissais, peut-être que si vous en faisiez la demande, l'un d'eux accepterait de me recevoir, puis elle s'est arrêtée, dubitative, mais il est possible que je vous choque ? que je heurte votre morale après tout ? pas le moins du monde, mais, si je vous aide, il faut que je voie comment et grâce à qui, son visage s'est éclairé d'une marque de confiance, je suis seule, vous comprenez ? mon commerce n'est pas mirobolant, et je ne peux pas garder cet enfant, elle a soufflé, surtout dans ces conditions, je me suis sentie trahie, humiliée, mais c'est fini, je veux réagir.

Pendant qu'elle me parlait, plus sereine, je calculais à qui m'adresser, passerais-je par le biais d'Hélène et de Juliette ou me dirigerais-je directement vers un de ces patrons qui avaient milité pour la loi Veil ? et le planning familial, ils en étaient où ? il fallait l'aider, Marion, je tâcherais de trouver une solution, laissez-moi quelques jours afin de rendre la chose possible et que vous soyez accueillie dans des conditions convenables, la lumière était faible dans la pièce et dessinait le contour du beau visage de la jeune femme, j'ai eu une pensée traversière, je n'ai pu m'empêcher, Hélène qui m'avait toujours jugé trop peu militant, si elle me voyait agir là, pour une fois serait contente ! ou bien me dirait, c'est peu de chose en vérité, et elle aurait raison ! mais Marion était là, nous n'avons plus évoqué le fils Gloirafeux, elle ne cherchait pas un acquiescement sur ce sujet de toute manière, je passerai au magasin, d'accord ? d'accord, elle a enfin paru apaisée, s'est levée, je devinais ses yeux brillants à la lueur de la lampe.

Autrefois, ne souffrant aucun retard à l'enthousiasme, m'enflammant aussi vite que survenait la défervescence, le reste du temps, hors de ces convictions éphémères, hésitant sur le bien-fondé de mes pensées, mes décisions, adolescent en somme, blessé par l'assurance des autres, dérouté par leur confiance apparente comme si des univers entiers, d'immenses icebergs, flottaient autour de moi sans que je pusse y prendre pied, sans que l'accès m'en fût révélé, je subissais les avis autorisés de compagnons tels que Drageon, le fils de magistrat, en classe de première, le monde politique actuel, disait-il, ah ! les journalistes ! regardons ce que nous enseigne l'Histoire ! assénait-il l'air martial, la mâchoire lourde, n'achevant jamais ses phrases, quinze, vingt tout au plus, qui lui serviraient sa vie durant, Drageon, d'autres encore, comme si, quand nous les croisions en classe, ils avaient un instant ouvert les portes d'un monde qui vivait de l'autre côté de la cloison et dont nous n'avions pas, nous n'aurions jamais, la clé. Tout alors dans nos paroles, nos expressions, nos gestes, nous paraissait maladresses insignes trébuchant sur trop d'ignorance. L'éducation, la connaissance, les codes, ils en étaient imprégnés, eux, et, par leur attitude bienveillante et silencieuse, leur sentence une fois prononcée, nous le faisaient comprendre tout en courtoisie affichée et condescendance faussement escamotée.

Cruelle incertitude des premiers pas sur le chemin où tout nous restait à découvrir, à assimiler, où nous tâchions de nous dissimuler derrière des postures, de nous sauver en attendant que des vérités plus profondes nous atteignent, comme si elles devaient advenir, impérieuses et prochaines, en nous déjà pourtant, en bourgeon, mal dégrossies, égarées sur des routes souvent trompeuses mais présentes, réclamant plus de clairvoyance, plus d'attention aussi, pour résonner de notes qui prétendraient à un accord.

Deux jours de suite, en vain, j'ai tâché de joindre Hélène, sans doute voulais-je aussi la revoir pour lui faire part de ces réflexions, cette fragilité évoquée était-elle aussi cause de nos errances ? et puis j'avais besoin de sérénité avec elle, comme si c'était possible encore. Je désirais vérifier en moi cette maturité naissante qu'il m'avait semblé déceler lors de mes diverses rencontres avec des malades, Marion la fruitière notamment, le petit Clovis, afin de la soumettre au feu d'une relation amoureuse. Une assise, qui ne devait en aucun cas aboutir à de la suffisance, se faisait jour dans mes relations, un terme mis à des années de pensées incertaines. Tout le jeu, et je le sentais parfois au regard aigu mais bienveillant de mon confrère Lepreux, résidait dans la juste appréciation, l'humilité, cher ami, reste dans ce métier notre meilleure alliée.

Où étais-tu, je te cherchais ! formidable Hélène qui dans un retournement prenait la main, moi, où étais-je ? mais attaché à mon piquet, comme d'habitude ! parfois, Paco, la corde est longue de ta tête au piquet, non ? pas en ce moment, Hélène, mais toi, aurais-tu un peu de temps à nous accorder ? j'ai senti un silence, une hésitation, elle ne désirait pas me mentir, donne-moi quelques jours, le temps de me libérer de plusieurs obligations, professionnelles ? j'ai lâché, elle s'est indignée, bien sûr ! je dois vraiment répondre à ce genre de question ? je n'ai pas insisté, je t'appellerai, Paco, dès mon retour !

Pas eu le temps d'évoquer le problème de Marion, la filière Juliette. De toute façon, je m'étais braqué. Le soir même j'ai appelé le service du professeur Lardeur à Bordeaux, au début de sa carrière un sacré mandarin, celui-là, fils, petit-fils de mandarin, qui avait rompu les amarres depuis 68, un peu plus tard avait fait dans les journaux des déclarations fracassantes au sujet de la contraception, l'avortement, soutenu le projet de loi de Simone Veil, et les lois de l'Église, qu'en faites-vous, cher collègue ? l'avait apostrophé en réunion plénière, devant tous les étudiants, internes, chefs de clinique et autres professeurs, son ancien ami Chardonneret, l'obstétricien, chaque grossesse comme un cadeau de Dieu, l'enfantement dans la douleur, sont désormais pour moi, cher confrère, des formules imprononçables et, devant la tragédie que traversent certaines femmes, je vous invite à évoluer dans votre réflexion, il s'était levé Lardeur, avait joint les mains, sans égarer votre foi, bien entendu ! C'était mon ami Antonin, un temps interne dans son service, qui m'en avait fait le récit, l'incident avait fait long feu mais le débat à l'Assemblée nationale à la fin novembre 74 avait réveillé la fièvre, survolté les esprits, des médecins, des étudiants ne se saluaient plus, voire s'étaient apostrophés dans les couloirs de l'hôpital, et puis les fêtes de fin d'année, vous savez ! la bonne intelligence ! avait ironisé Lardeur, la rivière finit par rentrer dans son lit !

Alexandre Lardeur, professeur agrégé de médecine, chef du service des maladies neurologiques, son interminable visite des mercredi et samedi matin était devenue une légende, suivait un cérémonial, tout près de lui ses favoris, puis, selon la hiérarchie, l'agrégé en second, les chefs de clinique, assistants, internes, cheftaines, infirmières, les étudiants par rang d'ancienneté, immense cortège, froissements de blouses, murmure des pas, roulements des chariots et nous, les derniers, tout au fond, nous n'apercevions qu'un toupet de sa blanche chevelure, ne distinguions que ses mâles intonations, non, mais vous croyez ça ! et les rires obligés de tous les courtisans. Au début de mes études, avant Mai 68 et les années libérales de Lardeur, j'avais été son étudiant, dernier rang, dernière catégorie, même pas le titre d'externes ! vous imaginez ! nous abaissait-il, mais parfois il nous gratifiait d'un semblant d'attention, vous là, venez palper ce foie ! nous étions quelques-uns, Marcheneau en tête, à ne pas sentir, auscultez-moi ce souffle ! à ne pas entendre, ça ne m'étonne pas ! triomphait-il.

Sa voix tonitruante rebondissait contre les hauts murs de pierre de son service dans le vieil hôpital, qu'en penserait mon cher collègue, ce cul-bénit de Savarin ? hein ! se déversait en rafales sur les confrères hostiles à ses prises de position, son anticléricalisme avait toujours été sa marque, détonnant fort dans le milieu ambiant, il n'y a que vous, sœur Angèle, confiait-il à la surveillante en cornette de la salle 1, qui trouvez grâce à mes yeux, la sœur de Saint-Vincent-de-Paul triturait ses clés, faisait la moue, un jeu entre eux, je suis un mécréant, je le sais, s'exclamait-il devant une cohorte d'étudiants, mais, que voulez-vous, je n'y peux rien ! et celui-là ! reprenait-il, le champion du rhumatisme ! seulement compassionnel le dimanche à la messe ! la visite s'étirait en bons mots et saillies, avez-vous vu comment il traite ses malades ? c'est moi qu'on devrait canoniser, oui ! qui ne cessaient tant que riaient les étudiants, soumis parfois, ravis souvent de ses férocités.

C'était peut-être auprès d'un personnage comme Lardeur que je trouverais la solution pour Marion. Il s'était résolument rangé du côté de la légalisation de l'avortement, l'avait prônée, défendue, et maintenant que depuis janvier elle était votée, une victoire ! c'est une victoire ! avait-on affirmé, la création de services d'accueil pour ces jeunes femmes se faisait attendre. En décrochant mon téléphone j'étais remonté comme une pendule, tous ces discours, ces prises de position, certes, mais à présent, monsieur, avec tout mon respect, trouvez-moi une solution ! et fissa ! voilà ce que j'avais à lui dire à Lardeur, Lorca, oui, j'ai été étudiant dans son service, je voudrais lui parler, ce ne sera pas long, le professeur est absent, laissez vos coordonnées ! deux fois, trois fois, c'est moi qui ai relancé, je lui ai fait part de votre message, elle s'impatientait presque, sa secrétaire, oui, oui, docteur Lorca, je me souviens de vous, moi aussi, madame Vintrac ! monsieur Lorca, je suis Tremblot, l'interne de la salle 2, vous nous avez appelés ? pas vous, je veux parler à monsieur Lardeur, c'est personnel, impossible ! le professeur est très occupé, taratata, cher collègue Tremblot ! c'est personnel, tu comprends, cher confrère ? il faut que je lui parle, mon tutoiement le gênait, même âge, même boulot, la coutume, dans ce cas, il a pris sa voix endimanchée, tu ferais mieux de prendre rendez-vous, je te repasse le secrétariat, allô, madame Vintrac ?

Trois jours plus tard, midi pile, le professeur m'a reçu, j'avais demandé mon congé au cabinet, Gloirafeux fils s'est dit surchargé, il ne s'approchait plus guère, me toisait, petits yeux méfiants, que pouvais-je bien savoir de son histoire ? c'est Lepreux, bon prince, qui s'est dévoué pour prendre mes appels, remplacer le remplaçant, ça va me rajeunir !

Lardeur est entré d'un grand pas dans son bureau où madame Vintrac m'avait fait asseoir, il a jeté sa tête en arrière, alors, que puis-je pour vous ? crinière blanche, reflet métallique de ses yeux, c'était un séducteur, le patron, j'avais oublié à quel point ! Il savait prendre la lumière, des encyclopédies, des dossiers flottaient dans la pièce autour de lui, mais la densité de sa présence captait tout, il s'est rencogné dans son fauteuil de cuir clouté et m'a écouté, voilà, monsieur, je suis venu vous exposer le cas d'une jeune patiente, neurologie ? non, monsieur, une grossesse non désirée, il s'est cabré, vous savez que vous êtes dans un service de maladies du système nerveux ? vous vous en souvenez au moins ? je suis resté serein, vous qui avez déjà accompli des interruptions de grossesse, monsieur, devant l'absence de service en charge de ce problème, j'ai pensé que vous pourriez peut-être aider cette jeune femme, vous plaisantez, j'espère ! il a éclaté, puis s'est repris, m'a considéré, vous me posez un réel problème, j'ai conscience des difficultés actuelles que rencontre l'application de la loi mais, il a écarté les mains, j'en suis désolé pour votre patiente, après avoir soutenu cette lutte, je suis, comédien qu'il était ! roué ! emphatique ! désormais engagé dans d'autres combats, d'autres démarches, qui accaparent tout mon temps, je le fixais bien dans les yeux, je ne voulais pas le lâcher, comment dois-je faire d'après vous ? ma voix trahissait ma déception teintée de colère, il a soupiré, l'air désolé, le bougre, je ne sais, je ne saurais trop vous conseiller de vous rapprocher de quelque interne ou chef de clinique, il s'est interrompu, a hésité à dire qui partage nos idées, n'a pas osé, il ne me connaissait pas après tout, qui ne verrait aucune contre-indication à effectuer ce genre d'acte dans un service spécialisé où désormais doit avoir lieu la mise en pratique de cette nouvelle loi, c'est tout ce que vous me proposez ? je n'acceptais pas, sa fin de non-recevoir me restait en travers de la gorge, je voulais qu'il lui en coûtât pour son image, il n'était pas dupe, il a frappé dans ses mains, s'est levé, voilà ce que je pouvais vous dire, cher confrère, puis il est revenu vers moi, conciliant, et vous, que devenez-vous ? en quelle année déjà êtes-vous passé dans le service ? il reprenait de l'autorité, a paru réfléchir, il y a bien un ou deux confrères dans le privé qui s'occupent de ce genre de choses, c'est ce que m'ont dit les gens du MLAC, astucieux Lardeur, vieilles collusions revendiquées, mais dans quelles conditions travaillent-ils, je n'en sais rien, il avait pris le ton de la confidence, celui qu'il employait parfois avec ses favorites, au beau milieu de la visite, et l'intéressée de rougir, les autres de glousser, ils en avaient pour des jours et des jours à jaser, vous voyez ce que je veux dire ? achevait-il dans un éclat du regard, Lardeur, joli cœur ! me soufflait Antonin quand il en avait assez, vous devriez vous renseigner, m'a-t-il suggéré, complice, en prenant congé, il m'a tapé sur l'épaule, ouvert la porte et laissé là, au milieu du couloir, j'ai vu s'éloigner sa haute silhouette, sa blouse blanche qui volait, son pas si rapide qu'il ne laissait aucun doute, on ne pouvait plus le déranger.

J'allais devoir passer par une voie moins officielle. En sortant de l'hôpital, arcades de pierre, couloirs sombres, je me suis dirigé vers la place de la Victoire, le Caducée n'était pas loin, je me suis dit que le hasard m'y ferait peut-être retrouver quelque connaissance, et pourquoi pas de vieux combattants du MLAC. Terrasse vide, la salle aussi, le bar, autrefois bondé, était silencieux, seule une table était occupée, deux types inconnus de mon âge, moustaches de Gaulois, et une jeune femme qui m'a interpellé, Paco ! Sophie ! en m'approchant, j'avais eu un temps d'hésitation, les cheveux courts maintenant, maquillée, yeux noirs, une peau afghane qui moutonnait autour de ses joues, j'ai changé, c'est ça ? mais non ! mais oui, un peu ! en mieux ? en différent, non ? mais ça te va très bien ! arrête un peu, tu veux ! nous nous sommes vite débarrassés des préambules, galanterie et sexisme, péchés mortels, qui menaçaient, les deux types se moquaient déjà !

Sophie, l'amie d'Hélène du temps de l'information contraception à l'université, elles passaient des nuits entières à rédiger leurs programmes, discuter des divers cas, la main à la pâte ! ce qu'elles disaient, l'époque où j'avais connu Hélène qui préparait son CAPES, militait, collait des affiches, il y a longtemps que je ne l'ai pas revue, comment va-t-elle ? elle ne m'a pas laissé le temps de répondre, c'était aussi bien, dis-lui de m'appeler ! sans faute, compte sur moi ! Sophie, elle, avait franchi le pas, arrêté ses études, s'était faite embaucher dans une fabrique de biscuits, le retour nécessaire au monde du travail, le partage avec les masses laborieuses, les biscuits Quolibet, en grande banlieue, en bus, une heure de trajet, ligne 21, de larges grilles et des bâtiments gris, longs, nus, désespérants, j'étais arrivée au bout du bout, Paco, j'ai dû arrêter, tu m'étonnes! ça aurait déprimé un comique troupier, ton usine! deux ans j'ai tenu, c'est pas mal déjà! c'est sûr, mais quand même, une pensée émue pour ceux qui y passent toute leur vie! j'ai dit, et maintenant, que fais-tu? j'ai repris les études, les deux types roulaient leurs cigarettes en nous écoutant, sourire entendu, en psycho! elle s'est écriée, tous plus jeunes que moi! je fais figure d'ancêtre! elle m'a dévisagé avec une expression presque attendrie, Sophie, je me souvenais à l'instant qu'elle avait eu jadis un faible pour moi, et moi pour elle, pas longtemps, elle m'avait présenté Hélène et tout s'était terminé avant même le début d'une histoire, tu vas bien, Paco? toujours torero? apprenti torero! j'ai rectifié, je suis directement passé d'apprenti à retraité, carrière fulgurante! ça l'a amusée, au fait, tu connais Michel et Simon? deux philosophes distingués! il était temps qu'elle me les présente, le plus vieux me toisait déjà! deux philosophes à la fois, c'était une veine! alors, comme ça, tu as fait le toréador? ça commençait bien! en quelque sorte, mais c'est fini, j'ai voulu le rassurer, le grand escogriffe, ça l'irritait de voir Sophie émoustillée par ma présence, il allait se charger, lui, d'en planter des banderilles, sur mon dos qui plus est! et sans tarder! il suffisait que je courbe l'échine, pour ça il fallait une bonne pique comme conseillait Moreno, mon vieux maestro, la conversation est devenue compliquée et il s'est envolé, le Michel, dans des phrases absconses, truffées de mots inconnus, un vrai sabir, un vrai jonglage, il en tirait des théories pour son seul bénéfice, Simon, son collègue, s'accrochait pourtant, mais dès qu'il semblait lâché, trop ardu, trop confus, bien sûr! bien sûr! il se mettait à hocher la tête, à acquiescer, le diable, tu me suis ? demandait l'autre, et Simon d'approuver, oui ! oui ! d'une voix faible, essoufflée, on aurait dit un routier-sprinter dans une étape de montagne, décroché dès les premiers lacets, voiture-balai, klaxons, motards qui dépassent, mais Michel filait dans ses raisonnements, vérifiait aussi l'admiration suscitée chez Sophie que je trouvais bien perplexe pourtant, elle devait le connaître son philosophe, ensuite de quoi, ils y sont tous passés, les fameux, Foucault, Deleuze, Guattari, cités par cœur, pas une hésitation ! et puis, à ce qui semblait l'acmé de son analyse, toute parole est carcérale ! il a proclamé, comme si quelqu'un l'avait contredit dans la salle, content comme pas deux, Michel, béat presque, il s'est tourné vers moi, hein ! qu'est-ce que tu en penses ? il m'a demandé comme s'il avait porté l'estocade, je l'ai regardé, bouche bée, le moment était venu, me semblait-il, de faire un pas de côté, de prendre l'air niais pour le satisfaire, oh, moi, vous savez, tout ce qui est du domaine de la philosophie... il a triomphé, jubilé presque, ah ! tout le monde ne peut pas être torero ! il a feint de s'incliner, il voulait m'écraser, le bougre ! apprenti torero, seulement apprenti ! j'ai précisé encore une fois, et puis je me suis penché vers Sophie, tu ne voudrais pas faire quelques pas avec moi ? mais si tu veux, Paco ! elle s'est écriée, pas mécontente de le moucher, notre théoricien en chef, nous nous sommes levés, les avons laissés là, les deux penseurs, les deux Platon du Caducée, bras et idées ballants, Jacky, le patron, attaquait une partie de flipper, la salle du bar était de plus en plus vide.

Plus nous marchions côte à côte, Sophie et moi, plus je lui trouvais du charme, son rire était frais, ses yeux lumineux donnaient de l'éclat à son visage, sacrée Sophie ! je n'avais soudain plus du tout envie d'évoquer Hélène, elle ne manquait pas d'esprit non plus et deux allusions à ses compagnons du café, l'aîné surtout, résonnèrent comme des mises à mort, bon, Sophie, je dois te parler d'une jeune femme en difficulté, j'ai raconté pour Marion, il me faut une piste, j'ai pensé à vous, oui, je comprends, Juliette, mais ni elle ni moi ne nous en occupons désormais, nous avons longé le restaurant universitaire où nous nous retrouvions autrefois, des sigles, UEC, UJC, des slogans, des affiches à moitié arrachées, *Armement du prolétariat!* proclamait-on dans une phrase à la peinture un peu fanée, des relents d'effervescence, une lumière hivernale, blanche et froide, dévalait le trottoir sous nos pas, je sais à qui il faut que tu t'adresses, je te donnerai le numéro, un jeune médecin, je le connais, tu peux l'appeler en confiance, et puis son regard sérieux, attentif, s'est radouci tout à coup et elle m'a pris le bras pour marcher, c'est bien qu'on se revoie, Paco, non ? je ne m'en plains pas, j'ai concédé, j'avançais à grands pas, ragaillardi, son enthousiasme se diffusait en moi, chaleur de tous mes vaisseaux, mes muscles, coulait comme une rivière bienfaitrice, elle a posé sa tête sur mon épaule, nous avons dû accélérer en marchant, puis ralentir, accélérer encore, nous nous sommes dévisagés et avons ri ensemble, nous n'étions pas arrivés au coin de la rue que nous nous sommes embrassés, c'était fougueux, c'était gai, nos lèvres ne pouvaient plus se séparer, et puis elle s'est dégagée, en voilà une surprise ! elle s'est exclamée, je ne disais plus rien, je me laissais flotter dans l'air vaporeux, argenté d'un après-midi de janvier, dans les bras chauds et apaisants de ma nouvelle amie.

Nous nous sommes précipités chez elle, un petit appartement pas loin, au troisième étage, les marches quatre à quatre, nous nous enlacions en courant, des baisers, des rires, les poils de sa moumoute afghane des fois me chatouillaient le nez, t'en va pas surtout ! elle a ri, moi ? j'ai l'air de vouloir m'échapper ? oui ! oui ! elle s'est écriée méfiante un peu, plaisantant aussi, les souvenirs sans doute donnaient le ton. Chez elle, c'était explosif, un affrontement sur les murs d'affiches militantes, l'Ernesto, le Che, inévitable, étoile et béret, et d'œuvres modernes, dans un cadre un râteau et un seau sur fond blanc, plus loin trois briques superposées assorties d'un laïus de vingt lignes qui expliquait, l'œuvre devait être vue comme l'artiste la voyait et pas autrement, le travail d'un ami ! a-t-elle commenté, les meubles aussi m'ont étonné, un pouf notamment où elle a souhaité nous installer, en velours noir, muni de bras courts en plastique, ça tenait du matelas pneumatique et du radeau de la Méduse, seul, on y tenait difficilement mais à deux ! c'est pas possible, là, Sophie ! j'ai crié, tant pis ! elle a chanté, elle était déjà nue comme un ver, on tombera ! ah, ça ! pour tomber ! nous nous sommes affalés, nous avons roulé sur le parquet, fini le confort ! mais Sophie toujours agrippée à moi, à peine m'avait-elle laissé le temps de me déshabiller, qui ne me lâchait pas, quelle énergie ! attends ! j'ai expiré, j'ai regardé à droite, à gauche, il devait bien y avoir un lit dans cette pièce ! je me trouvais tête en bas maintenant, et Sophie sur moi, déchaînée, ça devenait sportif cette affaire, attends, Sophie ! j'ai répété, j'aurais envisagé un décor plus confortable pour notre brève rencontre mais pas le temps, elle était dans l'impatience mon amie, et de l'ardeur, toujours ! j'apercevais ses longues jambes qui tournoyaient, son dos qui ondulait, des ombres au-dessus de moi, elle me faisait des prises, changeait de position à chaque instant, repartait, bouge pas, Paco ! elle gémissait, moi sous elle, pris au piège, coincé sur le tapis du salon rembourré de longs fils angora blancs, parfois un de ses quatre membres passait par-dessus ma tête comme la pale d'un immense ventilateur, s'éloignait avant que j'aie perçu ses intentions puis revenait dans un sifflement, c'était une orfèvre, Sophie, chaque geste finement travaillé, de l'amour physique elle essayait toutes les hypothèses, je la voyais se déployer, s'éloigner un instant, buste en arrière, pas le temps de m'agripper à ses seins, la voilà qui replongeait vers moi, de longs ahanements venaient rythmer l'exercice maintenant, des sauts aussi, je tâchais de reprendre pied dans le tourbillon, de me retenir à ses hanches, peine perdue, elle se lançait à l'assaut dans le cadre d'une nouvelle manœuvre, elle se retournait, s'échappait, revenait, Paco ! elle a crié tout à coup, oui ! j'ai répondu, je ne savais plus où j'en étais, j'en avais le tournis, elle glapissait, voulait barbouiller tout ça d'émotion encore mais à quoi bon, ce n'était plus de l'amour, une compétition de gymnastique tout au plus, je me suis mis à évoquer un concours de patinage artistique, figures imposées, double salto, ou de nage acrobatique, jeté de jambe, ah ! là là ! Sophie ! j'ai clamé afin de la calmer peut-être un peu, de lui faire réintégrer le compartiment des caresses érotiques, Paco ! Paco ! elle a couiné d'une voix si aiguë, fragile, qui allait si peu avec l'épreuve de lutte gréco-romaine qu'elle m'infligeait, doucement ! j'ai fini par soupirer, l'espace d'une brève seconde où j'ai pu dégager mon cou bloqué par une de ses cuisses, mais tout était puissance et exercice pratique, l'éclair d'un instant j'ai imaginé que sur les rayonnages devaient trôner des manuels expliquant tout des différentes positions amoureuses mais pas le temps de lire, j'étais roulé, emporté par cette séance de travaux dirigés. Sophie, tout était théorique chez cette fille, son charme éphémère qui m'avait séduit quelques minutes se retirait, un reflux terrible dont, à chaque nouvelle démonstration gymnique, je ressentais l'à-coup, Sophie, son image s'estompait, elle pouvait les murmurer ses Paco ! Paco ! dans ses incessants va-et-vient, studieux, besogneux même, j'en percevais de plus en plus à chaque mouvement l'usurpation et le sel s'en dissolvait au milieu de notre rencontre, sa peau douce, l'odeur de son corps me redevenaient étrangères et je ne les accueillais plus avec félicité, elle me tenait les bras, me clouait au sol, elle s'apprêtait à de nouvelles tentatives mais je ne voyais plus son visage, ne l'imaginais même plus, non, celle qui revenait, immense et du plus profond de moi, c'était Hélène, comme un élément intime qui me défendait de tout le reste, une forteresse dans laquelle je pouvais me réfugier, allez Sophie ! je l'ai renversée à mon tour, nous l'avons achevée notre parade de moins en moins amoureuse, je n'avais plus l'intention de la laisser faire, elle a dû le sentir, a dû le regretter, mais nous avons fini par nous unir à contretemps et nous désunir aussi vite, je ne sais si elle a perçu ma hâte, elle s'est détournée, Sophie, s'est blottie contre le pouf, moi, je me suis rejeté un peu plus loin sur le tapis, à bout de souffle, je savais une chose, Hélène était revenue en force en moi et n'allait pas me quitter de sitôt.

Plusieurs surprises m'attendaient dans les heures, les jours qui ont suivi. Tout d'abord à la gare, j'allais prendre le train du soir, la haute voûte métallique et noire chuintait au rythme des locos, du vent froid et des quais déserts, à cette heure, outre l'express de Paris, seuls des trains régionaux embarquaient des retardataires.

Lumières verdâtres estompées par des fumées, je pressais le pas en longeant les rames et suis tombé en arrêt devant ce que je voyais, Hélène, oui, Hélène! et Bertrand Gloirafeux face à face, se levaient dans un compartiment, soulevaient des bagages, s'apprêtaient à descendre. J'étais éberlué, j'ai basculé sur mes talons, n'ai pas pu aller plus loin, Hélène! puis j'ai bondi à l'intérieur du wagon, dans l'atmosphère saturée de toutes les respirations du jour, sur des banquettes fatiguées, des inconnus me dévisageaient, indifférents, ils avaient disparu, j'ai voulu faire demi-tour mais une file de voyageurs bloquait l'allée centrale, par la fenêtre je l'ai revue passer, lui près d'elle, coiffée d'un bonnet étrange, se cachait-elle donc? et là, leurs regards se sont croisés, se sont quittés, pas un mot, et leurs routes ont divergé.

Le convoi allait partir, j'étais coincé, un souffle chaud soudain m'a suffoqué, je sentais mes membres tétanisés, et puis j'ai suivi les derniers pas d'Hélène, son imperméable qui m'était si familier a disparu derrière un pilier de la porte principale, l'image s'est éclipsée, rien, plus rien, le quai nu à nouveau, traversé de silhouettes indistinctes. Le train s'est ébranlé, a franchi le pont, derniers reflets sur le fleuve, et s'est englouti dans la nuit.

J'étais déchiré entre des vérités supposées depuis des mois, des années, et ce présent révélé avec violence. Cette irruption dans mon univers d'une autre réalité que celle conçue par moi m'affaiblissait sans doute, je me sentais mis hors-jeu comme à mes plus difficiles années d'incertitude, mes repères, si chèrement acquis, se dérobaient, étais-je donc si naïf ? incapable de lucidité ? et Hélène, dans cette pièce, quel rôle jouait-elle ?

J'étais seul dans mon compartiment, la loupiote jetait une faible lumière sur les sièges et la vitre que griffait la pluie, le rendez-vous avec Lardeur, la rencontre inattendue de Sophie, le soir un dîner improvisé avec Maurice et mon collègue Antonin, je n'avais pas voulu quitter Bordeaux sans les voir, Maurice, toujours pontifiant, la pipe au bec, avait essayé de causer politique, Giscard, sa bourgeoisie moyenne, ça nous mène où, tu veux me dire ? parle-nous plutôt du transfert de Cruyff au Barça, tiens ! Antonin et moi préférions aborder le chapitre football, les événements s'étaient succédé la journée durant, j'en étais ressorti avec la conviction qu'Hélène était rivée à mon noyau affectif intime, je ne pouvais gommer ainsi sa présence en moi, et puis le soir, l'ahurissante vision d'elle en compagnie du fils Gloirafeux, deux univers disjoints à mes yeux, avait tout bousculé et me contraignait à une mise à distance. Je contemplais la part mystérieuse d'Hélène, avec ces rebondissements en chaîne et cette vérité qui m'échappait quoi que je fisse, seul le hasard au bout de l'attente m'en délivrerait peut-être. Le temps avançait sans but, inéluctable, et pourrait un jour me dévoiler, comme au ressac, le fin mot de l'histoire, la vraie nature des relations entre elle et ces personnes prises une à une ou en groupe, mais je contemplais aussi, et je n'en démordais pas, l'autre part qui s'était rappelée à moi si violemment lors de mes ébats avec Sophie, et où je n'avais aucune raison de croire Hélène insincère, ces instants harmonieux et partagés avec elle, fulgurances peut-être, mais qui étaient l'existence même, nous deux vivants, et ce à l'aune de toutes les logiques.

J'ai rejoint tard l'internat de l'hôpital Saint-Pierre, les couloirs étaient vides et sombres, seule la cuisine était éclairée où Alou le chirurgien préparait un café entre deux urgences, cette nuit, je ne vais pas trop dormir, je crois ! il a ri, philosophe, m'a décrit les cas qui l'occupaient, une occlusion, prise un peu tard, elle est sous surveillance, et une péritonite, un jeune homme, il est arrivé avec une défense abdominale, douleur, fièvre, vomissements, il a déployé ses longs bras, appendicite rétro-cæcale, tout de même, il m'a donné du fil à retordre celui-là ! mais ça devrait aller, tu veux un café, Lorca ? il nous a servis, a paru hésiter, il me dévisageait par-dessus sa tasse, il se passe un truc étrange ici, il m'a annoncé, ah bon ! j'attendais la suite mais avec le sentiment de savoir ce qu'il allait me dire, de quoi, en tout cas, il serait question, Alou a regardé par la fenêtre qui donnait sur la nuit, figure-toi que depuis deux jours nous sommes sans nouvelles de Marcheneau, il a laissé un silence, observé l'effet produit, mais je n'ai pas bougé, et ? j'ai demandé, et tout l'hôpital est en émoi, avant-hier il ne s'est pas présenté dans le service, pas plus à la visite du matin qu'à celle du soir, au début l'équipe a pensé qu'il était malade, ils ont appelé chez lui mais rien, Barbarelli est venu en vitesse régler les cas urgents et le lendemain, toujours personne, Alou ne riait plus, sa voix se faisait grave pour rapporter les faits, alors le surveillant a décidé d'aller voir mais il n'était pas plus dans sa chambre à l'internat qu'à son domicile, porte et volets clos, il loue une maison pas loin d'ici, au bout de la rue du Maine, tu sais cette longue rue qui coupe vers les ateliers du port, je vois, j'ai dit sans préciser, c'était donc lui le locataire de l'échoppe où je les avais tous vus s'engouffrer, et depuis, on n'a pas de nouvelles ? rien, le directeur a même appelé les gendarmes mais il n'a pu obtenir aucune information, au lieu de ça, ils sont venus fouiller la chambre de Marcheneau ce matin, tu les aurais vus ! impassibles, ils posaient des questions, ne répondaient à aucune, c'était bizarre comme impression. Le téléphone a sonné dans le couloir, Alou s'est levé, a décroché, c'est bien ! a-t-il dit, ça n'est pas inquiétant, rassurez-vous ! je suis là dans une minute, ne vous inquiétez pas ! a-t-il insisté, il est revenu vers moi, il faut que j'y aille, Marcheneau, il a repris, a toujours été rétif, plutôt secret, mais c'est curieux cette histoire quand même ! il m'a salué de la main, tu éteindras ? il a souri, souhaite-moi bonne nuit, ça va être long !

À peine allongé sur mon lit, je suis tombé de sommeil mais, au bout de deux heures, je me suis éveillé en sursaut, Hélène, Sophie, Lardeur, Maurice, le Caducée, Bertrand Gloirafeux, Alou, Marcheneau, Hélène encore, mon esprit revenait sans cesse à la scène de la gare, en bas, dans la rue, j'ai entendu des portières claquer, une ambulance sans doute, la façon qu'ils avaient eue de se séparer, de se regarder avant de se séparer, et, les instants d'avant, d'être ensemble face à face, côte à côte, n'était pas, voulais-je m'en convaincre ? d'ordre amoureux, une osmose qui n'existait pas, même s'ils avaient voulu la dissimuler, à l'inverse, une application dans l'exécution des gestes, une sécheresse dans l'expression, ressortissaient plus de la mission à accomplir avec le souci de l'erreur à ne pas commettre et la tension qui en découlait. J'essayais de rassembler tous ces fragments d'énigmes qui depuis plusieurs semaines avaient surgi dans le déroulement des jours ordinaires, une agitation s'emparait de mon esprit, trop de données me manquaient, les informations qui m'étaient parvenues méritaient d'être recoupées et le rôle joué par Hélène dans ce film étrange demeurait à mes yeux, au milieu d'un grand nombre d'hypothèses, encore difficile à interpréter.

Allô, docteur, c'est Francine, je ne vous réveille pas au moins ? j'avais dû sombrer cette fois, c'est que j'ai plusieurs choses à vous dire, le jour filtrait à travers le rideau, des bruits de couloirs résonnaient dans l'internat, quelle heure est-il, Francine ? plus de huit heures, quand j'ai vu que vous n'appeliez pas, j'ai préféré sonner le rappel ! vous avez bien fait, que se passe-t-il ? il s'agit de monsieur Gloirafeux, d'après son fils et le docteur Lepreux, il ferait une rechute, sa voix était émue, il repart à l'hôpital ce matin, et vous, il faudrait prévoir de rester avec nous un peu plus longtemps, c'est possible ? je n'ai pas réfléchi, bien sûr ! j'ai dit, et je loge où cette semaine ? chez les Lepreux, elle a ri, ça va vous changer ! tant que ça ? elle a hésité et ajouté, si vous ne savez pas ce que c'est un parquet ciré... il va falloir apprendre à mettre les patins, docteur !

En effet, ça sentait l'encaustique chez les Lepreux, pour le déjeuner ils m'ont accueilli dans le couloir l'un derrière l'autre, ah ! voilà notre invité ! il a adopté un air enjoué, le confrère, entrez et venez partager notre modeste pitance ! ça ne lui allait pas ce ton guilleret qu'il s'efforçait de prendre afin de s'extraire de sa torpeur existentielle, de son scepticisme abattu, venez que je vous présente madame Lepreux ! en même temps, c'était touchant de le voir se mettre en frais, de faire de ma réception un événement, ce n'était plus la maison Gloirafeux fils et l'indifférence teintée d'ironie à chacune de mes entrées, la maison était briquée comme un sou neuf, même les feuilles des plantes vertes, les loquets des portes, avaient subi l'assaut du chiffon à poussière, entrez ! entrez ! faites comme chez vous ! il n'en pouvait plus de se mettre en joie, ce grand dépressif chronique de Lepreux. Son épouse était proche de la description que m'en avait faite Francine, blonde, les yeux bleus, un chignon tiré au cordeau et la mise stricte, au milieu de ses napperons et de ses angelots sur les meubles, elle n'évoquait ni l'érotisme ni la révolution, ravie de vous connaître, docteur ! mon mari m'a beaucoup parlé de vous, elle était tout sourire, mon hôtesse. Nous avons avancé de quelques pas et sommes entrés dans un salon style bonbonnière sans que, sous mes pieds, je trouve le moindre rectangle de feutre sur lequel je dusse patiner, sacré Lepreux ! pas vraiment rock'n'roll, mon collègue ! j'ai avisé un fauteuil en cuir aux coudes et dossier lustrés par l'usure, c'était là qu'il devait passer sa vie à lire et méditer sur le monde tel qu'il tourne mal sans qu'il puisse, lui, Lepreux, y remédier d'une quelconque manière, observateur vaincu d'avance, résigné depuis longtemps, c'est bien joli chez vous ! je me suis exclamé, ébloui à mon tour, elle a éclaté d'un rire nerveux, madame Lepreux, comme si elle avait commis un péché véniel, nous n'avons pas d'enfants, aussi je fais mon possible ! À leur invitation je me suis tout de même permis de m'asseoir sur le bout d'un canapé de couleur rouille, terrorisé à l'idée d'y déposer la moindre tache avec mes vêtements qui avaient connu la pluie et la boue pendant mes visites campagnardes du matin, est-ce qu'un doigt de porto vous ferait plaisir ? m'a lancé Lepreux d'une voix chantante, non, merci, à midi, de l'eau seulement, cette sagesse a dû être appréciée car ils ont hoché la tête de concert, le mari et la femme. J'ai jeté un regard panoramique le temps qu'ils approuvent, sur la rue, des rideaux de tergal masquaient la vue, plus loin, une cheminée de marbre blanc encadrait un tas de bûches posées là pour ne jamais brûler, pas de cendres ni brindilles, et, au bout d'un parquet en effet ciré avec ardeur, entourée de tentures aux larges rayures vertes et grenat, une baie vitrée s'ouvrait sur un jardin qui devait être l'expression même de l'esprit français dans ce pays de canaux et marais.

La table était mise dans la salle à manger attenante, verres, couverts, tout brillait, mais, dès les hors-d'œuvre, mon confrère s'est détendu, est redevenu lui-même, caustique, pince-sans-rire, le bruit court dans le village que Giscard pourrait faire une de ses visites aux Français par ici, il s'est retourné vers son épouse, tu imagines, chérie, le président de la République jouant de l'accordéon dans le salon ? il a contemplé le plat d'entrées comme il l'aurait fait d'un abîme sans fonds, les quincailliers et les laitiers, toujours les mêmes, sont sur les rangs, il a haussé les sourcils, la compétition va être terrible, le combat titanesque ! son épouse au chignon a souri, elle goûtait son esprit, puis il a poursuivi, son arrivée au village, vingt ans déjà ! l'accueil cordial que lui avait réservé le père Glorafeux, un brave homme, intègre, en revanche son épouse a trop gâté ses fils, là encore il se perdait en réflexion, ça a donné les résultats contrastés que l'on sait, mais reprenez donc du poisson ! lui et elle étaient aux petits soins avec moi, ce soir vous vous installerez à l'étage, vous serez tranquille, ils ne savaient que faire, le repas avançait, bon ! j'ai ma consultation à quatorze heures ! pour le café, madame Lepreux a sorti son service de porcelaine, lui, d'un geste las, m'a désigné les journaux, *Le Monde, L'Express,* sur la table basse, cette crise pétrolière est-elle inquiétante ? même eux, j'ai du mal parfois à les croire, il a fait la moue, disons que je m'informe, et vous, Lorca, qu'en pensez-vous de tout ça ? voilà, nous y étions ! mes idées qui l'intéressaient, je me suis empressé de lui dire que je n'en avais pas des idées, ou alors qu'elles me venaient en vrac, comme ça, et qu'il m'était la plupart du temps bien difficile de faire le tri, j'ai perçu le regard tendu de l'épouse qui guettait, ils auraient bien aimé connaître le fond de tout ça, tiens, ce que j'avais en tête, je crois déjà savoir ce dont je ne veux pas, c'est un début, je leur ai lancé cette réflexion en pâture et, comme lui, Lepreux, était dans l'expectative, j'ai procédé à un rapprochement diplomatique, un léger retrait vis-à-vis des événements, tel que vous le pratiquez, me convient souvent, je lui ai accordé, cependant, devant certains faits, mon refus est absolu, ça n'a pas semblé le satisfaire outre mesure, mais il en a tenu compte et s'est dévoilé un peu, c'est que depuis ce satané mois de Mai 68, on a l'impression que les idées partent dans tous les sens, il s'est arrêté et a repris, et que les gens font n'importe quoi et les principes se perdent, voyez-vous, c'est compliqué ! a-t-il conclu, son regard s'est perdu dans les rideaux de tergal, verticaux et translucides, sacré Lepreux ! quand il en disait un peu plus long, il ne pratiquait pas que la mise à distance, ses inquiétudes affleuraient, comment sa raideur de fond pouvait-elle s'adapter à ce changement qu'avait amorcé Mai 68 et qui désormais se mettait en place ? les gens font n'importe quoi, a-t-il répété, et cette libération des mœurs ! Paul couche avec Virginie, ou avec Pierre, ou avec Pierre et Virginie, d'ailleurs ! allons donc ! et avec d'autres, en avant ! liberté ! liberté ! voilà qu'il s'empourprait au dessert, le confrère, mal contenu dans ses élégantes manières, je me taisais depuis un moment et me demandais si je n'allais pas opter pour le rôle du faux-cul, ah ! vous pouvez le dire, monsieur Lepreux ! à chaque indignation, je bondissais, comme vous avez raison, madame Lepreux ! mais si, elle, m'a paru interloquée, lui, ne prêtait plus attention à moi, les maladies vénériennes peuvent bien se propager, qu'importe ! le nouveau sport national ! à toi ! à moi ! tous ensemble ! allez ! une appréhension sourdait derrière chaque phrase, ni son épouse ni lui, de toute évidence, n'étaient issus d'une bourgeoisie cossue et ancienne, mes études, j'ai dû me les payer, entièrement, savez-vous ? m'avait-il glissé un soir au cabinet, ils ne bénéficiaient pas de cette étanchéité forte, sereine, qui rassurait les hautes couches sociales. Eux, les Lepreux, mal abrités derrière la mince barrière qui les séparait de tous ces dangers, ils tremblaient. Chez lui, même entre deux plats et des réflexions détachées, allons soigner nos patients ! eux au moins ne souhaiteront pas voir ma tête au bout d'une pique ! travestie par une ironie maladroite, émergeait la pointe d'une humeur rancuneuse envers qui dérangerait cet ordre difficilement établi dans sa vie, ce statut difficilement acquis, enfin, il s'est levé d'un bond, allons ! il faut que je parte ! mais buvez donc votre café, Lorca, vous me rejoindrez plus tard !

Pour se rendre au cabinet depuis chez eux il fallait emprunter une ruelle pentue qui débouchait sur la grand-place. Le temps était clair et la lumière découpait de longs pans contrastés sur les pavés et les murs, je songeais encore au déjeuner, à mon confrère, quand j'ai atteint la partie haute de la venelle déserte, des bruits de téléviseurs, de vaisselle qu'on range montaient des maisons et soudain des rires étouffés ont jailli près de moi, dans l'ombre d'une vieille remise, par la porte entrouverte, j'ai distingué les formes d'un couple, ils se sont retournés, se sont cachés aussitôt, mais trop tard ! j'avais aperçu Maryse, la fille Retournet, blottie dans les bras du fils Gratineau ! J'étais plongé dans la lumière de la rue et j'ai poursuivi mon chemin, les rires ont repris dans les ténèbres du garage, la fille Retournet ! le fils Gratineau ! les Capulet ! les Montaigu ! en un éclair j'ai imaginé ce qu'une telle nouvelle allait faire de ravages dans les têtes parentales, les figures déformées par la stupeur, les cris d'effroi, la traînée de poudre que ce serait dans le village. Je marchais pensif, quand, derrière moi, un pas rapide m'a rejoint, docteur ! le fils Gratineau, rouge incarnat, tout essoufflé, docteur ! je sais que vous nous avez vus ! soyez sans crainte, je suis discret, j'ai tâché de le tranquilliser, oui, mais je suis sûr que vous comprenez, si ça se savait, il a hésité, il en bredouillait, le bougre, un faux timide en vérité, il était venu me parler quand même, si ça se savait, ce serait terrible ! il a conclu, j'entendais d'ici le grondement des pères, le gémissement des mères, vraiment terrible, docteur ! à ce moment-là, j'ai vu Maryse sortir de la remise, un sourire amusé au coin des lèvres, une expression effrontée sur le visage, je n'avais pas voulu d'elle, tant pis pour moi ! elle s'éloignait vers le bas de la ruelle, dodue, souple, presque légère parmi tant d'allégresse, le scandale, j'aurais parié qu'elle s'en moquait, que ça la flattait même, mais François-Régis, le fils des quincailliers, ne le prenait pas sur le même ton, il voyait déjà sa mère apprenant la nouvelle, le séisme que ça déclencherait dans l'arrière-cuisine et le magasin parmi les arrosoirs et les tuyaux ! Je lui ai tapé sur l'épaule, ne vous inquiétez pas, monsieur Gratineau, je n'ai rien vu, je vous assure, ou alors je ne m'en souviens pas ! Ça l'a calmé un peu, le jeune homme, il a repris son souffle, mis au repos son émotion, je vous remercie, m'a-t-il dit, et puis il s'est éloigné en empruntant un passage entre deux maisons, si étroit qu'un seul homme pouvait s'y faufiler.

Au cabinet c'était l'effervescence, des patients debout attendaient devant le comptoir de Francine, allez vous asseoir, je vous prie ! elle les renvoyait dans la salle d'attente, paraissait excédée, les choses se compliquent ! où ça ? à l'hôpital, pour le docteur Gloirafeux, ils ont dû l'opérer en urgence à midi, monsieur Philippe a appelé plusieurs fois, ils lui ont conseillé de venir, Francine contemplait ses papiers sans les voir, ce n'est pas bon signe ! elle s'est désolée, par la porte vitrée du jardin une lumière froide et tamisée se répandait dans le couloir, des voix de patients bourdonnaient derrière la porte, le docteur Lepreux est complet, m'a-t-elle annoncé, aussi je vous ai rajouté plusieurs personnes.

Le premier patient, je le connaissais, un jeune ouvrier agricole, miné par l'alcool, maigre, les yeux injectés de sang, ses mains tremblaient, il avait déjà refusé tout soin, tout sevrage, mais aujourd'hui, ça ne pouvait guère attendre, des hématomes qui ne me disaient rien qui vaille, c'est arrivé comme ça, sur tout le corps ! a murmuré sa femme, il saigne du nez aussi, c't'homme ! elle a ri, l'air désemparé, parce qu'elle ne savait plus quoi faire, lui, il se taisait, figé dans son naufrage, c'te gnôle qu'elle finira par te punir ! je lui disais, elle a secoué la tête, nous y voilà bien, tiens ! vous savez ce que je vais vous dire ? je l'ai regardé, il a balbutié, je veux point aller à l'hôpital ! mais si ! et il est grand temps ! je veux pas ! il a protesté d'un ton las, allez ! discute pas ! a coupé sa femme pour me venir en aide, le plus tôt sera le mieux ! la secrétaire va appeler, j'ai ajouté, et il a repris sa place dans la salle d'attente, elle, pauvresse bancale au cheveu rare, à la mine ravagée, avait perdu tout âge, tout souci d'apparence, et trois enfants que nous avons ! elle m'a soufflé comme on se replie sur une brûlure et puis elle est partie s'asseoir à côté de son mari qu'elle ne voyait plus.

Le rythme des consultations était tendu, pas de bavardage aujourd'hui, mais la plupart des malades ne présentaient pas de difficulté majeure, je viens pour le renouvellement du traitement, docteur ! ils me demandaient des nouvelles du père Gloirafeux, des échanges brefs, le sourire, au mois prochain ! d'autres, le docteur, lui, me prenait la tension aux deux bras ! en voulaient plus, réclamaient, écrivez bien, le pharmacien dit qu'il a du mal à vous lire ! ne cédaient rien dans l'exigence. Entre deux patients, j'ai eu le temps de téléphoner au médecin de Bordeaux, d'obtenir un rendez-vous pour Marion, j'en prendrai soin, sois tranquille, confrère !

J'avais prévu de passer l'avertir en soirée mais la terrible nouvelle est arrivée, Francine est entrée toute pâle dans mon bureau, ça y est ! ses lèvres frémissaient, monsieur Gloirafeux ? non, elle a commencé de pleurer, c'est Clovis, il est mort, le pauvre petit ! elle a gémi puis mis la main devant sa bouche, Clovis ! son visage d'enfant sage, altéré par le voile blanchâtre et poisseux de la maladie, m'est apparu dans sa douceur de victime, j'étais sidéré, vaincu, je crois qu'il faut que vous y passiez, m'a dit Francine, ils sont effondrés chez lui, bien sûr ! dès que j'ai terminé ! j'ai observé la pièce, elle était vide tout à coup, le décor absurde, Clovis qui m'interrogeait du regard, qui souhaitait se rendre à la fête de l'école, s'efforçait de me sourire, Clovis en avait terminé avec l'injustice de tant de souffrances, du moins essayais-je de me consoler ainsi. J'ai vu les derniers malades, Lepreux est entré dans mon bureau, l'air de rien, nous vous attendrons pour dîner, et m'a dévisagé, la mort d'un enfant, c'est ce que j'ai le moins bien supporté dans ce métier, il a déclaré avec un petit sourire amer qui se voulait solidaire, j'ai hoché la tête, pour moi, c'est la première fois, je lui ai dit, je comprends, il a baissé les yeux et entrepris d'arpenter la pièce, allez, Lorca ! je sais que vous saurez trouver les mots.

Le coq et le chien, la maison elle-même étaient dans le silence, j'ai poussé le portail et atteint la seule porte éclairée, la famille était réunie dans la cuisine, les parents, les grands-parents, des voisins, une dizaine en tout, les mains et la tête empêtrés dans le malheur, ils ne bougeaient pas, la mère pleurait doucement et le père, assis devant la table, la fixait hébété et tordait son béret entre ses jambes, venez, docteur ! la grand-mère m'a accueilli, a avancé une chaise dans ma direction, elle m'a fait le récit des derniers jours, des derniers instants, la fin, c'était pas tenable ! elle a secoué la tête, vous l'aviez dit que ce serait difficile qu'il s'en sorte, j'ai tâché d'exprimer sans solennité des marques de soutien, des mots simples, des idées banales auxquelles on essaie de donner du relief dans ces moments-là, ceux qui restaient debout me dévisageaient dans un mélange de respect et de rancune contre la médecine qui n'avait pas sauvé le petit Clovis, d'évocation en évocation, certains ont commencé à parler, des souvenirs qui venaient comme ça se poser, plus aériens de toute façon que les minutes asphyxiantes que nous vivions, et puis d'autres ont surenchéri, moins accablés que les parents, pétrifiés dans leur peine, qui avaient encore de la force, ceux-là, pour se dégager du chagrin et sentaient le bienfait de paroles même insipides, ils ont causé entre eux au bout d'un moment et les propos, en glissades successives, ont rejoint les préoccupations du quotidien, le marché que j'ai à préparer pour demain, et des considérations générales à leur façon, quand c'est-y qu'tu vois les nuages bas d'côté de Lancenais, c'est vent de mer, c'est mauvais temps, pour sûr ! une légère cacophonie s'était installée qui dansait autour du père et de la mère, pâles et immobiles, un halo de sympathie bruyante avait succédé au silence de mon arrivée. Il s'est produit alors un va-et-vient de proches, d'amis, embrassades, voix basses, chuchotements, sièges qu'on déplace, je suis sorti un instant, l'air était humide et froid autour de moi, les voix ronronnaient dans la maison et je me suis avancé dans une allée qui partait tout droit dans les champs et la nuit.

Je contemplais le ciel gris, opaque, sans lune, sans étoiles, il me procurait la sensation d'une palpitation familière en même temps que l'expression impitoyable d'un mal dense, omniprésent, toute autre tentative de pensée en cet instant-là sombrait corps et biens dans cette immensité.

Je demeurais là, figé, et la douleur de Clovis, Clovis dans sa douleur et celle qu'infligeait sa perte, envahissait tout, l'obscurité et l'ombre intrigante des arbres dans les jardins. Des murmures derrière moi, venus de la maison, me rattachaient comme un pédicule au monde des vivants, mais la nuit glacée dans ses silencieuses ténèbres n'était que présence de Clovis et communion avec lui, son cœur innocent bondissait sous les nuages, son sourire s'estompait dans la noirceur.

Cela a duré plusieurs minutes et j'ai fait quelques pas sur le gravier de l'allée, j'ai aperçu derrière une haie la lueur rougeoyante d'une cigarette, le béret du père sur sa silhouette encore plus trapue, recroquevillée que d'habitude, lui aussi il avait dû aller chercher dans le ciel quelque réponse inexistante, une bribe de dialogue avec son fils.

Il avait dû pleurer, le père, ses yeux brillaient dans l'ombre, il ne m'a pas fui, au contraire, c'est dur, vous savez, docteur, c'est même dur de s'imaginer que c'est possible, il a soupiré, nous avons longé une rangée de fusains qui rejoignaient une grange attenante au bâtiment de ferme, il était paisible et détruit à la fois, je ne le souhaite même pas à un chien ce qui nous arrive, tiens ! il regardait dans le noir devant lui, je lui ai dit qu'il pourrait venir me voir tant qu'il voudrait, j'ai tâché de lui parler de son travail qui pourrait l'occuper, mais il a haussé les épaules, bien sûr, je vais pas laisser crever les bêtes, vous savez ! mais tout ça, c'était pour lui, plus tard, son menton s'est mis à trembloter, j'osais espérer qu'il deviendrait un gars costaud qui me donnerait la main au début, et dégourdi qui prendrait la responsabilité des affaires un jour, il a eu comme un sursaut des épaules et du cou qui s'effondraient en même temps, mais voilà, c'est fini, il a regardé alentour, pour quoi, pour qui je vais continuer tout ça ? vous voulez me le dire ? moi, j'en sais rien en tout cas, et puis le petit sera présent partout, partout où il aurait dû être et où il me manquera, il marchait les mains dans les poches, regardait effrontément la campagne alentour, je vous remercie d'être venu, c'est bien que vous soyez là, c'est le moins que je pouvais faire, j'ai objecté, c'est peut-être pas grand-chose à vos yeux mais ça nous fait quand même du bien, il m'a désigné un tracteur dans une remise, même ça, je lui avais déjà montré comment le conduire, il a eu une expression terrible sur le visage qu'éclairaient à peine les clartés venues de la maison, ça lui plaisait bien, Clovis, il a repris, ça l'amusait de monter avec moi sur le tracteur.

Nous avons fait quelques pas encore et des frissons m'ont parcouru le dos, le père aussi, je sentais que le froid le prenait, l'engluait un peu plus dans sa peine, allez, rentrons ! j'ai dit, sinon, demain, je viendrai pour soigner votre rhume !

Elle avait bien tout préparé pourtant, madame Lepreux, la chambre pour m'accueillir, descente de lit et rideaux en cretonne, les oreillers moelleux et les sachets parfumés dans l'armoire, ça changeait de la mansarde des Gloirafeux, pas à dire ! et pour le dîner, table dressée, fine odeur dans la soupière, j'espère que vous avez faim, mon épouse s'est mise en quatre ! une faim de loup ! j'ai assuré, sauf que, voilà, la sirène des pompiers a retenti dans le village et deux coups qui plus est ! le signal des urgences, ah ! mon Dieu ! c'est pour vous, Lorca ! pas de chance ! attendez ! s'est écriée madame Lepreux, toujours prévenante, je vais vous préparer un sandwich ! quel dommage ! son regard allait de ma mine fatiguée à sa table bien mise, mangez ça au moins ! elle m'a tendu un casse-croûte roulé dans une serviette de table, l'ambulance était là, devant la porte, claquements de portières, allez ! la mallette au vol, le caban enfilé à la course, bonsoir docteur ! le sergent Pirolleau, tout content, qui m'attendait, je crois qu'on est de sortie tous les deux ! on va loin ? Braille-les-Marais ! quarante minutes par le canal de Pineuilh, le véhicule de secours a démarré en trombe, une menace d'infarctus si j'ai bien compris, un homme, cinquante ans ! il m'a crié pour couvrir le bruit du moteur.

Arrivés au port, nous avons filé illico, il y avait de l'entrain dans la barque, au moteur d'abord, à la pigouille ensuite parmi les algues, tant d'entrain même que ça tanguait à bâbord, un des pompiers qui s'agitait, attention, matelot ! tu vas nous faire chavirer ! Pirolleau a remis de l'ordre, tiens haut la lanterne plutôt ! et nous avons si bien navigué qu'au bout d'une demi-heure nous étions à pied d'œuvre, une maison modeste aux volets clos, mal éclairée par une ampoule nue, dépêchez-vous, qu'il est pas bien ! l'épouse nous a conduits, une chambre sombre, on devinait le visage creusé dans les reliefs d'une faible lumière, le patient était assis dans le lit, tendu et gris, à l'affût d'un drame imminent, j'peux pas respirer ! il a balbutié, il dit qu'il a une douleur là, elle montrait la poitrine, et les bras ? avez-vous mal dans les bras ? il a fait oui de la tête, le gauche surtout qui pèse ! l'angoisse flottait dans la pièce, bougez pas, monsieur Grammont ! on va vous prendre en charge, ça va aller ! j'ai affirmé, je n'en étais pas si sûr, je le voyais de profil, les traits tirés, qui s'étouffait, guettait le moindre spasme, guettait mes yeux aussi pour y lire mon inquiétude, tenez ! prenez ça ! je lui ai administré deux comprimés de trinitrine sous la langue, ça va vous soulager.

Un des pompiers était allé chercher la bouteille d'oxygène, j'ai vite monté la sonde, au bout de trois inspirations le malade s'est senti mieux déjà, continuez, monsieur Grammont ! le brancard une fois de plus, j'ai jeté un coup d'œil autour de moi, des rideaux sans couleur, vêtements sur un siège, l'odeur était forte, l'atmosphère confinée, ne bougez pas, on s'occupe de tout ! a rassuré le sergent. Les hommes ont chargé le patient emmitouflé dans la barque, dans ces fermes du bout du monde, on ne peut pas venir par la route, a déploré Pirolleau, ce ne sont que des sentiers défoncés et souvent inondés, l'ambulance ne passe pas, l'humidité se déposait sur les arbres et sur nous, le sergent a levé le menton, c'est le brouillard qui vient, il faut qu'on avance !

La yole a filé sur l'eau noire où se reflétait le zigzag de la lampe à la proue. Le malade se taisait, replié sur son angoisse, vous n'avez pas froid ? lui a demandé Pirolleau, l'autre a répondu que non d'un mouvement de tête, la nuit nous enveloppait et le sergent, afin de rompre le silence, a embrayé sur le football, ce sont les Verts qui dominent cette saison, il a confié à ses collègues, ils ont acquiescé, j'ai acquiescé aussi pour participer à la conversation, je me penchais vers mon malade, il fermait les yeux maintenant, quel dommage ! la Coupe d'Europe, l'an dernier ! a soupiré un des pompiers, ce tir sur le poteau !

Nous avons vite atteint le vieux pont au bout du canal, des bandes de brouillard flottaient comme une gaze légère, dans cinq minutes nous y sommes, toubib ! le voyage ne vous a pas trop malmené, monsieur Grammont ? l'autre a fait signe qu'il était résigné, ça va aller, vous verrez ! nous répétions à tour de rôle, quand c'était moi qui le certifiait, il ne demandait qu'à me croire mais son cœur au fond de sa poitrine devait lui murmurer autre chose, vous serez vite à l'hôpital ! je lui ai dit, ça l'a laissé de marbre, il ne voyait là aucun motif d'enthousiasme.

L'ambulance toute neuve du SAMU était garée sur le bord de la route, près d'un ponton, avec sa trinitrine en perfusion, son scope dernier cri et ses tuyaux de toutes les couleurs, l'équipe a pris en charge le patient qui passait en une seconde de l'antique barque aux soins les plus modernes. J'ai confié le patient aux confrères, il n'allait pas trop mal, la douleur s'était atténuée, et nous avons poursuivi sur la yole jusqu'au port, merci pour la croisière ! pas de quoi ! salut toubib ! Il était bientôt minuit, j'ai coupé par la rue en pente jusqu'à la maison des Lepreux. La lumière était encore allumée, ils m'avaient attendu, à cette heure ! fallait pas ! mais si, ne vous inquiétez pas ! elle avait encore le chignon tout droit mon hôtesse, et lui la cravate toujours nouée et le pli sur le pantalon, ils se sont enquis de moi, si j'avais faim, soif, chaud, froid, sommeil, décidément pleins de sollicitude à mon égard, nous avons bavardé cinq minutes, allez ! je crois que nous pouvons tous aller dormir ! a décrété Lepreux, ah ! au fait, il est revenu sur ses pas, quelqu'un a appelé pour vous, vers dix heures, une voix de femme, elle a dit son nom ? non, elle s'est excusée, fort polie, et a dit qu'elle rappellerait demain au cabinet.

Je me suis couché harassé dans des odeurs de naphtaline, qui avait bien pu chercher à me joindre si tard et jusqu'ici ? Marion ? trop réservée, Sophie ? comment aurait-elle su ? ne restait qu'Hélène, grâce à une enquête rapide il lui aurait été facile de me dénicher là. Je la revoyais sur le quai de la gare à Bordeaux, dans cette scène étrange, mais pourquoi, ce soir, désirait-elle me parler ? Tous les événements qui avaient peuplé les deux dernières journées ont tourbillonné un instant, j'ai voulu lire quelques lignes de la revue *El Ruedo,* emporter dans mon sommeil des photos de toreros, des passes, une trinchera de Paco Camino, une véronique de Rafael de Paula, au loin les malades et les marais ! les appels énigmatiques d'Hélène ! mais c'est le sommeil qui a dû s'emparer de moi, je me suis éveillé au matin, la lampe allumée, la revue contre mon visage, un chien aboyait dans un jardin voisin, un filet de jour encadrait la fenêtre.

Dans la cuisine madame Lepreux déjà s'affairait, bonjour, bien dormi ? elle était vêtue d'une robe de chambre satinée, ses cheveux tombaient en longues boucles sur ses épaules, elle nous jouait *Angélique, marquise des anges,* toujours parfaite, la maîtresse de maison. Nous sommes passés au salon où mon confrère était déjà aux prises avec le journal, ça ne vous déprime pas de lire tant de mauvaises nouvelles tous les jours ? il a retenu un sourire, il n'y a que ça pour me distraire encore un peu, que voulez-vous, la politique est un long feuilleton rempli de personnages la plupart du temps bien prévisibles, hélas, mais parfois si surprenants ! Madame Lepreux a versé le café dans les tasses, vérifié que rien ne manquait sur la table quand son mari a dit, tiens ! voilà que notre patelin et la région font parler d'eux !

Il m'a tendu le journal où en première page un article annonçait *Coup de filet antiterroriste, deux membres présumés de l'ETA arrêtés, quatre personnes de nationalité française impliquées.* Il me scrutait, Lepreux, le sourcil haut entre étonnement et curiosité, vous croyez ça, Lorca ? les villages du marais comme nid d'espions, il ne nous manquait plus que ça ! il a désigné le journal, je comprends mieux les barrages de gendarmerie des derniers jours, je me demandais un peu ce que faisaient ces militaires en rase campagne, tout de même ! ça ne plaisante pas ce genre d'histoire, va y avoir du grabuge !

J'ai lu l'article, on ne pouvait en tirer de conclusion trop hâtive, mais ces Français anonymes bien que décrits, deux hommes, deux femmes, une de ces personnes issue de la bourgeoisie locale affirmait le journaliste, je ne pouvais que penser à la singulière bande. La police judiciaire en relation avec le peloton de gendarmerie de la région ainsi que des effectifs venus de Bordeaux avaient procédé, après des semaines de surveillance, à différentes perquisitions et arrestations, le ministre de l'Intérieur doit faire une déclaration, l'enquête se poursuit, achevait l'article.

Lepreux, je lui ai trouvé un air mystérieux par-dessus ses lunettes perchées sur le bout du nez, il m'observait, réfléchissait aussi, le plus jeune des Gloirafeux, il a dit dans un soupir, fréquentait ce genre de milieu à une époque, le père s'en était beaucoup alarmé, j'espère que ce n'est plus d'actualité !

Toute la matinée j'ai attendu un coup de fil d'Hélène, mais il n'est pas venu, la consultation était calme et j'ai eu le temps de ressasser. Dans *L'Éclair d'Aunis et Saintonge,* le journal local, des faits supplémentaires étaient rapportés, les forces de gendarmerie avaient encerclé un bâtiment de ferme situé à proximité du village de Lancenais, c'était, à vol d'oiseau, à cinq kilomètres d'ici, il était loué depuis un an à une enseignante originaire de Bordeaux, les habitants de cette maison entretenaient peu de contacts dans le bourg, des commerçants décrivaient des personnes discrètes qui venaient faire leurs courses et ne s'attardaient pas.

Un soleil blanc et fringant inondait les branches nues des arbres et dévalait le jardin jusqu'au canal, des tensions artérielles à vérifier, un rhume qui traînait, le rythme du travail aidait à ma distraction, j'entendais la voix de Lepreux dans le couloir qui raccompagnait un patient, si ça se reproduit, n'attendez pas ! il a frappé à ma porte, je peux entrer ? bien sûr ! je suis seul, je viens d'avoir des nouvelles du père Gloirafeux, elles ne sont pas brillantes, Philippe sera absent aujourd'hui encore. Je consentais à rester mais dix minutes plus tard le téléphone a sonné dans mon bureau, point d'Hélène comme je l'aurais souhaité mais Barbarelli en personne, alors, mon ami, pas trop durs ces paysans des marais ? non, au contraire, ça me plaît, à lui plus qu'à aucun autre, je n'aurais avoué, ma tête sur le billot, mes désirs de Sud, d'Espagne, de grand large, ni ce mélange de contrainte et d'attachement aux gens de ce village, il a pris un ton contrarié, vous n'êtes pas sans savoir que votre confrère Marcheneau s'est absenté, n'est-ce pas ? ça pose de plus en plus de problèmes dans le service, je ne vous le cache pas, vous m'en remettrez des internes comme ça ! mais vous, Lorca, la confiance que je dépose en vous, votre présence indispensable, je me dévoue ce matin, mais au-delà j'ai, que dis-je ! nous avons, besoin de vous. C'était ferme, sans appel, sa voix flûtée, autoritaire, chantait dans le récepteur. Il me fallait négocier mais Lepreux, une fois de plus, a compris, restez jusqu'à quinze heures, ensuite je me débrouillerai, je ne pense pas rentrer ce soir, j'ai dit, en vérité je souhaitais traîner en ville, en avoir un peu le cœur net de tous ces mystères, disparitions, coups de théâtre.

L'après-midi, pendant la contre-visite en compagnie de l'infirmière, j'ai vite saisi que, malgré la descente des gendarmes à l'hôpital, personne dans le service ne faisait de rapprochement entre l'éclipse surprenante de l'interne Marcheneau et les arrestations de la veille, depuis son arrivée, il a toujours fait preuve de bizarrerie, les seules explications que l'on avait fournies. Mon copain Maurice, lui, s'est montré aussitôt plus inspiré au téléphone, dis donc, ça barde dans ton trou ! t'y es pour rien au moins ? il a poussé un long rire un peu forcé, qu'est-ce que tu veux savoir, Maurice ? tout ! les terroristes, d'où ils viennent, ce qu'ils préparaient, les Français qui les aidaient, on les connaît, tu crois ? je t'ai toujours dit, tu aurais dû être journaliste, Maurice, ou détective privé, enquêtes et filatures, non, je ne sais rien, Maurice, rien de rien, comment ? oui, je te promets, si j'apprends quoi que ce soit, je t'appelle, entendu ! et toi, les études ? la fiancée ? mais non, te vexe pas ! je me moque, d'accord ?

Le père Gloirafeux est mort le lendemain. C'était un matin gris, un vent froid aiguillonnait les chairs quand on traversait les couloirs de l'hôpital d'un service à l'autre. Je lui avais rendu visite la veille au soir, mais il ne m'avait pas reconnu, les yeux clos, il murmurait des paroles incompréhensibles, de larges traits bleus ou jaunâtres serpentaient sous sa peau, faisaient déjà de ce corps une résidence étrangère d'où s'échappait la vie en catimini.

Le fils aîné, mon confrère, était seul, près de lui, les muscles du visage contractés pour résister au mal, il tenait la main de son père, loin soudain de ses préoccupations matérielles, il s'est réveillé vers trois heures, un instant, depuis il dort ou marmonne sans reprendre conscience, il me parlait avec amitié, c'est aussi bien, a-t-il tâché de se convaincre, hier, il était très essoufflé, anémié aussi, nous avons échangé quelques mots, et puis voilà! Il a regardé par la fenêtre, Philippe Gloirafeux, une fatigue sourde s'était emparée de ses propos et il n'a pas continué.

Il y a eu un silence, nous écoutions, immobiles, le souffle fort ou ténu en alternance du malade, tout était en suspens, en équilibre sur un fil invisible. J'ai soudain réalisé que depuis deux jours personne n'avait mentionné Bertrand Gloirafeux, personne n'avait évoqué l'absence du jeune frère, pourtant si proche du père mais, au moment même où je prenais conscience de l'étrange situation, Patricia, la belle-fille, est entrée en coup de vent, alors, comment va-t-il? l'air affairé, prête à l'action. Paroles vives, gestes rapides, elle a introduit aussitôt un tourbillon dans la chambre paisible jusque-là, bouquet de violettes sur la table de chevet, portes du placard ouvertes, vestes sur les cintres, serviettes pliées, elle s'agitait, parlait fort, ah ! même le docteur Lorca est venu ! elle a semblé me découvrir et, sans autre souci de ma présence, s'est penchée vers son mari dans un bruit de papier froissé, tout est arrangé à la banque, plus de problème ! elle a chuchoté. Lui n'a pas bougé, n'a rien répondu. J'aurais aimé que le patient, l'agonisant, puisse l'entendre, peut-être aurait-il souri une dernière fois, mon cher confrère, je vous présente ma bru, Patricia ! ses paroles revenaient à ma mémoire, il ne m'avait pas tout dit le jour de notre rencontre.

Je les ai laissés, demain matin, j'ai annoncé à Philippe Gloirafeux, je dois assurer la visite dans le service, mais ne t'inquiète pas, je serai à la consultation de l'après-midi, entre le cabinet et l'hôpital, deux fers au feu ! a-t-il commenté, de toute façon, je reprends après-demain, le départ du père rendait le ton triste et paisible.

Mon repas avalé en quatrième vitesse au réfectoire de l'internat, je n'en étais pas sûr mais j'avais cru entendre prononcer le nom de Marcheneau dans le couloir et quelqu'un avait parlé de la police, j'ai pu quitter l'hôpital, emprunter à nouveau la rue de tous les mystères, toujours la maisonnette close et ses secrets cachés derrière les volets. Hélène qui n'aimait ni la violence ni les grands périls, pouvait-elle être mêlée à cette affaire ?

Au village, avant de me rendre au cabinet, j'ai rejoint le commerce de Marion. Sa boutique était fermée mais elle m'a aperçu, m'a fait signe d'entrer, elle était inquiète, pas de nouvelles, j'ai le rendez-vous, ce sera jeudi prochain, soyez tranquille, ce sera réalisé dans de bonnes conditions, j'ai parlé au médecin, vous pourrez même loger chez lui la première nuit, un excès de prudence sans doute, mais c'est préférable! Elle a noté le nom, l'adresse, la date, a paru soulagée, de toute manière, ma sœur m'a proposé de m'accompagner à Bordeaux, ensuite elle a évoqué ce qu'elle appelait sa mésaventure et j'ai compris que la rancœur ne l'avait pas abandonnée, elle a eu un geste évasif de la main, je verrai plus tard, pour l'instant, je dois m'occuper de moi, a-t-elle tenté de se persuader, c'est déjà mieux ainsi! j'ai voulu la consoler, mais elle n'était plus sensible à mes arguments, elle m'a remercié, ça oui! c'est gentil ce que vous avez fait pour moi! gentil! manquait plus que ça! naturel, Marion, pas gentil! j'ai rectifié avec un sourire un peu figé, d'abord votre histoire m'a touché et puis, je la regardais avec son expression tendre et sa peau satinée, et puis rien, voilà tout! elle était là, immobile devant moi, si proche dans la pénombre de son magasin, ses yeux soudain n'ont pas exprimé que de la reconnaissance et les miens pas que de la compassion, c'était fugace mais nous en étions convaincus l'un et l'autre, convaincus aussi qu'il y avait une certaine lâcheté à se laisser aller, là, maintenant, il me suffisait de tendre la main pourtant, de caresser son visage, mais, non, c'était avec Philippe Gloirafeux, pas avec moi, qu'elle avait vécu un épisode amoureux et qui s'achevait mal, et nous en étions là, et ça suffisait comme ça! nous nous sommes dévisagés, silencieux, amusés aussi, cette hypothèse effleurée qui dénouait son drame l'espace d'une seconde, il faut que je parte! je me suis entendu bredouiller, je sinuais, engourdi, entre les étals d'agrumes, leurs odeurs parfumaient le magasin obscur, au revoir! elle m'a raccompagné et a refermé la porte derrière moi, tout était dit.

Les patients, peu à peu, je commençais à les connaître, on se faisait les uns aux autres, ils se relâchaient, me les disaient maintenant leurs vraies inquiétudes, quatre vérités, c'était un long cheminement jusqu'à la confiance qui se peuplait de mots au fur et à mesure et ma conviction s'établissait lentement, c'étaient des douleurs authentiques, physiques ou morales, toutes les nuits ça me réveille, docteur, c'est lancinant, la hanche qui fait mal dès que la rue monte, dès qu'il pleut, le matin surtout, au lever, ou ça vient en fin de journée, ça me noue la gorge, l'estomac, d'autres étaient plus sourdes, tout aussi obsédantes, le voisin qui laisse couler son chéneau sur ma façade, des mois que ça dure, je n'en peux plus, à bout de nerfs, ma belle-fille refuse de venir le dimanche, mes petits-enfants qu'on voit plus ! et puis les grands classiques, ce qui faisait la préoccupation de fond de toutes ces populations éprouvées, ce qui enlevait aux paroles tout leur poids afin de se résoudre dans un murmure éternel et dolent, bien sûr, la tension, le cœur, à partir d'un certain âge, ça les tourmentait mes patients, mais le vrai drame, celui qui régnait en maître, déployait son empire sur l'humanité souffrante et même sur la bien portante, toujours inquiète, qui avançait, majestueux dans son cortège de symptômes, laissant tous les autres domaines de la pathologie sur le bord de la route, c'était le ventre, la tripe ! comme aurait clamé Lardeur, le professeur, ou son collègue Duspasmay, le gastro-entérologue, le boyau ! chantait Barbarelli, mon chef, ça me fait mal ici, docteur, et ça remonte par là ! régularité du transit, gaz, flatulences, teneur des selles, leur fréquence, la moindre régurgitation, le moindre borborygme, ne devaient en aucun cas m'échapper et, une fois les barrières de la confiance franchies, celles de la pudeur l'étaient aussi, ah ! docteur ! miséricorde de mes intestins ! de vous à moi, je suis un gazeux, vous savez, ah ! docteur ! j'ai des vents, c'est horrible ! puisque j'étais digne de leurs confidences, je devais en recevoir les angoisses suscitées par les infinies manifestations de ce tube enflammé et irritable dont l'ondulation harmonieuse ne se trouvait jamais au rendez-vous, je ne supporte plus les huîtres, le plus petit fruit de mer, docteur ! ne parlons pas des oignons, des crudités, j'en mange deux fois et je suis au bord du gouffre ! la tripe triomphante qui gagnait haut la main dans une compétition finale et serrée contre le foie, l'estomac, l'œsophage, vous ai-je déjà parlé de mes coliques ? vous êtes jeune, vous ! vous devez avoir le ventre comme du fer ! la dame, le monsieur se spasmaient dans l'instant, j'ai cru mourir l'autre nuit, vrai de vrai ! mais le syndrome qui l'emportait sur tous les autres, qui assurait au médecin débutant une carrière mirobolante, des couronnes de lauriers tressées par l'opinion publique, s'il savait en entendre les malveillantes approches, rythme, ton, nature, fréquence, degré d'invalidité, s'il savait en soulager chaque signe dans une lutte savante et sans répit, c'était la constipation, la redoutable, entêtante constipation que le corps médical, à ce stade, qualifiait d'opiniâtre, c'est simple, docteur, j'en deviens fou, huit jours que je ne suis pas allé ! rien ne devait être épargné au jeune praticien, vous écoutez, oui ? quand je vous dis que je suis bouché !

C'était largement devant les chiffres tensionnels hésitant vers le haut, les battements de cœur s'emballant en cavalcades irrégulières, les maux de tête capricieux ou tenaces, la raison d'être de tous les malades d'une clientèle bien constituée, le symptôme qui revenait dans la plainte des patients des jours tranquilles, le motif pour la plupart de l'éprouvante discorde avec la paix du quotidien.

Halte-là ! s'est exclamé un soir monsieur Le Tronchet, un Breton au front rouge que surprenait cette disgrâce à l'âge de la retraite, halte-là, jeune homme ! il m'a lancé, votre huile de paraffine, dix fois qu'il a essayé de me l'administrer, votre patron, le docteur Gloirafeux ! sous toutes les couleurs, toutes les formes, rien à faire, totalement inefficace ! le fiasco cent pour cent ! il criait au comble de l'irritation, alors trouvez autre chose, mon pauvre ami, sinon je ne sais pas ce que je vais faire, moi ! Sauf que des laxatifs, il n'en voulait pas, il les connaissait tous, les avait tous testés, il avait été malade chaque fois, et pas qu'un peu, je vous passe les détails, non, mais ! des laxatifs ! et pourquoi pas la bombe atomique tant que nous y sommes ! C'était pas un commode, Le Tronchet.

Voir un spécialiste en ville, j'en étais à ce genre de propositions, je me voyais l'adresser à mon maître Barbarelli, il se targuait d'une compétence en gastro-entérologie, c'était marqué sur sa plaque, ses ordonnances, au bout de toutes ces années, savez-vous, Lorca, je le voyais qui lissait sa barbiche de faux modeste, je finis par me dire que le boyau n'a plus de secret pour moi, eh bien, qu'il en profite ! qu'il en fasse bon usage ! c'était le moment, j'étais décidé à lui adresser tous les Bretons constipés en cessation d'activité professionnelle, je vais vous confier à un distingué confrère ! mais l'attaque n'a pas tardé, comment ! pour une simple constipation ! vous n'êtes pas capable de régler ça tout seul ? c'est incroyable ! il a poussé un soupir d'exaspération qui aurait dû me faire trembler, je n'ai pas dit ça, monsieur Le Tronchet, mais peut-être vaudrait-il mieux que l'on approfondisse, que l'on affine le traitement, voyez-vous, c'est bien ce que je pensais, vous vous défilez, vous vous en débarrassez, vous n'êtes pas apte à me conseiller la moindre poudre ? la plus petite plante, non ? il haussait le ton, prenait le bureau entier à témoin, et puis, jetant la tête en arrière, me considérant de pied en cap, j'en connais une qui se fera un plaisir de m'apporter ses soins, elle, et pas loin d'ici ! j'ai compris qu'il désignait le canal et ses fumerolles matinales, vous voyez qui je veux dire ou il faut vous faire un dessin ?

C'était une soirée cousue de plaintes quotidiennes et de maladies bénignes, chacun disait son regret à propos du père Gloirafeux, un si bon docteur qui n'aura pas connu le repos et la retraite, qui n'était plus le même homme depuis qu'il avait perdu son épouse, certains s'enhardissaient et laissaient entendre que le fils, monsieur Philippe, il était bien comme médecin, rien à dire, mais ce n'était pas pareil, qu'on le sentait moins à l'écoute, les plus audacieux ajoutaient plus près de ses sous aussi, qu'on ne pouvait pas rencontrer de vieux praticiens comme le docteur Gloirafeux si couramment, ça se trouve pas sous le sabot d'un cheval ! a soupiré monsieur Guillochon, un vieil habitué, proche à la mairie du laitier Retournet, l'époque qui veut ça !

Il en a profité pour m'inviter au vin d'honneur qui devait avoir lieu le lendemain à l'hôtel de ville, vous êtes du pays maintenant ! le maire, monsieur Berluet doit prononcer un discours, il a souri, mais les deux qu'on entendra, c'est Gratineau et le père Retournet, pour sûr ! ah ! ces deux-là ! que voulez-vous, la cérémonie était prévue de longue date, il triturait entre ses doigts une casquette plate aussi vieille que lui, on ne pouvait pas prévoir qu'il y aurait les obsèques en même temps, le matin au cimetière, le soir à la fête ! ce sera pas la première fois et, il a ajouté en se levant, ça n'enlèvera rien à personne, je vous le dis, moi !

Il m'a tendu sa main calleuse et j'avais à peine refermé la porte qu'on a frappé deux coups, le visage d'Hélène est apparu, tout sourire, intimidée presque, on peut entrer ? je ne dérange pas trop le docteur ? que fais-tu ici ? sans doute le besoin de te voir, elle s'est avancée dans le bureau puis s'est dirigée vers la porte-fenêtre en contemplant le jardin, besoin de te parler aussi, Paco, assieds-toi, Hélène ! cette fois, j'ai attaqué, il faut que tu me racontes, je ne peux pas, tu comprends, me contenter d'élucubrer d'après les articles dans les journaux, ils en savent d'ailleurs plus que moi, semble-t-il, mais maintenant, tu dois m'expliquer, que t'est-il arrivé ? jusqu'où es-tu impliquée, Hélène ? elle s'est installée dans un des fauteuils de skaï, ne t'inquiète pas, ça va ! elle a dit d'une voix faible, trébuchante, la lampe éclairait son visage qui avait perdu son éclat, deux longues rides que je ne lui connaissais pas creusaient ses joues, ses yeux étaient éteints, je suis fatiguée, Paco, très fatiguée ! j'ai pris sa main, me suis assis à côté d'elle, ce n'était plus la Hélène rebelle, conquérante, celle qui menait le jeu, maîtrisait son discours, cette fois, c'est allé trop loin, trop loin pour moi, elle a repris son souffle, s'est redressée, ces derniers jours ont été un cauchemar, j'étais prise dans une véritable chasse à l'homme, elle avait envie de pleurer, s'est ébrouée, tu sais que je ne voulais rien te dire mais c'était pour me protéger, et te protéger toi ! elle a ajouté, c'est pour cela aussi que je ne souhaitais pas que tu passes à l'appartement, nous étions suivis, épiés partout, dans tous nos gestes, nos déplacements, elle a secoué la tête, j'étais emportée dans une spirale, c'était terrible, mais qu'as-tu fait exactement ? tu peux me le dire ? pas grand-chose et beaucoup à la fois, c'est moi qui louais la maison où les Basques ont été arrêtés, elle a eu un soupir, c'est Juliette qui m'a entraînée dans tout ça, je dois bien le reconnaître, c'est pour cela qu'elle est revenue vers toi ? c'est possible, ou bien l'occasion a fait le larron, elle a saisi une cigarette, je peux ? vas-y ! toujours est-il qu'elle m'a convaincue que nous pourrions louer à l'année, un prix dérisoire, une fermette à la campagne, que nous pourrions nous y retrouver avec des camarades les fins de semaine, c'était bucolique, c'était amical tout ça ! elle m'a regardé, tu vois, je ne te l'avais pas dit, Paco, parce que ça devait rester discret d'après Juliette, vu le pedigree de certains, que les flics ou les renseignements ne viennent pas traîner leurs guêtres jusque-là ! c'était ça tes voyages à Paris ? tes obligations universitaires ? elle m'a regardé fixement, ses yeux reprenaient de la vigueur, pas toujours mais souvent, oui ! elle a réfléchi, mais je n'avais pas le droit de t'en parler, et chaque fois j'étais un peu plus dans l'engrenage, prisonnière de mes mensonges avec toi, Paco, et la situation est devenue intenable à force, c'est pour ça que je préférais ne plus te voir au bout d'un moment, elle a pris un air presque suppliant que je ne lui avais connu qu'en de très rares occasions, tu me comprends un peu, Paco ? au moins un peu ?

Je n'ai pas répondu, elle n'avait pas terminé de toute évidence, elle a tourné la tête vers le jardin qui se coulait dans la nuit, et puis je dois admettre, que ça me plaise ou pas, que Juliette a exercé une pression permanente sur moi, un mélange de séduction, d'autorité, de maternage, de flicage aussi ! elle a jeté amère, et Marcheneau ? le fils Gloirafeux ? car c'est bien d'eux qu'il s'agit, n'est-ce pas ? comment intervenaient-ils ? j'ai demandé, elle s'est rétractée, c'est leur affaire, je ne peux pas t'en dire plus, d'autant, elle a repris, que j'ai été la dernière prévenue dans cette histoire, que j'ignorais le rôle de chacun, une bande rafistolée de vieux copains gauchos, un peu intellos, qui se seraient serrés les coudes en cette période de désillusion, retrouvés dans cette baraque, la « maison du reflux » l'appelait Marcheneau, qui auraient soigné leur déprime autour d'un feu de bois et moins refait le monde qu'auparavant, auraient pu constater ensemble comment l'Histoire les avait balancés sur le bord de la route, elle contemplait le vide, Hélène, n'en était plus aux envolées politiques, aux revendications sociales, ni même aux rêveries bourgeoises qui, tout de même, étaient venues l'effleurer parfois, que dois-je faire, Paco ? je suis un peu perdue ce soir, je me suis levé, tu permets ? je l'ai prise dans mes bras, tu es épuisée, tu vas rester avec moi, tu vas te reposer.

Je l'ai raccompagnée en ville, les rideaux à petits nœuds et les oreillers parfumés de madame Lepreux pouvaient attendre. Nous sommes partis dîner dans notre pizzeria favorite, la chandelle rouge fondait toujours dans un bougeoir en faux étain, mais cette fois l'ambiance n'était pas au conflit. J'ai laissé Hélène se dénouer, elle mangeait ses pâtes comme s'il s'agissait d'un plat de luxe, elle me souriait peu à peu, il y avait tant de questions en suspens, je n'en ai posé aucune, je la voyais se rapprocher de moi avec délectation, gratitude sans doute aussi, et je n'en demandais pas plus, c'était elle qui me dirait, quand elle voudrait, ce qu'elle voudrait, la vérité cette fois, partielle peut-être, mais la vérité, c'était de la folie, tu sais, elle a commencé, sa figure se lissait dans la faible lueur de la bougie, reprenait sa belle sérénité, au début je ne comprenais rien, Bertrand Gloirafeux m'a demandé les clés de la ferme pour des amis espagnols de Juliette, pas Basques, tu comprends ? Espagnols, ils m'ont dit, j'ai appelé Juliette, mais le ton a changé, fais ce qu'il te dit et ne cherche plus à me joindre ! ce sera Pierrick ton contact, c'est lui qui te donnera les consignes, elle l'appelait Pierrick ! un nom breton, pour égarer les flics vers Quimper et Brest, il m'a expliqué, du vent tout ça ! je le savais son nom, son vrai nom, et depuis longtemps ! elle m'a dévisagé, et je ne voulais pas qu'ils fassent le rapprochement entre lui et toi, le remplaçant de son père au village, alors que je me supposais surveillée, au fur et à mesure, j'ai découvert la vérité, mais j'étais prise dans le système, je ne pouvais plus reculer, et puis il y a eu cette accélération violente, ces courses, ces fuites, ces flics à nos trousses, l'étau qui se resserrait, Marcheneau, que je connaissais depuis Bordeaux, est venu un jour me dire qu'il fallait disparaître quelque temps, elle a bu lentement une gorgée de vin et a précédé mes interrogations, comment j'ai été arrêtée, Paco ? à Bordeaux, le fils Gloirafeux, Pierrick donc, est venu quasiment me rafler à la terrasse d'un café sur le port, on file ! il m'a dit, ne discute pas ! dix minutes plus tard, je me suis retrouvée dans le train pour Bordeaux et, à mon arrivée, ils m'ont appréhendée pas plus loin que dans le hall de la gare, j'étais là, tu sais, je lui ai avoué, tu étais là ? elle était stupéfaite, je montais dans le train quand je vous ai vus tous les deux en descendre, eh bien, tu as assisté à mes dernières secondes de liberté ! et Bertrand Gloirafeux ? j'ai fini par demander, nous nous étions séparés l'instant d'avant, ils l'ont arrêté dans un couloir, sans violence ? lui, je ne sais pas, en ce qui me concerne aucune, si ce n'est ensuite, dans leurs bureaux, une violence pernicieuse, la lumière jour et nuit, une chaise puis debout en permanence et cent fois la même question, des noms, ils voulaient des noms, elle a soupiré, je n'ai rien dit, cent fois, mille fois, ils sont revenus dessus, sur tous les tons, c'était épuisant, Paco, ces types, courtois ou grossiers, ça dépendait, qui voulaient savoir ce que j'ignorais, elle a allumé une cigarette, au bout d'un moment, un long moment, je te prie de croire ! le lendemain en fait, bien que je sois la locataire, ils ont jugé mon rôle secondaire, ils n'avaient pas tort, mais ils m'ont menacée, ils ont parlé de présentation au juge, de mise en accusation pour complicité avec une bande terroriste internationale, mais, dans les faits, au bout de quarante-huit heures, ils m'ont relâchée, vous avez de la chance ! ils m'ont chanté, mais de bien mauvaises relations, changez-en vite, ce sera mieux ! elle a eu une mimique, enfin ! tu imagines, ils m'ont interdit aussi de revoir mes complices comme ils les ont appelés, j'ai su qu'ils les avaient libérés quelques heures plus tard, eux aussi, quand je suis sortie de l'hôtel de police, j'étais sonnée, Paco, vidée comme je ne l'avais jamais été, écœurée aussi, j'ai appelé ma mère dans le Gers, bien sûr, elle avait lu la presse mais mon nom n'avait pas figuré dans les articles, et puis je me suis dit qu'il me fallait te retrouver et, bien que nous soyons tout près du lieu de tous mes embêtements, que quelque flic ou agent des RG doit traîner dans un coin, j'avais besoin d'un moment comme celui-là, avec un peu de paix et de confiance, malgré tous mes défauts ? j'ai demandé, avec un peu de paix et de confiance malgré tous mes défauts ! elle a répondu en souriant.

Elle s'est endormie dans mes bras, Hélène, harassée, vaincue. Je n'ai pu trouver le sommeil, je revoyais Marcheneau, jeune incendiaire, autrefois *líder máximo* haranguant les foules à Bordeaux, qu'en était-il maintenant ? toute illusion connaît le jour de sa défaite, ce qu'il en pensait Maurice, mon ami philosophe, qui nous avait laissé courir sur des terres inconnues, s'en était bien gardé, lui, toujours sa fameuse distance, mais Marcheneau, Juliette, le fils Gloirafeux, tant d'engagés, ceux qui n'étaient pas morts entre-temps comme ce Gustave que m'avait cité Hélène, soldat perdu, défenestré, d'autres, suicidés, autodétruits, au fossé abandonnés, leurs idées, leurs slogans, comme des armes inutiles à leurs mains, que certains avaient brandies bien haut pourtant, vérités irrécusables, mondes à venir, pour eux, l'épée rentrée au fourreau dans le meilleur des cas, ou, pour les irréductibles, un dernier corps à corps, ultimes éclats, ultimes actions comme un pacte de fidélité, poches de résistance, à contretemps parfois, mais la déréliction insupportable, la désillusion annoncée, sans, pour ceux-là, le moindre ferment de pensée justifiée, de chemin entrevu.

Dans l'obscurité de la chambre mes réflexions s'agitaient, partaient, revenaient. L'ardeur, parfois intolérante, qui avait lancé tous ces esprits sur des routes proches, jamais convergentes, que d'anathèmes ! que d'exigences ! les avait portés d'une même force, d'une même conviction, sur des trajectoires que le pragmatisme, celui de l'Histoire, avait laissé s'embraser et retomber, ces révoltes qu'ils avaient épousées, ce refus d'un monde convenu, asphyxiante matière, dont les idées avaient pu différer, dont ils s'étaient parés, les uns, les autres, ces illusions, cette fièvre pour exister en dehors de ce sommeil bourgeois programmé, étaient-elles finalement si éloignées, dans une implication nécessaire, de ce parcours individuel, artistique, que certains avaient suivi plus loin que moi, nous tous sur leurs traces, qui mettait la mort en jeu pour restituer une vérité dans l'ordre d'une beauté sauvage ?

Des bruits montaient de la rue. Allongé contre le corps tiède et apaisant de mon amie, je ne pouvais bouger, ces interrogations revenaient sans cesse, nous étions rompus après tous ces combats, chacun le nôtre, une lumière, au moins, nous avait traversés et, aussi différents avaient pu être les parcours, ils étaient de l'ordre de la rupture, de la révélation, du moins voulais-je le croire tandis que le souffle d'Hélène, animal blessé, avait trouvé son rythme cette nuit contre mon épaule. Elle se réveillerait demain et la réalité, je n'en doutais pas, changerait à nouveau. Pour elle. Pour moi. Entre nous.

Inauguration. Flonflons. Les guirlandes ne manquaient pas dans la salle des fêtes, murs crépis, parquets, verrières, le personnel municipal avait disposé de longs tréteaux de part et d'autre d'une estrade, vin blanc, vin rouge et petits gâteaux, approchez, docteur ! m'a convoqué le père Retournet, ici on ne manque de rien ! la moitié du village était entassée, conciliabules, sous la haute toiture, monsieur Berluet, le maire, relisait ses feuilles, c'est qu'il faut qu'il s'applique, monsieur de Saint-Chamond, le préfet, et Frétillet, le conseiller général, sont là ce soir, a dit le laitier dans un sourire, chaque fois qu'il parle, ce pauvre Berluet, c'est une épreuve !

Près d'une table j'ai aperçu madame Gratineau, la quincaillière, qui, à petits pas, s'approchait de l'estrade. Derrière elle, son fils coulait des regards complices, j'en étais sûr, à l'héritière des laiteries Retournet, je ne la voyais pas dans la cohue, Maryse, mais elle était là, je l'aurais parié !

Line et Willy, e*t pourquoi pas moi ? et pourquoi pas toi ?* Serge Lama, Claude François, *comme d'habitude !* la musique ruisselait depuis le plafond dans la salle où explosaient les cris, les rires, fausses retrouvailles, embrassades, tandis que, dans le sillage de Retournet, nous fendions la foule jusqu'au buffet, monsieur le conseiller, je vous présente notre jeune docteur Lorca ! il hurlait, le laitier, mais sa voix puissante ne suffisait pas, Gratineau, après s'être extrait d'un groupe compact et remuant, nous avait rejoints, mais Frétillet et Saint-Chamond lui tournaient le dos et il n'a pas pu entendre le préfet, tout en distinction diplomatique, quand il a confié à Retournet, la présidence serait très intéressée par une visite dans la région et j'ai parlé de vous à son secrétaire particulier, c'est lui qui organise tout, en fait, j'ai évoqué votre honorable maison, famille française exemplaire, entreprise dynamique, l'aspect d'une ruralité bien vivante, les pommettes déjà colorées de Retournet tournaient au vermillon, ah ! recevoir le président de la République chez lui ! ses yeux pétillaient, il en serait devenu fleur bleue, Retournet, vous présentez vraiment beaucoup d'avantages, a repris le préfet, et le dossier progresse, j'ai bon espoir de conclure dans les jours qui viennent. J'imaginais le désastre qu'une telle bombe allait provoquer au sein de la quincaillerie Gratineau, docteur, venez vite ! ma femme ! je me voyais déjà courant dans la grand-rue, mon cartable à la main, auprès du malaise inévitable.

Monsieur le préfet de région, monsieur le conseiller général ! à peine si on a entendu le début du discours de Berluet dans le tohu-bohu, chers concitoyens ! chers amis ! plateaux, canapés, friandises pris d'assaut, personne n'avait attendu, la faim s'exaspérait, dans un élan vorace ponctué d'exclamations, la bousculade s'est intensifiée au bord des tréteaux, ah ! poussez pas ! il y en aura pour tout le monde ! alors, sortez-vous pour commencer ! une amie de madame Gratineau, gros bras et force manières, jouait des coudes jusqu'au plateau d'huîtres de Marennes, et les coquilles ? je les mets où, les coquilles ? Chers amis, merci ! applaudissements clairsemés, ce pauvre maire ! personne ne l'a écouté ! a feint de se désoler Gratineau, revenu enfin dans le cercle des édiles, de loin son épouse lui a fait signe de parler à Saint-Chamond, objet de tous ses espoirs, tandis que madame Retournet était déjà dans la place et entamait une conversation avec lui, inclinations de tête, gaieté appuyée, que nous sommes heureux de votre venue, monsieur le préfet ! je me trouvais tout près d'elle, pressé entre une épaule de son mari et le dos massif d'un cultivateur local, mais elle m'a ignoré, m'a signifié, moi, le futur gendre qui n'avais pas voulu de sa fille, encore moins d'elle, qu'elle ne pouvait pas me voir, c'était impossible, elle ne me voyait plus, ne m'avait jamais vu, avait-elle eu jamais besoin de moi après tout !

Au moment même où le responsable de la sono inondait la salle d'un disque de Stone et Charden, ah ! ceux-là, je les aime beaucoup ! m'a confessé madame Gratineau qui, en me serrant le bras, se servait de moi pour se rapprocher de l'épicentre de la soirée, son mari, rendu volubile par la dégustation de différents terroirs, encouragé ensuite par plusieurs verres de muscadet, il est fruité celui-là, ah ! oui ! parbleu ! s'est lancé dans une imitation jamais produite par ses soins en public jusqu'à cette minute fatidique. À peine monsieur de Saint-Chamond avait-il dans son discours prononcé avec respect le nom de monsieur le président de la République que Raymond Gratineau, adjoint au maire, quincaillier de son état, s'est exclamé en chuintant, méconnaissable tant il y mettait de l'ardeur, madame, mademoijelle, monchieur, bonchoir ! et il a écarté les bras, imité Giscard recoiffant sa mèche et, croyant lire l'esquisse d'un sourire sur les lèvres des convives, malgré une tentative désespérée de Frétillet, l'élu du canton, pour l'en empêcher, mais, je vous en prie, Gratineau ! a fait mine illico de jeter sa veste et, en bras de chemise, de jouer de l'accordéon. Le désastre était total. Les personnalités présentes, abasourdies, s'interrogeaient du regard. Monsieur le préfet restait coi devant une telle pantomime, il a hésité un instant entre un retrait poli et diplomatique et le désaveu colérique d'une telle pantalonnade. Retournet, à bien l'observer, gardait une expression figée, voire consternée, que démentaient pourtant ses yeux plissés et réjouis savourant déjà une victoire aussi facile. À leurs côtés, tremblante, madame Gratineau, qui avait lâché mon bras pour mieux s'appuyer à la table, a bredouillé, dites-moi que c'est un cauchemar ! Frétillet a tiré son mari par la manche et l'a apostrophé, vous vous sentez bien, Gratineau ? tandis que le quincaillier adjoint, bonchoir madame ! bonchoir mademoijelle ! bonchoir monchieur ! était reparti dans une tirade que lui dictait un mélange de fête et de vin blanc.

Son épouse s'est alors à nouveau agrippée à moi avec une force que décuplait le désespoir, arrêtez-le ! m'a-t-elle ordonné, supplié, arrêtez-le ! faites-le taire ! En face de nous étaient alignés le vieux Guillochon, le couple Retournet, le maire Berluet qui demandait, qu'est-ce qu'il se passe ? va-t-on m'expliquer à la fin ! chacun ne lui étant qu'hostilité soudaine, rivalité tout au mieux, voire indifférence, elle n'en pouvait plus d'humiliation, la quincaillière, le conseiller général et le préfet Saint-Chamond, qu'elle avait cru les intercesseurs bienveillants de la visite présidentielle, exprimaient devant elle, dans le pire des scénarios qu'elle aurait pu inventer, le dégoût extrême que leur inspirait la situation, papa ! s'est écrié le fils, quoi ? qu'est-ce que j'ai dit encore ? a demandé Gratineau tandis que, poussant son avantage, déblayant le terrain jusqu'à l'hôtel de ville pour les prochaines élections, Retournet a tendu un verre de muscadet, allez, l'ami ! buvez un coup, ça vous fera du bien ! le dernier pour la route ! L'atmosphère était fiévreuse, les têtes tournaient, *elle court, elle court, la maladie d'amour !* la voix de Michel Sardou a éclaté dans les esprits chancelants, Retournet, devant sa femme perplexe, a insisté, un verre à la main, allez ! un petit dernier ! mais c'était compter sans la révolte de la citoyenne Gratineau comme il l'a appelée dès le lendemain, quand il hésitait encore à porter plainte contre elle.

Toujours est-il que la quincaillière, ah ! non ! ça suffit comme ça ! d'une gifle a fait valdinguer le verre de vin blanc dans la main de Retournet et, de l'autre, a souffleté le laitier, espèce de saligaud ! dont la joue s'est colorée aussitôt, une attaque en règle qu'il n'avait pas prévue, quoi ! quoi ! criait-il quand un deuxième assaut, saligaud, j'te dis ! n'a pu être endigué que grâce à la bravoure de madame Retournet qui s'est lancée dans la bataille, Maryse, aide-moi ! avec le soutien de sa fille, le fils des quincailliers, désarçonné à son tour, non ! Maryse ! ne fais pas ça ! a voulu éviter l'irréparable, tenté d'enserrer dans ses bras trop courts sa puissante promise, future diplômée, reine de la fête du Marais en titre, en vain, de toute sa force, elle s'était déjà jetée dans la bagarre, Maryse ! je t'en prie ! a-t-on entendu gémir, la laitière avait saisi par les cheveux la quincaillière qui se débattait, rugissait, à l'aide ! criait Retournet, quoi ? qu'est-ce que j'ai dit ? interrogeait Gratineau père, dans une secousse de tout le groupe empoigné, une table derrière eux a chaviré, avec elle les bouteilles de muscadet, les huîtres, les coquilles, petits gâteaux, charcuteries, rillettes dans lesquelles a atterri la mère Retournet, au secours ! hurlait-elle mais, vaillante, déchaînée, outragée, la quincaillière, la mèche rebelle, la joue griffée, lèvre écumante, a lancé au visage de Retournet père un plat entier de moules en sauce, tiens, de la mouclade ! recette locale ! elle bavait, rageait, cette mêlée agitée de soubresauts a paru emportée par une tornade roulant le long des tréteaux et, à la suite d'un croc-en-jambe donné par un inconnu, j'ai été précipité au sol et n'ai pu apercevoir que le nez sanguinolent de madame Retournet, l'ample fessier de Maryse, la fille, qui courait après le groupe, le trottinement de François-Régis, Gratineau fils, qui appelait maman ! maman ! mais sa mère, je vais vous faire voir, moi, peaux de vaches ! ne s'en laissait plus conter, la fureur était à son comble, la foule ne parvenait pas à séparer les combattants, mais enfin ! peut-on m'expliquer ? gémissait le maire Berluet quand le groupe a reflué dans notre direction, les chocs étaient terribles, madame Gratineau, armée maintenant d'une louche à sangria et d'un large plat en inox, décrivait de larges moulinets par-dessus sa tête, je vais vous faire voir, moi, bande de vaches ! mettait en joue qui s'approchait, décidée à pratiquer la politique de la terre brûlée, s'abandonnait à la plus aveugle violence afin de consoler son déshonneur, je vais vous écrabouiller ! hurlait-elle, et, de fait, la guerre n'a cessé qu'une fois le préfet et le conseiller général évacués par leurs chauffeurs et gardes du corps, les Guillochon, Retournet, autres Berluet, assommés, vaincus, jetés à terre, elle s'est campée devant eux, triomphante et sauvage, vous me le paierez, mes cocos ! et pas qu'un peu ! les mains sur les hanches, la louche à la main, toi, Raymond, à la maison ! on va s'expliquer.

Quand tout est redevenu calme, au milieu des décombres, des biscuits écrasés, charcuteries renversées, bouteilles cassées, on a retrouvé deux boutons dorés qui jonchaient le sol et on s'est souvenu de monsieur de Saint-Chamond, un frisson a parcouru l'assistance devant le mauvais effet laissé par une telle mêlée, mais, dessous les tables ou sous l'escalier, derrière un pilier ou dans un couloir, on ne l'a pas trouvé, on ne l'a même plus jamais revu, monsieur le préfet, sa DS n'était plus sur le parking, pas plus que celle du conseiller général, monsieur de Saint-Chamond ! monsieur de Saint-Chamond ! appelait madame Retournet d'une voix haut perchée, comme si elle avait perdu son chat, et bien inquiète après tout ce tintamarre, la victoire était si proche ! le triomphe sur toute la ligne ! et son mari, cet idiot, qui avait accompli le geste de trop avec cet abruti de Gratineau !

On attendit bien une semaine dans le village, pour voir si l'orage était retombé du côté de la préfecture et s'il aurait des conséquences. Le conseiller général, lui, n'était plus joignable au téléphone. Dans la grand-rue les familles Gratineau et Retournet se croisaient sans se saluer, leurs partisans respectifs faisaient de même. Ç'a été le mercredi suivant, en fin de journée, qu'on a appris par Debizeau, le menuisier, dont le beau-frère est conseiller municipal là-bas, que c'était à Braille-les-Marais que le président de la République rendrait visite à une famille française, de façon spontanée et en toute simplicité, précisait le journaliste de *L'Éclair d'Aunis et Saintonge* dans son article du lendemain.

Le matin de l'inauguration pourtant, le village, calme et recueilli, avait accompagné le docteur Gloirafeux au cimetière, Lepreux m'avait raconté. Pour ma part on m'avait chargé de veiller sur le cabinet, il suffit que nous fermions et deux urgences arrivent ! m'avait dit Francine, allez-y ! je monte la garde ! J'étais demeuré seul dans les locaux vides et silencieux, toujours cette lumière tamisée qui traversait la porte vitrée au bout du couloir, cette nostalgie paisible au milieu de laquelle un médecin comme Lepreux coulait sa vie entre dévouement et scepticisme, un autre comme Philippe Gloirafeux s'agitait en conquêtes fastidieuses.

J'entendais sonner le glas, l'église saluait le vieux toubib de la commune, pas une famille ici qui ne lui soit reconnaissante, c'est beau tout de même ! m'avait commenté le père Retournet avec des accents de tendresse, Lepreux en revenant des obsèques, m'a glissé, l'air de rien, comme toujours, que la famille Gloirafeux était au complet ce matin et que c'était une bonne chose, Bertrand est revenu ? puisque je vous le dis ! je vous accorde qu'ils n'avançaient pas bras dessus bras dessous, mais côte à côte, oui.

Nous sommes allés déjeuner, madame Lepreux, sur le qui-vive, m'a demandé si j'aimais la matelote d'anguille, c'est un plat un peu particulier, mais oui ! j'y goûterai avec plaisir ! je ne crois pas que je me rendrai ce soir au vin d'honneur m'a confié Lepreux, il s'est étiré en arrière afin de mieux considérer la situation, j'en ai assez de leur guéguerre locale, les clans des uns, des autres, les jalousies, préséances ridicules, un jour, ça s'achèvera en guerre civile, vous verrez! ce matin, à l'église, quand Retournet a dressé le portrait du père Gloirafeux, ce grand républicain! cet amoureux de la chose laïque! a-t-il lancé, j'ai pensé que le curé allait l'estourbir, il souriait, mon confrère, c'était Peppone contre don Camillo! je vous assure, et le prêtre de rappeler que le docteur Gloirafeux avait été enfant de chœur, avait fait sa première communion, bref! qu'il avait grandi dans cette église quand l'autre a surenchéri en rappelant toutes les associations mangeuses de calotte que le défunt avait présidées, j'ai cru qu'ils allaient se chamailler ou même en venir aux mains, ces deux, et en pleine nef! devant le cercueil!

Il gardait son air amusé, Lepreux, quand, entre deux bouchées, il a repris, je vous raconte ça, mais ce village est chaleureux somme toute, et on y vit pas plus mal qu'ailleurs, il a jeté un regard furtif à son épouse dont l'attention silencieuse était toujours palpable dans la pièce, et vous, Lorca, qu'en penseriez-vous de vivre ici? il n'avait pas perdu de temps, le confrère! je sais, ce n'est peut-être pas le moment, le jour des obsèques, mais le cabinet ne peut pas continuer longtemps comme cela, la clientèle de Gloirafeux rester en déshérence, il a levé les yeux vers moi, et, ici, vous l'avez constaté vous-même, les patients vous ont adopté, comme je restais muet, il a ajouté, pour tout vous avouer, Lorca, nous en avons déjà parlé avec Philippe Gloirafeux, et, lui autant que moi, nous serions ravis de vous accueillir parmi nous.

Bien sûr, je m'étais attendu à pareille proposition, mais pas si vite, pas comme ça, mes aventures avec Hélène ne me paraissaient pas achevées, mes rêves d'ailleurs tauromachiques pas encore enterrés malgré les évidences, je contemplais le fond de ma tasse comme si j'allais y trouver une réponse, je vous remercie de penser à moi, mais, même s'il me faut réfléchir à votre invitation, je dois vous dire que je ne suis pas prêt, je ne suis pas disposé à poser mon sac, voilà tout ! il m'a regardé, l'œil aigu, masquant sa déception devant ma réaction, prévisible tout de même, vous savez, vous connaissez déjà les vicissitudes d'une installation, mais ici, les gens sont attachants et je vous crois capable d'une véritable empathie avec eux, je n'ai pas voulu insister, les canaux, la grand-rue, les prés salés, les camions de la laiterie Retournet du matin au soir, le café des Pêcheurs et les histoires de la guérisseuse pour toute distraction, une bouffée de sable chaud m'a envahi, de ciel d'azur, l'appel rauque d'un toro noir dans le silence d'une cape et puis les bras d'Hélène dans lesquels je me débattais encore entre complicité et liberté que nous pensions inconciliables, il fallait que je lui parle, il fallait que je la voie, sans doute votre proposition, ai-je dit à Lepreux, survient-elle trop tôt dans ma vie, il a levé les sourcils, m'a souri, il y a le temps du rêve, Lorca, et celui du réalisme, mais je crois vous comprendre, j'ai dû être comme vous il y a longtemps, je ne m'en souviens plus.

L'après-midi, au cabinet, Hélène m'a téléphoné, il y a deux types dans une voiture en bas de chez moi, j'imagine que ce sont des flics, elle a soupiré, dans un sens je préférerais, les autres, je ne veux plus en entendre parler, tu les connaissais ? mieux que ça, Paco, je ne les ai jamais vus et, jusqu'à mon arrestation, j'ignorais leur véritable identité et donc ce qu'ils avaient fait, je t'assure ! La presse avait évoqué l'assassinat d'un guardia civil en Aragon l'année précédente, une tentative d'attentat contre un lieutenant-colonel de l'armée, Hélène s'est animée, c'est Juliette qui m'a flanquée dans ce pétrin, des amis espagnols, c'est vague, tu ne crois pas ? ils sont trente-cinq millions, les Espagnols ! au début je n'ai pas pensé une seconde à une histoire de planque, et puis je me suis dit qu'il s'agissait peut-être d'étudiants qui fuyaient la police de Franco, tu te souviens de Carlos et Silvia que j'avais hébergés il y a deux ans, ils avaient dû quitter le pays après une manif à Madrid, je suis sans doute naïve mais c'est ainsi ! j'ai mis du temps à songer à l'hypothèse basque, à comprendre que ce pouvait être plus sérieux, j'aurais voulu en être informée dès le début par Juliette ou les autres, et connaître ce qu'il me serait demandé d'assumer, ça me paraît juste !

Dans les journaux, j'avais reconnu le barbu de la Volkswagen, Fabián, son nom de guerre, ses états de service, une autre photo, un type aux cheveux longs frisés, le tireur du groupe selon le journaliste, aucun des complices français de la cellule terroriste, comme les désignait l'article, n'avait été nommé dans ces colonnes, une seule fois, j'avais lu qu'un des Français était médecin dans un hôpital de la région, le fils de la bourgeoisie locale n'était plus mentionné et les deux enseignantes, la Bordelaise impliquée dans différents mouvements, l'autre, locataire de la ferme, étaient, dans la plupart des organes de presse, présentées comme de lointaines comparses.

Que vas-tu faire maintenant ? me reposer, Paco, cette histoire a été un tourbillon, j'ai été happée, entraînée trop loin ! tu pouvais te douter de certaines implications tout de même ! non, pas à ce point, et ce que je leur reproche, c'est de ne m'avoir pas dit quand il était temps que nous franchissions des limites, et de m'avoir utilisée sans plus m'avertir, pour le reste, bien sûr, je dois assumer certaines compromissions, elle a paru réfléchir, mais tout ça est confus pour le moment, est-ce que je peux t'aider à sortir de la zone de turbulences ? oui, elle a hésité, je crois que j'ai besoin d'être avec toi, mais pas ici, elle a ri faiblement, je suis toujours compliquée, tu vois ! en fait, j'ai pu me rendre à la ferme, à l'intérieur, tout était dans une pagaille indescriptible, je ne leur en veux pas, mais je n'ai pas le courage de mettre tout ça en ordre pour l'instant, toute seule, bien entendu, puisque j'ai interdiction de voir les autres. Tandis que les deux Basques avaient été transférés et emprisonnés à Fresnes, les Français avaient été relâchés mais devaient être reconvoqués, Hélène était là, au bout du fil, Bertrand Gloirafeux avait trouvé refuge dans la maison de son père, ici, au village, mais Marcheneau, où était-il ? les seuls qui l'avaient vu, en fin de compte, c'étaient les policiers, et Marcheneau, Hélène, que devient-il ? il y a eu un silence, je ne peux pas te répondre, elle a attendu avant de poursuivre, ce n'est pas que je ne veux pas, Paco, mais je ne suis sûre de rien, tu comprends ?

Hésitation, fatigue, le temps s'étirait au téléphone, je crois que j'aimerais que nous nous retrouvions à Bordeaux, elle m'a dit au bout d'un moment, pourquoi pas ? moi aussi, je souhaitais sortir du cadre quotidien, perturbé ces temps-ci, campagne hôpital travail intrigues, je suis libre à partir de demain et ce soir, je te rejoins, ça te va, Hélène ? ça me va très bien, je t'attends ! bon ! fais signe aux deux gorilles dans la voiture que j'arrive ! Elle a dû sourire, j'ai entendu un murmure, elle a raccroché.

En attendant, chez les Dieupenché, il y avait eu un accident, quelques jours déjà que c'est arrivé ! le père, la face violacée, striée de veinules, l'œil jaune, a débarqué au cabinet le bras, le poignet pris dans des bandages grotesques, mais qui vous a fait ça ? j'ai protesté. À son regard gêné, celui de son fils qui l'avait accompagné, pas difficile de comprendre, je vois ! une pâte gluante, verdâtre, s'est mise à couler quand j'ai détaché les bandes, dessous une peau bleue, boursouflée, c'est du beau ! et ça, depuis quand ? j'ai pris un air désolé, six jours au plus ! a murmuré le fils, le regard en coin, l'est pas à son aise, il m'a désigné son père, parce qu'il est allé voir quelqu'un, j'ai deviné, ne vous inquiétez pas, il a hoché la tête, le fils, adouci tout à coup, c'est mieux comme ça, que j'vous l'dise ! c'est quoi cette pâte, monsieur Dieupenché ? ben, des orties mâles, il a bredouillé, m'a observé, cuites dans du vin blanc, il a poursuivi, il n'avait pas belle allure son avant-bras, bon ! nous allons faire une radio, j'ai enfilé le lourd tablier blanc, je l'ai installé dans la salle, c'est-y dangereux la radio ? non, pas plus qu'une photo ! je vous garde dix secondes et c'est fini ! je me suis garé derrière le bouclier archaïque censé me protéger des rayons, Francine ! j'ai appelé, c'est elle qui développait les clichés, c'était gris, flou un peu, parfois ils semblaient pris par temps de blizzard, ici, on pouvait diagnostiquer les fractures franches, mais les fines lésions, les fissures discrètes, c'était beaucoup plus difficile ! dans le cas de Dieupenché, la technologie du cabinet, bien qu'antique, a suffi, ça, pour un trait de fracture! heureusement, ce n'est pas déplacé, Francine! venez m'aider! on va vous faire un plâtre, monsieur Dieupenché! la petite salle, de l'autre côté du couloir, qui servait aux soins, sutures, pansements, et là, le grand jeu, la peau bien nettoyée, la mixture, les bandes, devant l'œil incrédule, encore méfiant, du patient, c'est-y pas une foulure, non? votre poignet est cassé, il faut que je le répare, et comment je fais pour les travaux? pendant quatre à cinq semaines, le temps que ça se consolide, votre fils travaillera pour deux! j'ai voulu plaisanter, il m'a regardé, a haussé les épaules, ce gars, il travaille déjà pour deux, pour sûr! le fils a acquiescé, on peut pas faire autrement! il a conclu, des bandages, du coton, de l'alcool, du plâtre, il y en avait partout dans la salle, sur le carrelage, la table d'examen, les étagères à la fin, même sur la blouse de Francine, c'est pas votre première fracture, hein, Francine? pas la dernière non plus! elle a fait mine de ronchonner, elle aimait bien, en fait, la main à la pâte, du concret, ça changeait du cahier de rendez-vous! fallait la voir s'activer, les bandes trempées, à pleines brassées, dans la bassine de plâtre, et je tire! et j'enroule! bougez pas, monsieur Dieupenché! elle était un peu thérapeute en l'occurrence, un peu docteur avec nous, un petit mois et tout ira bien! elle a annoncé, elle m'a jeté un coup d'œil, fiérote, vous savez, il m'est arrivé de me débrouiller toute seule des fois, le docteur Gloirafeux qui tardait à venir, perdu dans une ferme du bout du monde, le soin qui pouvait pas attendre, contente de me l'apprendre mais efficace, on pouvait pas le nier, ensuite le docteur vérifiait mais il s'est toujours dit satisfait, je n'en doute pas, Francine, vous êtes la fée du marais, je le dis haut et fort! je n'en demande pas tant! elle rougissait, donnez-moi la bande, tiens, et le sparadrap aussi!

Ta cigarette après l'amour, la voix feutrée de Charles Dumont, *je la regarde à contre-jour, mon amour,* tournait sur l'électrophone, Hélène était dans mes bras, fermait les yeux contre mon épaule, je peux le passer dix fois ce disque! pitié! j'ai plaisanté, la chambre n'était éclairée que par les lumières de la rue, les deux types en bas avaient délaissé leur poste d'observation, et toi! elle a protesté, tes Stones! tes Kinks! tes Who! combien de fois! sans oublier Bob Dylan, Van Morrison, Eric Burdon! j'ai ajouté pour la faire rire un peu, mon amazone, voilà! a-t-elle dit, je ne veux plus que ça, de la paix et avec toi, Paco! marché conclu! je lui ai dit en la serrant un peu plus fort, *ta cigarette après l'amour,* reprenait l'autre sur le disque, et ta période Donovan, mon Dieu! elle se révoltait, en ce moment ce serait plutôt Lolé et Manuel *¡ay! quién pudiera,* j'ai entamé, ah! qui pourrait, *elegir entre Sevilla y Triana,* choisir entre Séville et Triana, elle a chantonné avec moi, elle voulait tout oublier, Hélène, et nous nous sommes embrassés, caressés, aimés, sans rien exiger d'autre de toute la soirée.

Nous avons dormi, apaisés, on est encore un peu amoureux? elle m'a demandé au matin, quelque chose comme ça! j'ai répondu. Son regard était espiègle dans les reflets du jour qui se levait, nous étions enroulés dans les replis des draps chauds, elle buvait son café, ses yeux l'éclairaient, nous éclairaient d'une quiétude provisoire sans doute, douceur de l'instant, mais soudain elle s'est redressée sur son coude, en une seconde, lueur sombre, elle s'est absentée, tu vas encore m'annoncer quelque chose ! j'ai prédit, le temps de paix était terminé, Hélène s'était mise en route et avec elle son cortège de mystères, je vais partir à Bordeaux ce matin, une ou deux choses à régler, avec Marcheneau ? j'ai questionné, elle a paru saisie, pourquoi me dis-tu ça ? une intuition, elle me fixait, tu te trompes ! j'ai souri, tant mieux ! la jalousie qui doit me jouer des tours !

Elle n'a pas insisté, repris cet air las qui m'irritait à force, demain soir, vingt heures, au Caducée, ça te va ? tu n'aurais pas souhaité un lieu plus neutre, non ? non, c'est là qu'ils croient pouvoir me trouver, c'est là qu'ils me trouveront ! au moins je m'y montrerai, et puis, elle a hésité, j'ai besoin de parler à Juliette, elle a fait un geste de la main, des détails !

La journée s'est étirée, monotone. En passant devant la maison du père Gloirafeux, j'ai aperçu Bertrand assis dans l'escalier de pierre, cheveux défaits, clarks aux pieds, il fumait ce qui ressemblait à un joint, j'ai pensé aux flics qui devaient être planqués derrière chaque sapinette ! il s'en moquait, Bertrand, un peu de bonne humeur qu'il voulait faire grimper jusqu'à ses neurones, t'en veux ? il m'avait proposé un soir, dans le jardin de son frère, non, merci, moi, ça m'angoisse plutôt ce truc ! une drôle de barre dans la poitrine et ça ne me fait pas rire du tout, chacun son trip ! il a conclu, et ton frère, tu lui en offres des fois ? oh, lui ! il en a fumé et plus qu'à son tour, avant d'épouser madame, il a appuyé sur les voyelles, et de se mettre à lire *Le Figaro*.

Le mois de mars arrivait, les premières lueurs printanières, blanches, rafraîchissantes, inondaient les champs, les chemins de halage, étincelaient sur l'eau du canal, mais, tôt dans l'après-midi, une brume vespérale retombait sur cette clarté, des tons de gris, de bleu soutenu, assombrissaient le ciel, un halo désespéré survivait encore à l'horizon, enfin disparaissait.

Au cabinet les dernières consultations s'égrenaient, Lepreux avait terminé avant moi, à tout à l'heure ! j'étais leur hôte ce soir et, ma foi, la plus que paisible atmosphère de leur maison me procurerait un calme intermède dans le charivari actuel. Une ultime patiente est entrée, c'était comme si elle était venue s'échouer là, surgie du néant, parce que c'était ouvert, qu'il y avait de la lumière, je l'ai écoutée raconter ses misères d'un ton neutre, comme indifférente à son propre sort, une plainte mal définie, mon mari qui est parti le mois dernier, il buvait, mon père l'année d'avant, le front buté contre la fatalité de ses malheurs, et puis elle est retournée se noyer dans la nuit sur des chemins invisibles dont elle seule connaissait la trace.

J'ai rejoint les Lepreux au dîner, j'avais sous-estimé, tout à mon désir de soirée paisible, le contraste entre ma vie un peu remuante et l'aspect figé des meubles et ustensiles rangés dans un alignement qui frôlait la perfection, des heures rendues immobiles par tant de méthode, scrupule et patience. Ils écoutaient les informations, le spectre du chômage qui montait, l'inflation qui se profilait avec la crise, Lepreux a soufflé, cette augmentation du prix du pétrole étouffe le monde occidental, Giscard est bien gentil et les autres pays aussi de supporter ça, n'est-ce pas ? mais sa société libérale avancée, pourvu qu'elle ne recule pas ! Il était désabusé mon confrère, comme souvent, son épouse écoutait, inquiète, ça se voyait, de tous ces chiffres que le speaker débitait avec un air aimable, complice, et une voix d'enterrement, c'est pas gai tout ça ! elle a gémi, n'exagérons rien, Geneviève ! est intervenu son mari, je refuse d'être de ces médecins qui se plaignent de leurs impôts ou de je ne sais quelles charges, nous ne sommes pas en guerre et le chômage, toujours regrettable certes, est encore bien jugulé et ne nous touche pas de plein fouet, d'ailleurs, a-t-il dit, je crois que nous allons changer de voiture, ah ! oui ? j'ai demandé avec une mine d'expert, vous allez acheter quoi ? une Peugeot, un coupé 504, il avait tout pesé, mesuré, Lepreux, aucun doute, Laclé, le garagiste, m'en a mis une de côté, il est resté pensif, blanche, avec les sièges en cuir rouge, après un silence madame Lepreux a ajouté que le poste radiocassette était intégré.

Dire que Juliette n'était pas ravie de me voir, c'était un euphémisme, pour elle j'étais un bourgeois, mes histoires de toros l'exaspéraient et elle regrettait encore de m'avoir présenté à Hélène, elle avait chaussé de larges lunettes de soleil et m'a octroyé un salut des plus distants tandis que Sophie, assise à ses côtés à la seule table en terrasse du Caducée, m'a décoché un mystérieux sourire dont je n'ai pu saisir s'il était affectueux ou rancunier, tiens ! revoilà Paco ! tu as quitté ton port d'attache ? deux jours seulement ! D'un rapide coup d'œil à l'intérieur du café, j'ai compris qu'Hélène n'était pas encore là, dehors les deux filles avaient repris leur conversation, j'ai bien tenté de jouer au flipper, je me disais que le temps de deux ou trois parties, elle arriverait, ma Dulcinée du Toboso, mais non, la salle était vide et je suis resté debout, sur le seuil, à regarder passer les voitures et les gens, l'air était doux et clair, les jours rallongent ! m'a affirmé Daniel, le patron, en guise de causette, en attendant qu'Hélène apparaisse enfin, quelle idée ce rendez-vous ! ou que les deux militantes du Caducée veuillent bien m'adresser la parole, et sur un ton cordial qui plus est ! j'avais des exigences.

Enfin elle a surgi, pressée et souriante, tu es là depuis longtemps ? comme si elle s'étonnait de ma présence, a pris un air enjoué devant ses amies, Juliette l'a embrassée, la loi en principe m'empêche de te saluer ! elle a enfin souri la militante, mais j'ai bien vu qu'elles avaient des secrets à se raconter ces deux-là, des éclaircissements à se fournir, Sophie l'a compris aussi, s'est levée, elle allait partir sans un regard pour moi, c'était bien ainsi, j'ai cependant tenu à la remercier au nom de Marion, ah! oui! ta jeune fruitière! elle m'a dévisagé, t'es amoureux, Paco? elle a ri, un tout petit peu? non, non, Sophie! mais le souvenir de notre rencontre mal achevée a dû l'envahir soudain, elle n'a plus ajouté un mot, s'est éloignée, ciao Sophie! elle m'a fait un signe de la main, ne s'est pas retournée.

Je me suis approché d'Hélène, je file, rejoins-moi aux Arts! c'était le café de Maurice, on l'y trouvait invariablement à cette heure en pleine digestion du *Monde,* alors, l'homme des bois, le médecin des marais, comment je dois t'appeler? tu reviens parmi nous ou bien c'est provisoire? de passage seulement, Maurice, le temps de savoir vers quelles nouvelles aventures tu te précipites!

Il était assis, sa bedaine naissante en avant, l'œil plissé, tu me connais, Paco, plus curieux qu'intrépide, ça, Maurice, je te le concède! mais, dis-moi, je lui ai désigné son journal, comment va le monde? mal, justement, je lisais un article, cette crise du pétrole, au moment où les récoltes baissent comme en Inde ou au Bangladesh, va entraîner des famines terribles, l'Inde a acheté deux fois moins d'engrais qu'en 73 par exemple, tu imagines! ce n'est pas notre crise occidentale, ça! puis il m'a abreuvé de chiffres, de pourcentages, je hochais la tête, oui, oui, Maurice! il avait certainement raison, ensuite, je ne voulais pas le contredire, et Hélène? tu la vois ces temps-ci? il a poursuivi, elle nous rejoint dans un instant. Un instant! elle a mis plus d'une heure à trouver le chemin du café, elle est arrivée perturbée, échevelée, le visage coloré encore, la discussion a dû aller bon train, non? je lui ai demandé, elle m'a fait signe qu'elle ne désirait pas en parler.

La nuit tombait quand nous sommes sortis, une ombre bleutée enveloppait voitures et passants, et les premiers réverbères se sont allumés plus loin sur la place. Maurice a évoqué le concours qu'il préparait, ensuite il me faudra vivre à Paris, à Paris ? je me suis moqué, si loin, Maurice ? tu vas résister, tu crois ? il a souri, ne sois pas méchant, Paco ! pas méchant, je te chambre, c'est tout ! je ne savais pas pourquoi, un agacement qui me prenait parfois quand je le voyais, mon ami, bouddha assis immobile au bord du chemin rectiligne de sa vie, il ne m'en tenait pas rigueur, il a embrassé Hélène, je te le laisse ! et nous a quittés toujours serein, sa démarche ronde et nonchalante s'est perdue dans l'obscurité des rues, de l'autre côté du carrefour.

Nous avons marché longtemps, Hélène et moi, le cours était libre et résonnait sous nos pas, je la sentais distraite et déchirée entre une préoccupation tenace qui l'avait surprise et le désir de rejoindre une complicité paisible avec moi, ça va me passer, Paco, ne m'en veux pas ! moi ? t'en vouloir ? j'ai fait l'innocent, pourquoi t'en voudrais-je ? je la sentais tendue à mes côtés, tu sais bien, elle a dit, mes cachotteries qui recommencent, elle était irritée, je ne veux pas de ça et je ne peux pas l'éviter ! il y a la solution de me faire confiance, Hélène, et de tout me dire, une sorte de secret professionnel renforcé, un serment d'Hippocrate puissance dix ! j'ai voulu rendre l'atmosphère légère entre nous, mais je voyais que je ne la déridais pas, tu te sentirais mieux, non ? peut-être, elle accélérait le pas, regardait devant elle, mais c'est trop sérieux, je ne peux pas jouer avec la vie cachée des autres, tu le comprends, ça ? et moins tu en sauras, mieux ce sera, même pour toi, Paco !

Voilà que les mystères d'Hélène recommençaient, et avec eux le déséquilibre qu'ils provoquaient entre elle et moi, à cette heure nous croisions surtout des groupes d'étudiants qui parlaient fort ou chantaient, nous nous dirigions vers le quartier de la faculté et l'appartement d'Hélène sans autre but précis que celui d'avancer, je crois que nous devons en finir avec cette stratégie, tu es trop mal à ton aise dans ce silence et tu es visiblement aux prises avec une affaire où tu te débats seule et qui te lamine, elle m'écoutait, Hélène, attentive, et, pour la première fois peut-être, hésitante, quand je te dis que je suis prêt, j'ai repris, à te soutenir et partager si possible tes soucis, c'est que je m'implique avec toi et que je défends ton secret comme si c'était le mien, nous avons remonté le cours Pasteur qui était peu éclairé et dont les trottoirs étaient vides à cette heure déjà tardive, la nuit planait sur la ville, régnait le long des noirs immeubles de pierre, j'entendais le souffle d'Hélène rythmé par l'émotion et la marche hâtive, elle ne parlait pas, réfléchissait, c'est vrai, elle a dit tout à coup, que je suis seule dans cette histoire, tous solidaires au début, nous ne sommes plus qu'un conglomérat de destins singuliers, et mal en point, il faut le reconnaître, je lui ai pris le bras et elle s'est serrée contre moi, je suis déçue par ma rencontre de ce soir avec Juliette, elle s'est finalement jetée à l'eau, mon amie, surtout elle ne veut plus rien savoir de cette histoire des Basques, elle veut la gommer de son passé mais nous gommer aussi par la même occasion, tu vois ! elle veut bien me concéder nos années communes au MLAC, nos batailles, mais, et là Hélène s'est arrêtée de marcher, elle est prête à nier le fait que c'est elle qui m'a demandé de louer la ferme, d'héberger des copains espagnols, qui m'a dit, ou plutôt ordonné, de n'en parler à personne, d'utiliser des pseudonymes et d'obéir aux consignes, Hélène était outrée, d'autre part, même si chacun trace sa route comme il veut, j'ai été surprise quand elle m'a annoncé qu'elle s'inscrivait au parti socialiste, et derrière Mitterrand, Mitterrand ? quelle blague ! j'ai protesté, sans aucun état d'âme, chère Hélène, elle m'a répliqué, le combat sous une autre forme, pour une victoire de la gauche, même si c'est dans une structure modérée, mais au centre du dispositif, tu comprends ? elle paraît sûre d'elle et de son choix, Juliette, fini les luttes de l'ombre, Hélène! puisqu'il n'y aura pas de révolution! et elle a ajouté à mon endroit, tu vois, notre récente affaire a été ma dernière mission clandestine, et maintenant la revoilà, gentille militante, avec sa carte, son badge, ses réunions hebdomadaires, et les collages d'affiches pour toute aventure!

Hélène m'a regardé comme si elle voulait constater l'effet que produisait chez moi de telles nouvelles, Juliette n'est pas la première à franchir le pas, non? j'ai remarqué, quant à son passé récent, elle désire tirer un trait pour le moment, mais elle mènera d'autres actions, j'en suis persuadé! j'ai voulu rassurer mon amie, mais la colère sur son visage ne retombait pas, une autre brûlure devait la tourmenter dans le fond de son amertume nouvelle, tu m'as tout raconté, Hélène, ou il y a encore autre chose? Ma curiosité divaguait, bien sûr, du côté de Marcheneau l'insaisissable, imprévisible Marcheneau, voire du frère Gloirafeux dont la personnalité stratifiée dissimulait un engagement difficile à évaluer.

Comme chaque fois que nous abordions ce sujet, Hélène s'est refermée, ses dernières défenses refusaient de céder, elle a lâché mon bras, allumé une gauloise qu'elle m'a montrée, mon dernier point commun avec Juliette! elle a ricané, nous approchions de la place de la Victoire, si nous allions dîner? des troquets restaient allumés, à une terrasse une équipe de rugby fêtait un succès à coups de non, non, Bordeaux n'est pas mort! deux piliers faisaient le petit train, chantant, sifflant entre les tables, B. E., B. E. C.! BEC universitaire! tu n'as rien de plus calme? elle m'a demandé, si! une paella au *Casa Miguel*! le patron, un costaud à barbe noire, s'est souvenu de moi, tu es un des toreritos de Moreno, non? la musique jouait en sourdine des espagnolades, installez-vous ici, les amoureux! pourquoi tu souris, Paco? parce que, toi aussi, tu vas la rallier, leur union de la gauche, je me suis redressé, je ne ris pas, Hélène, tu n'as jamais été la plus violente, ni la plus radicale de la petite troupe, tu en conviens ? ça ne suffit pas pour intégrer une formation politique, Paco ! d'accord, Hélène, mais Juliette n'est pas la seule, tes amis Daniel, Sylvie, ceux du PSU, ils y ont rejoint Rocard l'an dernier, armes et bagages, ceux du CERES aussi, il y a une évolution intéressante, non ? à toi, Hélène, et aux autres vrais militants d'occuper le terrain justement ! elle m'a toisé, c'est toi qui développes des analyses politiques maintenant ? je voyais que l'envie de me renvoyer à mes chères études médicales ou tauromachiques, voire littéraires ! la démangeait, tu as lu Marx, Paco ? c'en était trop, non ! j'ai rétorqué en prenant aussi vite que possible l'air benêt qui me convient souvent pour me tirer d'affaire, elle a voulu poursuivre l'attaque, j'ai pris un air désolé, je sais, Hélène, j'aurais dû prendre des cours ! là, elle a accepté d'en rire un moment avec moi, mais c'était le jour où Moreno, mon maestro, nous a emmenés, Pascal et moi, toréer deux novillos dans la région de Valence, elle me laissait m'évader du côté de l'Espagne et des toros, j'ai pas lu Marx ce jour-là, mais j'ai coupé une oreille et Pascal deux, il est sorti en triomphe, figure-toi !

Le patron nous a servi sa paella, préparée par ma femme ! il a insisté, et nous nous sommes observés un moment après cet échange à fleurets mouchetés, amusés tous deux, amoureux encore, et Marcheneau, que devient-il ? j'ai demandé tout à trac.

C'était ce qu'on appelle de la suite dans les idées, elle me l'a confirmé, Hélène, tu ne serais pas jaloux des fois ? comme un tigre, tu sais bien, soudain elle est devenue solennelle, j'ai passé une ou deux semaines troublées à cause de Marcheneau, c'est vrai, je ne savais plus où j'en étais, mais maintenant je le connais mieux, et je n'ai d'estime que pour certains aspects de sa personnalité, elle a bu une gorgée du rioja qu'avait conseillé le patron, mais plus du tout pour d'autres, crois-moi ! elle a levé la tête, puisque je suis lancée, elle a continué, fataliste, autant que je t'explique ! il y a un souci avec lui, la dernière fois que Juliette lui a parlé, c'était le lendemain de leur libération, ils se sont vus à Bordeaux chez celui qu'on appelle Castagne, celui-là, il avait le coup de poing facile et il était actif à l'époque, tracts aux sorties des usines, organisation de manifs, bagarres avec les fafs, maintenant, drogue, alcool, il est à la dérive mais toujours fidèle à son ami, il l'héberge et Marcheneau a reçu chez lui l'appel d'un vieux copain anar qui se terre dans les Pyrénées, des soucis avec la police, et qui lui a confié avoir caché des explosifs et des armes sous son lit une semaine auparavant, et ? j'ai questionné, et Juliette a été frappée par la perplexité de Marcheneau, son air impénétrable, impossible de dire s'il approuvait ou pas, elle a ouvert les mains, il est passé le soir même au Caducée et lui a annoncé qu'il partait pour quelques jours chez des amis à Toulouse, tu seras là pour la convocation ? je verrai ! il lui a répondu, depuis aucune nouvelle, disparu Marcheneau, dans quoi s'est-il lancé ? jusqu'où ira-t-il ? Juliette se dit inquiète, et je le suis aussi, Paco.

Bien sûr, ses tourments qui la retenaient dans sa bulle, éloignée de moi, et mes évocations malheureuses de Marcheneau, que ne le laissais-je en paix, celui-là ! ne nous rapprochaient pas, l'atmosphère fut moins idyllique qu'espéré entre nous, court séjour bordelais où j'ai dormi d'un sommeil agité, la nuit j'ai entendu Hélène se lever, allumer une cigarette, je l'ai rejointe au salon, elle feuilletait un bouquin sur la cause féminine sous l'abat-jour, c'est une marotte chez toi ! j'ai eu le tort de m'emporter, ça m'irritait des fois, Hélène, lis Stendhal, Balzac ou *El Ruedo,* tiens ! ça te changera !

Quand la discussion prenait ce ton, la bagarre n'était pas loin, la scission menaçait, comment ! c'est un monomaniaque des revues taurines qui me donne des leçons ? qui me dit quoi lire ? t'es sûr, Paco, que tu n'outrepasses pas tes prérogatives ?

Dans le meilleur des cas l'humour reprenait ses droits, nous en riions tous les deux, mais la plupart du temps, la tempête se déchaînait, les mots grimpaient, flèches décochées, traits cinglants, nous frôlions souvent l'inacceptable, comment je peux vivre avec un type pareil ? elle a explosé un soir, comment veux-tu que je te prenne dans mes bras après ça ? j'ai protesté, et l'un ou l'autre repartait, nous nous quittions, des jours, des semaines, jusqu'à ce que le manque soit trop fort, que nos résolutions flanchent, soient balayées à la fin, j'ai envie de te revoir, Hélène, moi aussi, Paco ! Rares embellies, lourds nuages prompts à se reformer, ainsi de suite, c'était notre manière.

Cette fois, fini les congés ! Barbarelli me l'a annoncé d'un ton ferme, pas content le patron, Marcheneau en fuite et vous en goguette, ça ne va plus, Lorca ! besoin de souffler, monsieur, je sais, je sais, il est redevenu plus badin, mais maintenant, aux fourneaux, mon vieux ! c'est qu'il avait du mal, le bougre, à articuler son cabinet privé, sa présence hospitalière, double casquette, double profit ! avait sifflé Marcheneau un jour d'agacement, assez fort pour qu'il l'entende, notre chef de service.

La lumière matinale dévalait du ciel, blanche, éclatante, par les hautes fenêtres, inondait les salles, c'est la première visite au complet depuis longtemps ! m'a confié, satisfaite, madame Le Droissec, la surveillante, une Bretonne rieuse pour un rien et pas commode pourtant, qui en avait vu défiler des étudiants et des internes, des époques entières de médecins ! elle s'était exclamée un jour de pot de départ, il y avait toujours des pots dans le service, pour les promotions, les arrivées, les anniversaires, pas une occasion oubliée, une véritable activité annexe du service, ça me casse les pieds à la fin ! ils ne pensent qu'à trinquer ! s'était emporté le patron, presque chaque jour un prétexte ! allez-y, Lorca ! vous représenterez le corps médical ! ça tombait toujours sur moi, jamais sur Marcheneau du temps de sa présence, Barbarelli n'osait pas lui le suggérer, un peu de far, docteur ? madame Le Droissec préparait le gâteau elle-même, pas une heure qui passât dans le service sans qu'on entendît évoquer son beau pays, la merveilleuse région où elle était née, les fest-noz, la pointe du Raz (enfant, je possédais le timbre, j'en rêvais les vents, embruns, cieux changeants), la pêche, la mer, les côtes incomparables, elle s'empourprait au fur et à mesure, notre surveillante, et les processions ! le Grand Pardon ! vous verriez ! et, à coups de délicieux cidre breton, il vient de la famille de mon époux ! elle se congestionnait carrément.

Ah ! les pots dans le service, dans la salle de réunion ! toutes blouses mélangées ! c'était son moment de grâce, de fine politique à madame Le Droissec, maintenir l'ambiance, docteur Lorca, c'est essentiel ! les seules minutes de mansuétude dans les journées exigeantes qui suivaient, et il vaut mieux que je veille à tout ici ! elle l'affirmait, sa rigueur, sa vigilance étaient fort nécessaires dans un service que les médecins confondaient avec une salle des pas perdus, nous ne sommes pas dans une gare de triage ici, je vous le dis ! et les malades ne sont pas des trains, voilà ce que j'en pense !

Avec Brûlenoir, le surveillant de l'autre aile venu de la région parisienne, du fond de l'enfer selon lui, c'était pas l'amour fou, il s'en fallait de beaucoup, des piques, des anicroches, chaque jour un peu plus, pas la même façon de concevoir la bonne marche du service, c'est tout ! mais s'il y avait un point où ils tombaient d'accord, mais alors là, absolument, grâce auquel ils se rabibochaient même dans les moments de pire mésentente, couteaux tirés, langues bien pendues, c'était à propos des médecins et de leur désinvolture, toute de vanité et indifférence, fallait voir parfois ! pas toujours et pas tous, tout de même ! rectifiait Le Droissec dans un sursaut, oui, mais trop souvent ! ponctuait Brûlenoir, ah, ça, oui ! on peut pas dire, et les exemples affluaient, les motifs ne manquaient pas, le malade du 3, vous savez ? il attend toujours son traitement, et la dame de la chambre 7, au fond, ils n'ont pas dû la voir, personne n'a lu ses radios !

Les deux cibles de prédilection, c'étaient le chef de service, à tout seigneur, tout honneur ! clamait madame Le Droissec quand elle balançait une vacherie, et Marcheneau qui, dès son arrivée, avait exaspéré le personnel et Brûlenoir en particulier, suffisant, il est suffisant ! il ruminait, et son absence brutale et injustifiée du service depuis deux semaines équivalait à ses yeux à une désertion en temps de guerre, il rageait, le peloton ! voilà ! le peloton ça mérite ! Chacun les leurs, les deux surveillants avaient à formuler des griefs concrets et répétés, pour Le Droissec, ce qui ne passait pas, c'étaient les multiples casquettes de Barbarelli, comment voulez-vous qu'il soit concerné par les malades, hein ? un jour médecin du lycée, le lendemain au Gaz de la ville, le troisième, les pompiers et là, le banquet en sus ! j'arrive ! j'arrive ! il ne sait dire que ça quand on le met devant ses responsabilités, et la surveillante d'imiter le malheureux Barbarelli trottinant d'une chambre à l'autre en lissant sa barbiche, en feignant le tracas et évacuant les soucis sur les internes, quand ils sont là ! elle précisait, madame Le Droissec, et dans ce domaine, ces derniers temps, même si j'avais eu l'aval du patron pour partir remplacer son ami Gloirafeux, j'avais joué de l'intermittence, ah ! vous voilà, docteur Lorca ! elle m'avait apostrophé la cheftaine, nous sommes bien aises ! voilà ! voilà ! j'arrive ! j'ai voulu imiter Barbarelli mais ça ne l'a pas amusée.

Heureusement, dans ce contexte chaotique, la direction de l'hôpital Saint-Pierre avait recruté un nouvel interne afin de remplacer Marcheneau, *a priori* nous ne devrions pas connaître les mêmes déconvenues ! a annoncé Le Droissec quand il s'est présenté le jeudi suivant, c'était à la veille des fêtes de Pâques qu'il a demandé l'autorisation d'aller célébrer en famille, après quoi il se mettrait à la disposition de l'hôpital,

Fillandreau il s'appelait, il s'est avancé vers moi d'un pas décidé, le moins qu'on puisse dire, c'est qu'il ne sort pas d'une communauté hippie ! a susurré Brûlenoir, cravate et coupe au rasoir, mains dans le dos et garde-à-vous quand on lui expliquait le cas des malades, nous avons vite compris qu'il allait nous en remontrer question médecine, c'est comme ça que vous pratiquez les ponctions, ici ? il a demandé d'entrée, le dosage des amylases, vous ne le demandez jamais ? de la faculté de Bordeaux il venait, mais natif de la région, il a aussitôt précisé, famille d'armateurs, le beau-père est dans la politique m'a raconté Brigitte, l'infirmière, une petite brune qui n'avait pas la langue dans sa poche d'après la surveillante et dont les parents tenaient une boulangerie sur le port, elle avait connu tout le monde en ville, faut voir comme certains d'entre eux arpentent le quai ! elle a soupiré pendant que nous procédions à la énième ponction d'ascite de Charlot, un forain qui tenait un manège au pied de la Vieille Tour, sous les arbres, sirotant son vin doux, du matin au soir, depuis la caisse, sa femme se levait pour accrocher la queue de Mickey au bout d'une ficelle, lui, il n'avait plus la force, et puis il s'est arrêté de manger, a maigri, le ventre a poussé comme un obus ! nous avait-elle expliqué lors de son admission, Charlot, lui, n'avait rien dit, pris entre honte et résignation, indifférence aussi, si ce n'était ah ! ça fait du bien ! quand nous le soulagions de plusieurs litres d'un liquide citrin sans cesse renouvelé, ça va mal finir ! il annonçait, qu'est-ce que vous croyez ? que je ne le sais pas ?

Dans le fond, la médecine avec Fillandreau était distrayante, dans l'apparat qu'il a aussitôt mis aux visites, on aurait cru voir le grand patron d'un grand service d'une grande ville, l'horaire matinal qu'il a imposé d'entrée, la hiérarchie dans la colonne chargée de le suivre de lit en lit et son accoutrement qui, ne fût-ce quelque appareil moderne, électrocardiographe ou matériel de réanimation, trônant dans le décor, nous aurait plongés au début du siècle, vestes, houppelandes de laine bleue jetées sur les épaules, blouses interminables, le tablier blanc, solennel, noué sur le ventre comme si on allait pratiquer une extorsion manuelle de tous les miasmes et sanies de l'hôpital, là, au pied même du lit du malade.

Il embrassait le rôle avec une fougue qui opérait d'autant mieux que le cas médical le captivait, j'ai vu, Lorca, il m'interpellait souvent comme si j'étais son second, que dans la revue *Medicine for the Happy Few* des cas semblables ont été répertoriés, une dizaine aux États-Unis, considérait-il, remarquable ! Il nous a cependant fallu reconnaître une vraie compétence chez Fillandreau, une justesse du diagnostic, une efficacité des traitements prescrits par lui, même si le bât blessait au niveau de l'écoute du malade, vous répondrez quand je vous interrogerai ! l'avais-je ainsi entendu clouer le bec à un patient hébété, c'est une PPR, dans un an il ne pourra plus marcher ! s'était-il exclamé en sortant de la chambre, je me trouvais derrière lui, ça te dérangerait, camarade, de donner ton avis un peu moins fort ?

Cet épisode fut le premier de la longue série de nos différends qui revêtirent des formes variées, sa méticulosité surtout ne supportait pas mes copieuses décontractions comme il appelait un changement d'horaires, une visite réalisée avec un effectif incomplet, des dossiers non classés immédiatement, et pourtant je m'y retrouve, vois-tu ! dans ce cas-là il n'insistait pas, ce qui nous évita de graves conflits, restons-en aux divergences ! a-t-il conclu un soir de contre-visite alors que je m'étais attardé au chevet d'un malade, un passionné de pêche au large qui me décrivait la longueur des hameçons, la grosseur du fil, du 25/100e, si vous montez plus petit, c'est fichu ! je m'instruisais et lui, le patient, trouvait l'hôpital plus supportable l'espace d'un récit de lancer, d'une description de moulinet, bon, je t'avertis, je veux qu'à 19 heures la visite soit terminée ! il avait déjà tenté à plusieurs reprises, en vain, sans mauvaise volonté de ma part, mais je prenais mon temps, le temps qu'il faut en tout cas ! je le lui ai confirmé ce soir-là, je vois ça ! il a contemplé le désordre sur mon bureau, les papiers éparpillés, dossiers entassés, quel foutoir ! disaient ses yeux pendant que, de tout son long, il restait immobile.

Grâce à la perspicace et bavarde Brigitte, j'ai su ce qui justifiait tant d'application à finir tôt le soir, Fillandreau fait de la politique lui aussi, elle m'a murmuré à l'oreille, ah bon ! oui, son beau-père, c'est Gestin du Parc, tu sais, l'ancien député, oui, enfin, peut-être ! je me souvenais qu'il avait perdu son siège contre le maire actuel, Bellotto, un socialiste qui, à la modernité giscardienne, répondait par l'écologie et la politique autrement, c'était son slogan, affiché partout sur les murs de la ville, Gestin ! Gestin ! les autres avaient répliqué, une manif de jeunes gens, tee-shirts, banderoles, avait dévalé le quai devant les terrasses du port, les mêmes qui avaient clamé, Giscard à la barre ! un an plus tôt, Gestin ! Gestin ! Gestin, notre destin ! ils criaient, mais en vain, il n'avait pas obtenu le soutien populaire, l'armateur de gros bateaux, il avait dû retourner dans ses bureaux, un bâtiment tout en baies vitrées qui jouxtait la capitainerie et dominait ses ateliers, trois cent cinquante emplois sur la ville et les environs, et pas une grève depuis 68, qui dit mieux ! il claironnait souvent, le chef d'entreprise, on n'est pas chez Lip ici ! en entendant ça, faudrait le kidnapper, ce vantard ! pas longtemps, juste pour lui faire peur ! avait grogné Marcheneau dans sa barbe, un jour de colère froide, c'était à la fin d'une visite, en petit comité, peu avant qu'il ne disparaisse et que Fillandreau, le gendre de l'armateur, ne vienne le remplacer.

Et comment tu sais tout ça, Brigitte ? pas difficile, il suffirait de brancher un magnétophone sous la caisse de la boulangerie et on saurait tout et le reste à propos de cette ville ! Gestin, mon destin ! Gestin, mon destin ! je me suis mis à scander dans la tisanerie en improvisant une danse du scalp, Brigitte, ça l'a fait rire, mais quand ma mère est au magasin, pas besoin de magnéto ! ah oui ? il faut vraiment que je vienne acheter des croissants chez tes parents ! si tu veux, elle m'a dit, pas timide, Brigitte, et puis j'ai cessé de sauter partout, nous sommes restés là, interdits, dans la moiteur de la pièce, fini la danse du scalp ! elle me regardait fixement, ses yeux brillaient, non ! le schéma était trop facile, le jeune médecin, la jeune infirmière, pas question ! je me suis dit, tu ne peux pas faire ça ! c'était du roman-photo, c'était inacceptable, tu veux que nous dînions ensemble après le service ? je me suis pourtant entendu lui proposer, si tu veux, Paco, mais avant je dois passer chez moi, à la boulangerie ? à la boulangerie ! les choses étaient faciles avec elle, je viendrai t'y chercher, j'ai dit, il faut que nous parlions et je veux tout savoir sur la famille de Fillandreau ! elle a éclaté de rire, beaucoup plus que Fillandreau dont la silhouette s'est découpée au même instant dans le chambranle de la porte, si tu as besoin de renseignements, Lorca, il suffit de me demander, eh bien, on joue les petits curieux ? il ne semblait pas ravi, mon collègue, j'ai eu un moment d'hésitation et puis, dans un élan d'euphorie, je me suis lancé dans une nouvelle danse, une tarentelle cette fois, Gestin, mon destin ! je chantais, je gesticulais, Bellotto au poteau ! ça, c'est pour te faire plaisir ! j'ai ajouté, mais ça ne lui faisait pas plaisir, ça le laissait froid, mon collègue, ça ne me touche pas vraiment ! il a tenu à préciser.

Nous n'avons pas eu le loisir d'épiloguer, des cris ont soudain surgi d'une chambre voisine, une salle à trois lits où un patient, visage vultueux, mains sur le flanc, se tordait de douleur, faites quelque chose ! il a gémi, c'est une colique néphrétique, m'a assuré Fillandreau, il est entré hier pour ça, Brigitte n'avait pas perdu de temps et a déboulé dans la chambre avec sur un plateau la perfusion et les injections, examens, tension, pouls, palpation, premiers soins, nous nous sommes partagé les tâches, Fillandreau et moi, plus de Giscard qui comptait, vite ! le cathéter ! Brigitte jonglait, flacons, aiguilles, cotons, le malade recroquevillé sur le lit, dépêchez-vous ! n'en menait pas large, nous allons vous soulager ! l'annoncer devait déjà faire son effet, dans cinq minutes, ça ira mieux, vous verrez ! allez, Brigitte ! viscéralgine dans la perf ! nous nous sommes concertés, mon confrère et moi, l'antispasmodique d'abord ! m'a dit Fillandreau, il a cassé l'ampoule, l'a donnée à Brigitte qui montait la seringue dans la tubulure, la respiration du patient s'est calmée au bout d'un moment, le halètement s'espaçait, il se dépliait doucement, deuxième injection, d'antalgique cette fois, son visage s'est apaisé, ça va mieux, monsieur Tranchant ? il a grimacé encore, ça devient supportable, mais au moment où je m'accordais un répit, il a vomi en jet sur le lit, ce n'est rien ! Brigitte est intervenue, l'aide-soignante derrière elle, ça branlait dans la perfusion, le malade roulait d'un côté de l'autre, il y avait du tangage, attention ! de larges suffocations l'ont secoué, on aurait dit qu'il allait chavirer, le malade, les draps, matelas, plateau, bat-flanc, par-dessus bord, tête de lit, barreaux de fer, attention ! tenez-le ! Fillandreau essayait de lui bloquer les épaules, le patient a eu encore un haut-le-cœur, puis un autre, des hoquets, trois, quatre, enfin il s'est calmé, il y a eu un silence et puis quelques minutes ont passé, Fillandreau surveillait le pouls, la tension, nous aussi nous nous sommes détendus, l'orage s'éloignait, le malade revenait parmi nous, je me suis redressé, j'ai vu que, derrière ses lunettes rondes de bon élève, Fillandreau m'observait d'un œil amusé, ça va mieux, docteur ? moi aussi, je l'ai regardé de façon plus bienveillante, ça va mieux ! dans la salle de soins Brigitte s'agitait, rangeait le matériel, désolée, mais je vais rester plus longtemps ce soir ! m'a-t-elle glissé à voix basse, deux autres patients qui ne vont pas bien et l'infirmière de nuit est nouvelle, je vais l'accompagner une heure ou deux, j'ai souri, bien sûr, Brigitte ! gestes vifs, éclat du regard, elle n'était que grâce pourtant dans sa blouse d'infirmière, mais l'humeur était travailleuse désormais, enfuies les secondes ambiguës où nous nous étions rapprochés.

Nous sommes demeurés un moment silencieux, mon confrère et moi, nous avons attendu que le malade soit définitivement remis et avons laissé les consignes nécessaires. Le ciel commençait à pâlir par la fenêtre et dorait les toits des maisons en contrebas, la mer scintillait encore, tu n'as pas de réunion ce soir ? j'ai glissé, il a souri, non, ce soir, je joue relâche, alors, je peux t'offrir un verre, camarade ? avec plaisir, camarade !

Un vent frais venait à notre rencontre par les rues qui descendaient au port, la paix était faite entre nous, je pouvais en confiance l'interroger, mon distingué collègue, ça fait longtemps que tu milites dans ce truc ? ce truc, comme tu dis, est la base sur laquelle a pu s'appuyer Giscard pour devenir président, non, mais, la question que je me pose, c'est comment un type de mon âge peut s'enthousiasmer pour un tel personnage ? ça me dépasse ! j'ai haussé le ton sans le vouloir, me suis arrêté au milieu de la chaussée, comment fait-on pour devenir un jeune giscardien ? qu'est-ce que vous lui trouvez à ce type ? j'ai bien senti que le ton montait, que je m'énervais malgré moi, il m'a considéré, est redevenu plus distant, ça te paraît ringard, hein ? vieux jeu peut-être, au contraire, je soutiens un homme de notre époque, dynamique, efficace, sportif, ouvert d'esprit et jeune, que ça te plaise ou non, il a marché quelques pas, je ne pouvais m'empêcher, et son Poniatowski ? son ministre de l'Intérieur, il te plaît aussi ? écoute, je ne veux pas polémiquer ce soir, mais ce ne sont pas les socialistes qui nous auraient sorti de la crise actuelle, et je préfère que ce soient ceux-là qui nous gouvernent, il m'a toisé presque, je crois en leur action et je la défends, il redevenait solennel, Fillandreau, la société libérale avancée, hein ! j'ai raillé, un coup d'accordéon, j't'embrouille ! et le chômage qui monte ! je me suis irrité, mais il s'est dressé sur ses ergots, et la majorité à dix-huit ans ? la loi sur l'avortement ? ça doit te plaire, ça ! qu'est-ce que tu en fais ? c'est la moindre des choses ! j'ai répliqué avec colère, et puis, c'est pas la peine ! je me suis dit, fallait que ça s'arrête, j'ai préféré baisser les bras, allez confrère ! je t'ai invité à prendre un verre, c'est pas pour qu'on s'engueule !

Nous nous sommes assis en terrasse, des passants défilaient sur le quai dans le jour déclinant, Fillandreau m'a parlé de sa passion pour la voile, ses pommettes enfin se coloraient, ses yeux s'allumaient, il avait débuté jeune, mât, gréements, misaine, tout a défilé, focs, cabestan, j'ai eu droit aux termes techniques les plus recherchés, beaupré, artimon, il n'en a omis aucun, j'écoutais, il parlait, volubile, je me demandais tout de même s'il s'agissait d'une vraie flamme ou d'un plaisir récité, il parlait encore, Fillandreau, la liste s'allongeait, corps-morts, bordées, écoutilles, j'opinais, j'étais bien docile ce soir, quand il a eu terminé, la foule sur le port s'était clairsemée, la nuit enveloppait d'ombre les eaux du bassin. Ensuite il est parti, il dînait en famille, et j'ai poursuivi mon chemin jusqu'à la place Vieille-du-Temple, pavés et boutiques, et plus loin, devant la maison de la culture, François Béranger avait donné un concert la veille, *je vis dans un pays et c'est aussi le vôtre,* les panneaux étaient encore là, sur les piliers, *où un gamin perdu à Fleury-Mérogis,* des jeunes gens hirsutes palabraient, entassés comme des chiots sur les marches, *pour un vol de bagnole se fait serrer la vis,* un couple s'embrassait devant l'entrée, *on la lui serre tellement la vis qu'il en peut plus,* depuis son affiche Béranger les contemplait du coin de l'œil, *un jour la coupe est pleine et on le retrouve pendu,* j'avais assisté l'an dernier à un de ses concerts, sous chapiteau, ballades engagées et pinkfloyderies comme il disait, *bon Dieu quel beau pays!* tambour battant le concert, *bon Dieu quel beau pays!* Alarcen à la guitare, j'aurais bien aimé savoir, tiens, s'il l'avait écouté, ce qu'il en aurait pensé, Fillandreau, de Béranger.

Hélène toujours en mouvement, elle dont je connaissais pourtant le désir intime de sédentarité, de construire cette vie dont j'ai parfois le sentiment, Paco, qu'elle part un peu dans tous les sens, qu'elle me glisse entre les doigts, mais c'était un désir encore trop bourgeois à ses yeux pour qu'elle l'avouât plus que par bribes lâchées au bout d'une phrase, des mots semés çà et là, quand elle baissait la garde, c'était si rare. Profitant d'un congé, elle avait filé chez sa mère, dans le Gers, je ne reviendrai pas avant deux semaines, elle ne m'oubliait pas, m'écrivait-elle.

Les journées s'étaient bousculées à l'hôpital dans un afflux de malades et d'urgences, nous alternions bien avec Fillandreau et dans cette ambiance précipitée mais apaisée, il m'avait même invité, alors que nous déjeunions au réfectoire, à une sortie en bateau, tu verras, Lorca, ça te fera du bien l'air du large! madame Le Droissec m'avait répété sa satisfaction d'avoir un service en plein rendement, c'étaient ses mots, et Barbarelli était réapparu, plus docte et fuyant que jamais, au cours des deux visites hebdomadaires que lui imposait le règlement.

J'avais fini par me rendre à la boulangerie sur le port, Brigitte m'y avait accompagné, gênée tout à coup dans une atmosphère inhabituelle pour nous deux, la mère de notre infirmière m'avait accueilli avec un sourire que démentaient ses yeux qui me scrutaient entre curiosité et férocité, et vous êtes originaire d'ici? vos parents, que font-ils? j'ai cru entendre la mère Retournet, laiterie et mariage à la clé, l'envie de rire m'a pris, j'ai dû paraître irrespectueux, sa bouche aussi a cessé d'être aimable et puis elle est partie servir des clientes et entamer une litanie de potins débités avec un accent nasillard, celui-là, on est pas près de le revoir, comment ? vous n'êtes pas au courant ? elle allait l'y mettre au courant, la cliente, et pour le prix d'une baguette.

Dans l'arrière-cuisine Brigitte m'a présenté son père, un homme effacé aux bras pleins de farine, au regard lointain, vous voyez, c'est la pause ! il m'a expliqué, sauvage un peu, alors, comme ça, vous travaillez à l'hôpital de ma fille ? il triturait une manette, on vient d'acheter la télé en couleurs, Brigitte, sers un café à monsieur ! avec les trois nouvelles chaînes incluses ! il avait du mal à se libérer de l'écran, des lignes bleues, violettes, jaunes, phosphorescentes, défilaient, une speakerine au teint rouge brique annonçait la météo du lendemain, je travaille assez, tiens ! je peux bien m'offrir ça ! a-t-il conclu, il était affable, lui, au moins, et n'essayait pas de m'imaginer en futur gendre, de toute manière Brigitte n'y pensait plus, du moins le croyais-je, j'étais trop insaisissable, ce qu'elle m'avait confié un de ces derniers jours dans le service, et moi, je n'y avais même pas songé, ce qu'il te faudrait, Brigitte, c'est un bon parti, un type sérieux, genre Fillandreau ! arrête ! elle avait fait mine de protester mais, savait-on jamais, sauf que, chez mon confrère, dans la famille de l'armateur, on devait se méfier des mésalliances.

La semaine suivante, il n'a plus été nécessaire de ponctionner l'ascite de Charlot, des hématémèses, des melæna, le sang rouge en haut, vermillon même, noir en bas, on ne pouvait plus endiguer les hémorragies, le foie, le rein, étaient pris, syndrome hépato-rénal a marmonné Barbarelli, dans l'après-midi il a glissé dans le coma où, dans ce souffle court, haletant, respiration saccadée de l'agonie, il était bien difficile de distinguer l'angoisse de la mort de l'avancée de la mort elle-même. Brigitte avait baissé les stores italiens, le soleil vibrait, ironique, indifférent, sur les lattes de bois vert, l'épouse ne quittait plus le fauteuil près du lit, il m'en a fait voir, vous savez ! mais quand même, elle lui tenait la main, contemplait les doigts effilés, cinquante ans de vie commune, c'est pas rien ! pas de manège, pas de queue de Mickey ce soir, elle ne levait plus les yeux que pour observer la face creusée, bistre, de son mari qui la quittait dans un grand chambardement du corps et de sa physiologie, il souffre, vous croyez ? je ne pense pas, nous le soulagerons sinon. Madame Le Droissec et Brigitte passaient à tour de rôle, le pouls, la tension, le goutte-à-goutte, elles contrôlaient par petits gestes, l'hydratation, les plis de la peau, la sécheresse de la bouche, la fièvre, rajustaient les draps, disaient un mot à l'épouse, je pourrai rester ce soir ? nous nous arrangerons, je vous installerai un fauteuil. Notre cheftaine était dans son rôle, attentive à tout, son œil brillait dans la pénombre, la tête du malade disparaissait, amaigrie, derrière l'énorme soufflet de la poitrine et du ventre, celle de sa femme s'inclinait, madame Le Droissec se tenait près d'elle et lui a posé la main sur l'épaule, l'épouse a tourné son visage vers elle, je vous remercie pour ce que vous faites, vous savez.

Bonjour docteur! nous avons besoin d'un coup de main, c'était Lepreux au téléphone, vous viendriez passer quelques jours chez nous? calendrier toujours complexe des gardes et récupérations, des disponibilités de Barbarelli qui, bon prince, arrangez-vous entre vous! m'a donné son accord.

Allô! Lepreux? je viens en fin de semaine, parfait! où voulez-vous loger? il le savait bien, si vous m'invitez, j'accepte, marché conclu! Ma foi, j'ai repris la route du village avec entrain, les paysages, leur monotonie, la vie figée du marais, la lassitude que tout cela m'inspirait, cela viendrait après, je n'étais pas mécontent de retrouver certains patients et les derniers épisodes du feuilleton local, les péripéties de ses principaux personnages, Francine aussi m'a fait fête, vous revoilà! vous vous ennuyez de nous, avouez!

Lepreux et Philippe Gloirafeux m'attendaient de pied ferme, ils avaient du travail pour moi et des gardes de nuit, nous comptons sur vous, il nous faut dormir un peu! Avec ce retour, je souhaitais une reprise de contact avec le concret, l'instant présent, comme à l'hôpital être sollicité ici par l'utilité immédiate, éloigner de moi l'insatisfaction permanente de toutes mes jeunesses, les ardeurs aussi excessives qu'inabouties, j'allais pouvoir confronter mes rêves à des scènes propres à décourager les élans les plus enthousiastes, à des paysages saturés, des horizons indistincts, l'appel était là, impérieux, celui de l'action qui ne souffrirait pas l'attente.

Après les consultations routinières d'un début d'après-midi, dans le bureau que chauffait un soleil plus vif désormais, le vieux Guillochon entre autres était passé, pour ma tension, elle monte, monte, un jour ça va éclater là-haut ! il montrait son crâne, pour l'instant, c'est bon, j'ai le casque solide ! j'ai entamé la tournée du soir par une visite dans le quartier qu'on appelait des maisons basses, masures accolées, tassées sur leur assise de briques rouges, chez Lambineau, le père qui n'allait pas bien, même qu'il a eu un malaise tantôt et que c'te fois, c'est point la première ! m'a confié sa femme, visage maigre, vieillesse prématurée, le mari, lui, ne bougeait pas, la quarantaine aux joues bleues qui buvait bien son vin selon ses dires mais pas plus, quand on voit ailleurs ! il avait l'œil noir, figé, la conscience terne de son malheur depuis longtemps enroulé autour de lui, de sa vie, sans autre possibilité de fuite qu'une résignation que rien n'exprimait plus.

À ma première question, vous souffrez de quelque part ? il a froncé les sourcils sans me répondre et m'a désigné de la tête sa femme à qui il valait mieux que je m'adresse, dans la fixité du regard stagnait toute la tristesse accumulée au-delà de la colère, il broie du noir, depuis longtemps, docteur ! que faites-vous comme travail, monsieur Lambineau ? j'ai insisté, soudeur chez Floty-Boat, il a murmuré, vous connaissez ? m'a demandé l'épouse, les bateaux de luxe, l'usine sur la route de Braille, les mains dans les poches de son tablier, elle s'inquiétait de l'hébétude prolongée du conjoint, si ça continue, va plus pouvoir travailler, ct'homme ! il parle pas, le soir des fois, il boit, après il pleure, d'une façon ou d'une autre, faut le remuer, que je dis, moi !

Lambineau observait ma réaction au récit de sa femme, l'œil en coin, les mains sur les genoux, la pièce était exiguë et sombre, seule une suspension éclairait la toile cirée, de toute manière, vous n'y arriverez pas ! il m'a déclaré soudain, il a hoché la tête, ça vient de trop loin, tout ça ! vous y travaillez depuis longtemps ? l'usine ? chez Floty-Boat ? toute ma vie, plus de vingt ans, tous les jours la même chose, il a souri, amer, le même poste, l'hiver, il fait froid, l'été, il fait chaud, et trois augmentations en vingt ans ! petites, vous savez ! il a vu que je l'écoutais, a poursuivi, les patrons, c'est les Blagapart, des riches, ici, tout le monde les connaît, un château, des bagnoles, du temps du père, ça allait, il passait dans les ateliers, venait nous parler, un cadeau à Noël, des choses comme ça, et les augmentations, c'était quand il était là, peu à peu il s'animait, Lambineau, il sortait comme par miracle de sa torpeur, voulait bien en dévoiler des morceaux de sa vie désespérante, et puis, il y a dix ans, il a passé la main, le fils a pris la direction de la boîte, il a fait une grimace, alors là, tout a changé, fini la rigolade ! rendement ! qu'il a dit le jeune homme, il a commencé à raconter que les affaires allaient pas bien, la crise, qu'il pourrait peut-être pas nous garder tous, des contremaîtres nous ont montés les uns contre les autres, les salaires des soudeurs qu'étaient pas ceux des charpentiers, et pas ceux des tapissiers non plus, les magasiniers qui râlaient, pas les mêmes primes, ça n'allait plus, les esprits se sont aigris, on est cinquante dans l'usine, voyez-vous, eh bien, je n'ai plus que deux amis, y a plus de camaraderie, c'est jalousie, égoïsme, insultes, il regardait le sol devant lui comme s'il allait chuter dans un abîme, nous, les trois copains, à la pause, on se met dans un coin, on parle de moins en moins avec les autres, et même entre nous, on parle plus, c'est plus la peine, en attendant la fin, il se grattait la tête, remuait un peu sur sa chaise devant son épouse et moi qui le laissions vider son sac, en attendant la retraite ou bien qu'on meure avant, on verra ! depuis plus d'augmentation, plus de dialogue, rien, le chef, son valet, qui vient nous dire d'accélérer, c'est tout, et pourtant c'est du travail fin, du fignolage qu'on doit faire parfois, mais ils s'en foutent, et l'autre, le fils, qui arrive le matin dans la cour en voiture de sport ! il m'a fixé, Lambineau, vous croyez ça ? il voudrait se payer notre tête, il s'y prendrait pas autrement, il a réfléchi, jamais son père n'aurait fait ça, jamais ! et pourtant, c'était pas un tendre ! et vous n'avez pas eu envie, un jour, de vous mettre en colère, monsieur Lambineau ? j'ai demandé, on a essayé une fois, il y a trois ans, ils parlaient d'aller installer l'usine ailleurs en France, de diminuer le temps de travail des ouvriers, certains ont même voulu retenir le fils dans son bureau, Lambineau, il a écarquillé les yeux en évoquant l'épisode, il n'en revenait pas, ça, vous pouvez me croire, ici, c'était une première ! eh bien, ça n'a pas traîné, le père a appelé les gendarmes, ils ont menacé de mettre à la porte les meneurs et tout le monde est rentré dans le rang, sans rien dire, avec des familles à nourrir les uns et les autres, et le boulot qui court pas les rues dans le coin. Il s'est arrêté tout à coup, et voilà ! l'histoire de ma vie ! il a ricané, dans le couloir trônait la mobylette bleue, une besace posée sur le porte-bagages, je vous présente ma voiture de sport, docteur ! des fois, l'hiver, dans la brume, je me perds avec et les camions ne nous voient pas sur la route, il avait repris de l'entrain, Lambineau, un entrain triste mais qu'il chevauchait pour se faire entendre, il y aura bien une fin à tout ça, mais, à moins qu'on gagne à la Loterie nationale, la patronne et moi, je vois pas ce qui pourrait nous sortir d'ici, voilà tout !

J'ai dit que je reviendrais, je ne souhaitais pas lui prescrire un antidépresseur, la moindre molécule, il faut pourtant lui donner quelque chose à c't'homme ! a insisté l'épouse, je préfère que nous parlions encore, j'étais peut-être optimiste mais peu enclin aux médicaments en première intention, le patient, lui, semblait du même avis, il avait senti le soulagement, les bribes de dialogue, il s'est même levé, a jeté des galettes de tourbe séchée dans la cuisinière et m'a raccompagné jusqu'à la porte.

Le soir tombait quand je suis sorti, depuis la ruelle de longues bandes de ciel bleues et grises s'enfuyaient vers la mer par-dessus les pâturages côtiers et, sur l'horizon, la campagne plate des salines poudroyait au soir couchant, blanche et cristalline. Je me suis installé au volant, la voiture allait me conduire par les chemins dans la nuit fraîche encore, je revoyais le regard de Lambineau, noir, pétrifié, sans la moindre parcelle d'avenir qui pût danser dedans.

Docteur ! au moment où j'allais démarrer, j'ai entendu une voix d'enfant m'appeler, c'était Serge, le fils du garage Laclé, qui, à bicyclette, avait dévalé la rue étroite jusqu'aux maisons basses, il était à bout de souffle, c'est madame Francine qui m'envoie ! il m'a tendu une feuille pliée en quatre, elle m'a dit, c'est urgent, fonce ! là où il est, y a pas le téléphone, rattrape-le ! il était en nage, merci, mon vieux ! de rien, c'est bien naturel ! et pas peu fier de m'avoir retrouvé.

C'était à Cambuzay, l'urgence, un hameau, un moulin et trois chaumières, au fond de l'étang de Mareuil, des canards, crapauds et aigrettes au printemps et l'été, une flaque ! pour moi, c'est qu'une flaque ! m'a assuré le fils Broutineau, peu bucolique quand il m'a vu jeter un coup d'œil au paysage, il avait d'autres soucis en vérité, sa mère, une crise d'étouffement, docteur ! ça s'est calmé un temps, on l'a assise, elle était mieux, voilà que ça reprend ! des râles bulleux qu'on entendait à vingt mètres, qui alternaient avec des sifflements de piston, des gémissements amers, il était temps d'intervenir, lasilix, digitaline, j'ai vite extrait de la mallette les ampoules, garrot, la bonne veine, injection, le cœur fatiguait, les remèdes à son secours, le regard apeuré de la patiente trop essoufflée pour parler, ah ! faisait-elle, ça va aller, madame Broutineau ! elle en avait vu d'autres, des années que son cœur est malade ! m'a affirmé le fils, mais elle ne veut pas suivre le régime, le sel, elle continue, qu'on lui dit qu'il faut pas ! il s'impatientait. La malade pendant ce temps a demandé qu'on l'accompagne aux toilettes, déjà, le diurétique, sa bru, surgie d'une souillarde, l'a aidée à se traîner jusqu'au fond du couloir, elle était épuisée au bout de trois pas, c'est pas possible ! elle a grogné, elle rouspète, c'est bon signe, a décrété le fils, la respiration, en effet, s'est mise à ralentir, les bulles sont devenues moins crépitantes contre la trachée et les bronches que noyait l'œdème, ah ! bon Dieu de bon Dieu ! a gémi la malade, que c'est mauvais ! elle a commencé à commenter son malaise, sa voix rauque sifflait encore, elle est retournée dans le lit, toujours soutenue par sa belle-fille, doucement ! comme ça, la mère ! j'ai pu à nouveau l'ausculter, le cœur, qui s'était emballé, réduisait son galop, la poitrine atténuait son désarroi, tous autour d'elle, nous nous détendions, la crise était passée, sans aucun doute, cependant, j'ai voulu attendre afin de prescrire des remèdes, procéder à une nouvelle injection, ici, nous n'étions pas en ville mais au fond d'une campagne perdue derrière de longs rideaux d'arbres dans un écheveau de canaux et de chemins sablonneux, et je n'allais pas revenir de sitôt.

Le retour s'est fait de nuit, un instant, une hulotte m'a tenu compagnie dans la lueur des phares, la fourche de deux chemins, un piquet incliné, un saule aux formes étranges, me servaient de repères, fallait être attentif, j'ai franchi le pont de pierre au bout du canal de Pineuilh, retour à la civilisation, la grand-rue faiblement éclairée, la place où la patronne du café des Pêcheurs fermait les volets à cette heure, et j'ai garé ma fidèle Simca devant chez les Lepreux. Il était là, dans son fauteuil usé, lecteur du *Monde* comme toujours, mon épouse ne vous a pas attendu, vous voudrez bien l'en excuser, elle était souffrante, rien de grave ? non, tenez, il suffit de réchauffer le plat, même dans l'adversité mon hôtesse avait pensé à mon frichti !

Nous avons devisé, mon confrère et moi, il aimait prendre le pouls du monde, notre cher président va de pays en pays, Centrafrique, Algérie, vous avez vu comme Boumediene s'est mis en frais ? et celui de la société, madame Veil, notre ministre, et monsieur Barrot, son secrétaire d'État, semblent vouloir rogner les griffes du pouvoir médical, il a eu un de ces gestes de grande lassitude que j'aimais chez lui, la longue main s'est élevée dans l'air et puis est retombée, désabusée, sur l'accoudoir du fauteuil, que voulez-vous ? chacun son os, après tout ! les rouages essentiels de notre société y passent tous peu à peu, regardez les enseignants, par exemple ! ce que représentait un instituteur autrefois ! et un professeur, n'en parlons pas ! il a médité un moment, je le laissais parler, sans compter les curés ! mais, et c'est un avis personnel, eux, nous les regrettons moins, de fait, tous ceux qui parlent au peuple effraient les politiques, à la fin ils resteront entre eux, les politiques ! a-t-il tenu à souligner. Il a voulu me faire déguster sa fine champagne, c'est dire s'il était détendu et si nous étions en amitié, en tant qu'aîné il ne souhaitait pas forcer sur le conseil mais il piaffait, l'air de rien, de savoir où j'en étais, alors, Lorca, avez-vous tout de même repensé à ma proposition ? cette campagne vous est-elle toujours insupportable ? mais je n'ai pas dit ça ! que je puisse m'y ennuyer à la longue, oui, c'est une question à la vérité, mais, en rentrant ce soir, je me disais que toutes ces routes, ces chemins, ces bois, me sont devenus familiers, je ne sais comment vous dire, proches et inhospitaliers à la fois, il a bu une gorgée, je ne veux pas insister, il a plissé les yeux, je sentais son regret, j'ai souri, je crois que j'ai la bougeotte encore ! des situations à vérifier, des personnes à rencontrer, paysages à découvrir ! ce doit être quelque chose dans ce goût-là, tant que je le sens de façon confuse, agir autrement reviendrait à me résigner, n'en parlons plus ! a-t-il coupé, je ne vous ai pas retenu pour ça.

Le lendemain, mû par la curiosité, sans doute, je suis passé au cours de mes visites devant la villa du père Gloirafeux. Le fils cadet était là, transformé en jardinier, taillant une haie de thuyas, il m'a fait un signe de la main et je me suis arrêté, vous vous lancez dans l'horticulture ? de près, il avait le teint gris, une expression crispée, on le sentait à bout, besoin d'exercice ! a-t-il plaisanté pour dissiper mes interrogations, il m'observait, attendait la suite de la conversation, savait-il que je les avais vus, Hélène et lui, à Bordeaux ? que j'étais informé de nombre de leurs péripéties ? il connaissait notre relation, Hélène me l'avait dit, et m'a accueilli d'un sourire avenant, peut-être l'envie d'en connaître un peu plus, ou bien en toute innocence, alors, vous voilà de nouveau par nos routes ? en donnant des coups de cisaille, juché sur une échelle, il s'est amusé de ma perplexité, ça ne vous tente pas de passer le reste de vos jours associé à mon frère ? je ne crois pas que ce soit d'actualité, j'ai répondu, et vous, où en êtes-vous ? que comptez-vous faire ? c'était une indiscrétion que notre manque d'intimité n'autorisait pas, mais il m'a regardé et posément m'a dit qu'il souhaitait partir, j'ai des propositions pour aller faire le journaliste à Paris, il s'est assis sur un des barreaux de l'échelle, un ex-ami de Sciences-po, lui aussi en voie d'apaisement et féru de rock, m'a fait connaître Patrick Rambaud d'*Actuel,* un vrai spécialiste, un peu d'underground, ça fera du bien et ça me changera de la politique proprement dite ! je vais essayer, on verra, il a fait la moue, dubitatif, son regard s'éloignait, parfois cependant je ne désire rien que de rester seul, ici, dans ce jardin, cette maison, de ne plus entendre parler de tout ça, à d'autres moments, je me dis que l'action doit prendre d'autres formes, immigrés, femmes, justice, les sujets ne manquent pas, il s'est alors tourné vers moi, et Hélène ? m'a-t-il demandé tout à trac, comment va-t-elle ? il m'a paru tendu en me questionnant, peut-être même a-t-il rougi, je pensais justement que vous alliez me donner des nouvelles, j'ai répliqué, il a soupiré, posé ses cisailles et repris contenance, j'imagine que désormais nous allons tous suivre des chemins différents, le temps que nous puissions à nouveau communiquer entre nous en toute liberté, nous aurons chacun fait des choix qui, cette fois, je vous le garantis, ne seront pas communautaires, il a soulevé les épaules en signe de lassitude, nous y avons cru, les uns, les autres, maintenant nous sommes tous très fatigués.

Je l'écoutais debout au pied des marches du pavillon, nous ne nous connaissions pas bien, Bertrand Gloirafeux et moi, mais une bienveillance mutuelle circulait depuis le début entre nous, de la curiosité aussi, Hélène, j'ai repris, est partie se reposer dans sa famille, j'observais la taille fraîche et haute des thuyas alignés, la toile grise et douce du ciel par-dessus, j'ignore ce qu'elle fera ensuite, le sait-elle elle-même ? Hélène et ses éternels paradoxes, hein ! il a lancé, allez, docteur Lorca ! il m'a serré la main, bonne chance ! bonne chance à vous Bertrand ! j'ai hésité mais ajouté, Pierrick, c'est fini, non ? il a feint la surprise une brève seconde, il n'était pas dupe de ce que je savais, il a ri, c'est fini, bien fini ! salut ! Il est entré dans l'obscurité de la maison, jardinier ébouriffé, je suis monté dans ma Simca, trois visites m'attendaient, à faire avant midi.

C'était le dernier soir de mon court séjour au village, madame Lepreux n'avait plus la migraine et, après le dîner, a souhaité regarder *La Piste aux étoiles* de Gilles Margaritis, elle aimait la musique du générique m'a-t-elle confié, et pour preuve a commencé à la chantonner et battre la mesure en même temps que le chef de l'orchestre qui adressait, deux doigts sur le front, un salut fringant aux téléspectateurs. J'ai décidé de marcher, c'était la fin du mois d'avril, la nuit était tombée, douce et prometteuse, une ultime manne voletait au-dessus du canal et les bourgeons oscillaient au bout des branches dans la pénombre, de rares lampadaires éclairaient les ruelles et je sentais que mes pas me conduiraient jusqu'à l'embarcadère et la boutique de fruits et légumes, Marion était-elle là ? deux mois après, comment allait-elle ? je me suis promis de ne pas recréer, si je la voyais, l'ambiguïté de la dernière rencontre, mais je n'étais pas si sûr de moi.

J'ai traversé la place où des jeunes gens discutaient sur un banc, voix hautes, basses, exclamations mélangées, bonsoir, docteur ! en promenade ? m'a interpellé l'un d'eux, au même instant j'ai entendu la pétarade d'une mobylette et vu apparaître la large silhouette de Maryse Retournet qui les rejoignait. Elle ne jouait plus les jeunes femmes, était redescendue d'un cran pour se glisser à nouveau dans la peau de l'adolescente sans souci, vous allez bien ? m'a-t-elle salué quand je suis passé à sa hauteur, sans calcul cette fois, liberté franche, et François-Régis, le fils Gratineau, qu'en avait-elle fait de son

Roméo ? j'aurais bien questionné mais à quoi bon, je me suis éloigné, des rires et des niaiseries résonnaient dans mon dos, une innocence, une forme de gratuité avaient repris leur place.

Je n'ai croisé personne jusqu'au quai, seule une musique de cirque, jaillie des postes de télévision, cuivres et tambours, traversait les contrevents, se répandait dans la rue, aucune voix, le spectacle les figeait dans leur fauteuil. En bas, dans son recoin sombre, la boutique de Marion était fermée, un réverbère dont les branches des marronniers tamisaient la lumière, irisait l'eau sur le bord du ponton, accentuait les lignes de deux bancs dressés côte à côte.

À nouveau une mélancolie facile, moins violente cette fois, me rattrapait dans cette respiration lente du paysage, ce chuchotis des eaux contre les pierres de la berge. En d'autres lieux mon enfance s'était forgée, traces fidèles dans ma mémoire, un chenal du lac marin où, perché sur des poteaux de bois mangés par la mousse, dans un repli de sable mêlant la senteur iodée de l'eau de mer et l'humeur saumâtre d'une buse, à l'aide de ma canne en bambou, j'avais tout un été espéré pêcher un poisson, fût-il minuscule, suicidaire ! mais aucun n'était venu au bout de ma ligne, et puis le sport, je partais, guidon retourné, sprinter comme André Darrigade, sans dérailleur, grimpeur comme Bahamontes, j'arpentais les chemins me récitant des étapes, jusqu'à ce que d'autres me dépassent, alors ce furent les jeux collectifs où mes minces qualités pourraient servir l'équipe, j'inventais des triomphes, ils ne vinrent jamais. D'autres illusions artistiques, héroïques, leur succédèrent au fur et à mesure des saisons dans un embrouillamini de lectures, de discours entendus. Ferveurs aussitôt suivies d'impuissance à vivre, dans la méconnaissance de soi, d'avenirs incertains que j'esquissais dans la contemplation des vagues cinglantes battant contre les rochers, jours de grandes marées, dans la course contrastée des nuages que je regardais, couché dans les fougères, filer entre les cimes des hautes pinèdes, construisant mes instances futures dans le seul décor fourni à ma jeune imagination, les seuls paysages connus d'elle, peuplés des seuls protagonistes qu'il m'était échu de rencontrer dans ce lieu-là et à mon âge. Rêves comprimés dans le tourbillon de l'enfance, ardeurs accumulées jusqu'au vertige, pour des libertés futures, des ouvertures sur le monde, la conviction des promesses faites à soi-même dans ces années-là.

Seul un bruissement dans les feuillages accompagnait ma réflexion, même le canal s'était tu. Il y a eu un instant le passage d'une voiture sur le pont, encore le vide, les pas discrets d'un homme qui promenait son chien près des barrières, il s'est éloigné et la nuit a repris ses droits. Soudain un craquement s'est produit derrière moi, c'était la porte du jardin de Marion, dans l'obscurité sont apparues la silhouette d'un homme, Philippe Gloirafeux, aucun doute, la tête d'une femme, c'était elle, ils parlaient à voix basse, il a filé le long du mur jusqu'à sa BMW abritée sous un arbre, la porte a grincé encore, Marion a disparu, bruit du moteur, la voiture a démarré, glissé, presque invisible, sur le chemin de halage jusqu'au tournant. Philippe Gloirafeux ! chez Marion à nouveau ! j'ai imaginé les pardons, retrouvailles, paroles échangées, embrassades, étreintes et la reprise du jeu furtif, des sentiments consolidés, rapiécés, tout à la fois, j'ai songé à Marion, celle rieuse et sûre d'elle dans son commerce, l'autre plus triste mais si attachante de l'intimité, fallait-il qu'elle y tienne à son toubib ! ou bien la solitude avait eu raison de ses défenses, j'ai su alors que je ne la reverrais plus, que je tournais la page de cet épisode comme j'allais le faire pour d'autres encore dans ce village. Je me suis levé, le petit port, le canal dans la nuit ne m'apportaient plus rien et je ne souhaitais pas que Marion me voie ici. Les éclairages aussi tremblotaient dans la blancheur des réverbères.

J'ai quelque chose à dire, mais je ne sais pas quoi, noir sur blanc, j'ai affiché le slogan de 68 sur le mur face au bureau de mon ami, le docteur Fillandreau, il m'avait agacé, pendu au téléphone une demi-heure durant, dès mon retour dans le service, péremptoire, clamant à l'interlocuteur que sa place était désormais au sein des cadres du parti, je ne vois pas ce qui pourrait s'opposer à mon entrée à Perspectives et Réalités, comprenez-vous ? ça chauffait avec l'autre gars au bout du fil, surtout, chaque parole claquait comme une évidence et les patients, le personnel et l'hôpital tout entier étaient priés de vibrer aux cymbales du giscardisme, fallait que je l'asticote à mon tour, t'as trouvé ça tout seul ? il m'a interrogé, le combiné à peine raccroché, bien sûr que non ! ce sont les masses populaires qui m'inspirent ! t'es gauchiste maintenant ? il s'est pincé, tendance quoi ? mao ? trotskiste ? il poussait à rire, droit dans sa blouse, grotesque à force d'être dédaigneux, non, je suis plutôt médecine tendance Céline et tauromachie tendance Paco Camino, vois-tu, mais ce matin je me sens tendance contre-Perspectives et anti-Réalités, camarade ! et en quoi mon parcours te dérange, s'il te plaît ? il a couiné, la liberté, qu'est-ce que tu en fais ? écoute, Fillandreau, arrête de nous casser les oreilles avec ta carrière politique, crie moins fort tes convictions à la tisanerie et dans les couloirs, et on pourra peut-être s'entendre, d'accord ?

Nous nous sommes chamaillés encore un moment sur ce ton. Entre médecine et réflexions acidulées, la matinée a avancé, Barbarelli était annoncé en fin de visite et madame Le Droissec a tenu à m'informer de l'état de plusieurs malades, à la fin, Fillandreau a feint de vouloir faire la paix, bon, on ne va pas continuer ainsi, je m'absente trois jours et, à mon retour, il a désigné l'affichette, j'espère que cette ânerie aura disparu, je n'ai pas répondu, le travail m'attendait et là, il ne me faisait plus sourire, mon collègue, il m'énervait carrément.

De toute manière j'étais irritable depuis le lever, prêt à rendre coup pour coup avant même qu'on m'agresse, mais quelle mouche vous a piqué ce matin ? m'a demandé Le Droissec qui arborait un badge sur sa blouse, *Je reviens toujours dans les Côtes-d'Armor,* c'était incurable, je me suis senti envahi, chaque heure un peu plus, par une nervosité mauvaise conseillère, dans ces conditions mon confrère Fillandreau et ses velléités de réussite dans la politique conservatrice, à son âge ! ça me désolait tout de même, tombaient mal, représentaient un gibier de premier choix pour ma colère, j'ai à plusieurs reprises tâché de m'apaiser, respire à fond ! je m'incitais au calme, je redoutais l'incident.

D'autant que, nous l'avons su dans le courant de la matinée, monsieur Bellotto, le maire, devait sur le coup de midi rendre visite à son père hospitalisé chambre 5, dans l'aile droite du service, une pneumonie m'a annoncé Brûlenoir, le surveillant de l'unité, le vieux, il hoquette, suffoque et ses gaz du sang ne sont pas au mieux, c'est pas terrible ! ça lui donnait la migraine, je le voyais bien, cette arrivée du premier magistrat de la ville dans ses couloirs, putain ! mais qu'est-ce que vous foutez, les deux ? il nous haranguait tout en relâchant son langage, signe d'angoisse excessive, a souligné Fillandreau, d'animosité démesurée, j'ai ajouté, mais, *mezza voce,* pas besoin d'en rajouter au conflit latent.

Bellotto, c'était un personnage, on parlait de lui tous les jours dans la presse et pas que dans *L'Éclair d'Aunis et Saintonge,* dans les journaux parisiens aussi, à la télé, à la radio, surtout depuis qu'il avait installé des vélos gratuits dans la ville, allez ! tout le monde à bicyclette ! il claironnait à chaque occasion, les jeunes, les vieux, femmes et enfants, et en tant qu'élu d'une cité maritime, il achevait ses interventions par un *tous à l'abordage !* entendu sur toutes les ondes, des rizières de Camargue jusqu'aux hauts-fourneaux de Lorraine, de la pointe du Raz, tiens, justement ! jusques aux contreforts viticoles du Jura, changer de société, c'est changer notre mode de vie ! il le proclamait, Bellotto, vive le vélo ! c'était son slogan, son credo, vive l'air pur dans les villes ! surtout que les grands coups de vent qui s'engouffraient l'hiver entre les deux tours nettoyaient le port, les rues adjacentes et filaient vers les remparts, la pollution, ici, connaît pas ! il le répétait, que ça retentisse jusqu'à Paris, il devait se sentir à l'étroit dans ses murs, il lui fallait de la carrière ample et nationale, chers amis, je porte notre cité à la pointe d'une société qui doit se transformer, se moderniser, devenir plus saine pour l'avenir de nos enfants ! à chaque vin d'honneur, inauguration, il saisissait l'aubaine, et sympathique avec ça ! tout sourire, serrant les mains des uns des autres, comment allez-vous ? on aurait cru bien le connaître en l'écoutant, le dynamique maire de la ville ! comme le qualifiaient des journalistes, l'homme du renouveau écologique dont tout gouvernement devrait s'enorgueillir ! a-t-on bientôt lu, la presse ne tarissait pas d'éloges à gauche et de compliments modérés à droite, Bellotto ! Bellotto ! il avait connu un franc succès lors des dernières élections, propulsé député, le roi du vélo libre et urbain, à tous je souhaite de l'exercice et du grand air ! il s'était écrié, juché sur un bureau, le soir du scrutin, Bellotto ! Bellotto ! avaient scandé les inconditionnels, et les habitants de croire finalement qu'ils vivaient dans une cité radieuse, affranchie des misères échues aux autres.

Des Bellotto, à vélo ! À vélo, Bellotto ! avaient longtemps résonné dans cette nuit d'élections législatives, parmi les ruelles embrumées, proclamés au début, vociférés ensuite par des scrutateurs qui avaient traversé la rude journée ainsi que les affres du dépouillement, habités par une soif qui fut longue et difficile à étancher. Ils y étaient parvenus néanmoins et leurs cris, dignes de l'effort consenti, avaient retenti jusqu'au petit matin sur le pavé de la cité. À l'heure où le ciel pâlit, dans la ville déserte, les échos de la fête s'étaient espacés et les porteurs de journaux, annonçant le triomphe de l'édile, avaient croisé, endormis dans des poubelles, deux militants couverts d'autocollants, Votez écolo ! Votez Bellotto ! un autre errant dans le parc des Allées, zigzaguant entre des rangées de tamaris, le chapeau de paille sur l'oreille arborant Votez Bellotto ! Votez à vélo ! C'est plus rigolo ! Des affiches déchirées s'envolaient dans la fraîcheur de l'aube, des bouteilles jonchaient le sol et le coin des portes cochères, les premiers camions de livraison circulaient, le séisme de la veille, qui s'était étendu jusques aux confins de la circonscription, s'assoupissait à son tour et la vie municipale allait pouvoir continuer.

Il était donc impératif de juguler cette réactivité que je sentais prête à bondir en moi, la moindre réflexion d'un des surveillants ou, encore mieux, le moindre sarcasme de mon ami Fillandreau, auraient fait l'affaire, je le savais bien, j'ai parcouru plusieurs longueurs de couloir, l'air occupé, en plein exercice de décontraction en fait, rejetant au loin ce qui me harcelait depuis mon réveil, attaques sournoises, invisibles à l'œil nu, agissant par replis et assauts successifs, l'absence, ou pire, le silence d'Hélène depuis tant de jours, me laissaient dans une position d'attente qui m'usait jusqu'à la corde, j'avais même téléphoné à Maurice la veille, tu ne l'as pas vue ? sais-tu si elle est à Bordeaux ? que veux-tu que j'en sache, Paco ! si c'était le cas, je te le dirais, l'espoir s'effritait entre chaque phrase, qu'espérais-je donc ! mais puisque tu es au bord de la mer, tu sais quoi, Paco ? tu devrais prendre le large ! il a à demi plaisanté, voilà ce que j'en pense, et depuis longtemps, camarade ! et c'est là, bien sûr, le conseil d'un ami qui me veut du bien ! j'ai grogné, assurément, Paco ! il a ri et toussoté à la fois, ce fumeur de pipe, après, tu es libre de passer ta vie ainsi, c'est toi qui vois ! Il m'agaçait dans ces cas-là, Maurice, je n'aimais pas qu'il ait raison, avec lui, ça prenait des allures d'évidence et ce n'était pas fait pour me plaire.

Enfin Bellotto a fait irruption sur le coup de midi, aussitôt accueilli par notre chef de service, il était rieur, le maire, docteur Barbarelli ! comment va notre hôpital ? il a apostrophé le vieux confrère comme si ce dernier en était une des institutions, un des piliers qu'on aurait pu retrouver nuit et jour, à la même place, au chevet des malades, son air affairé, stéthoscope au cou, marteau réflexe dépassant de la blouse, une forme de déambulation dans le couloir et d'une chambre à l'autre, escamotant le fait que son arrivée n'avait précédé que de cinq minutes celle du premier magistrat dans nos salles.

C'était Fillandreau qui avait en charge la chambre où se reposait le père, Bellotto a attaqué, alors, comment va-t-il ce matin ? il a retenu mon collègue par le bras, dites-le-moi ici, je préfère que vous m'en parliez en dehors de sa présence, il créait aussitôt un climat de confiance et de fermeté avec le gendre d'un de ses adversaires politiques, votre famille va bien ? a-t-il ajouté après un instant, comme si les meilleurs rivaux du monde échangeaient leurs confidences. Après quelques civilités, Fillandreau en est venu au cas médical, votre père souffre d'une pneumopathie, il m'a demandé les radios sur le ton d'un chef à son assistant, vous voyez ici, cet aspect condensé, ils s'étaient installés côte à côte devant le négatoscope, ce ne serait rien si cet état respiratoire n'avait de fâcheuses répercussions sur son cœur, en de courtes phrases chargées de compétence, mon jeune confrère reprenait l'ascendant et j'ai observé que Bellotto, soucieux de la santé et du bon traitement de son père, habile diplomate aussi, lui laissait volontiers la reprise d'un terrain qui n'était pas le sien et qu'il saurait, le moment venu, affirmer toute la prééminence de sa charge, l'autorité de sa personne, jeu du chat, de la souris, où Barbarelli, en de longues caresses de sa barbiche, jouait sa partition en marge, bien sûr ! et là, voyez ! à coups d'exclamations et d'onomatopées feutrées.

Il est reparti, le maire, en nous remerciant et, après avoir considéré les vieux murs de pierre et les peintures défraîchies, va falloir qu'on vous aide à rénover cet hôpital ! ça devient urgent, qu'en pensez-vous ? il a questionné, non pas notre patron, mais bien Fillandreau, le jeune interne, il faudra que nous en causions avec votre beau-père, vous lui adresserez mes amitiés ! et puis il a filé, son pas a résonné dans la vaste et grise cage d'escalier, ah ! Duramont ! a-t-on entendu trompeter, un de ses adjoints venait à sa rencontre, leurs voix se sont perdues dans les étages inférieurs.

Le soir, le cas du père Bellotto s'est aggravé et j'ai reçu un appel d'Hélène.

J'étais seul dans le service et Brûlenoir, le surveillant, est venu me chercher, il s'essouffle de plus en plus. Le vieux malade était défait, la respiration courte, la conscience épuisée, ça ronflait de partout dans sa cage thoracique, cœur, poumons, tout s'en mêlait, il ne fallait pas attendre pour les diurétiques, ensuite j'allais devoir articuler le ballet d'antibiotiques, cortisone, tonicardiaques, judicieux mélanges dans la perfusion, en quantité, rythme, j'ai monté la sonde à oxygène, jusque-là peu nécessaire, les patients n'aimaient pas, mais lui se laissait faire, son caractère, la lassitude aussi, la fatigue transpirait de tout son être, paroles faibles, yeux mi-clos, vous avez reçu les gaz du sang ? le dernier électro ? pas de temps à perdre afin de rétablir l'équilibre, de lui procurer un minimum de confort. Brûlenoir se tenait derrière moi, attentif à tous les signes lui aussi, à toutes les cyanoses, sur les pommettes, au bout des doigts, qui s'annonçaient, peu à peu s'estompaient à coups d'ampoules injectées, j'ai ausculté encore, c'est bon, il respire mieux, le cœur s'améliorait, lentement reprenait de la sérénité, nous n'avions pas laissé filer le malade dans des zones dangereuses où la mort s'annonce, il revenait vers nous, le regard s'est éclairci, le souffle s'est amplifié, nous l'avons assis un peu plus haut dans le lit, avec l'aide de l'infirmière j'ai procédé à un nouvel électrocardiogramme, fiches collées sur la poitrine, gel, fils, gros ventricule, cœur fatigué, rien de nouveau, la sonde me gêne ! s'est-il plaint au bout d'un moment, c'est bon signe ! j'ai affirmé, je l'enlève dans deux minutes.

Quand Flambart, le pneumologue de l'hôpital, est arrivé, alors, l'ami, où est-il ce patient ? la crise était passée, tant pis ! s'est-il écrié, une fois de plus, j'arrive après la bataille ! il a pris une mine réjouie, m'a confié à voix basse qu'au moment où je l'avais appelé à la rescousse, il était en train d'écouter la cinquième de Beethoven, et, m'a-t-il dit, il a fallu mon sens du devoir et la sympathie que je vous porte pour m'arracher à un tel envoûtement, et après avoir rajusté son foulard dans le col de sa chemise, il a mimé pour moi, figure extasiée, moulinets de ses longs bras, son ressenti d'un musical sortilège, vous voulez connaître ses gaz du sang ? j'ai suggéré à notre médecin mélomane, bien sûr ! donnez-moi ça ! il a parcouru la fiche, ausculté sans s'attarder, haut en bas, gauche à droite, les poumons du patient, toussez, monsieur ! bon ! Lorca, vous allez m'arranger tout ça, n'est-ce pas ? mais je comptais sur vous pour m'y aider ! du tac au tac, bien sûr ! il a souri, comme si je lui annonçais une bonne nouvelle, il a contemplé sa montre, la question qui se pose, c'est celle des bronchodilatateurs, il a semblé apercevoir la feuille de traitement, l'a examinée, c'est bien tout ça, Lorca ! allez ! je vous laisse seul juge, c'était un mondain, Flambart, bridge ou dîner en ville, on le sentait impatient de s'y précipiter, je l'ai tout de même raccompagné, mon aîné, mon confrère, surveillez bien vos dosages de cortisone pour ce soir et demain ! m'a-t-il concédé, dernier conseil, et puis au bout de quelques pas, un enthousiasme juvénile l'a repris, vous écoutez Beethoven, Lorca ? j'ai eu un air contrit, pas en travaillant, non, il a soupiré, aérien, vous devriez, je vous assure !

Au fond du couloir, dans la chambre 16, une salle à quatre lits, barreaux de fer émaillé blanc, carrelage rouge et noir, le ciel immense et maritime passait par la fenêtre en de larges brassées de nuages. Brigitte avait besoin de moi, un ulcère de jambe cicatrisait mal, le pansement, bétadine, tulle gras, bandages, nous avisions quand madame Le Droissec en personne, sourire aux lèvres, est venue me chercher, un appel féminin pour vous, monsieur Lorca ! à la tisanerie ! la voix gaie et sautillante d'Hélène au bout du fil me convoquait, voilà, je viens d'arriver, je reprends le travail dans deux jours, l'hôpital t'accorderait-il un peu de temps ? j'aimerais me promener avec toi ce soir, elle était enjouée, mais le fond était grave, je la connaissais, je te parlerai de certaines choses, nous avons devisé encore, je ne veux pas t'embêter plus longtemps, tu as toujours la vocation, Paco ? plus que jamais ! j'ai affirmé sur le ton qu'exigeait la question, elle s'est déclarée impatiente de me voir, cette impression contrastée qu'elle disait vrai et que c'était toujours la même rengaine, comme si c'était ces mots qu'il fallait employer, et pas d'autres, à ce moment-là, j'aurai du plaisir à te retrouver, tu sais, j'espère qu'il sera partagé, elle en doutait à force, et moi, pour être sincère, je n'en savais plus rien.

Son appartement donnait sur un bouquet d'arbres au bas de la résidence, quand je suis entré la baie du salon était ouverte et l'air frais du soir s'engouffrait. Hélène s'agitait, rangeait des bagages, col roulé, jupe, elle était élégante et coiffée de façon plus apprêtée qu'à l'ordinaire, tu es en beauté, Hélène, mais tu t'embourgeoises ou je me trompe ? c'est possible et ça m'est égal ! elle a répliqué agacée, je ne sais pas si je peux encore marcher à tes côtés, tu peux, Paco, malgré les apparences je suis restée simple, le ton était acidulé, nous tournions, dansions l'un près de l'autre comme à chacune de nos retrouvailles. Après avoir évoqué des cours à préparer pour le surlendemain et son séjour dans le Gers, ma mère m'exaspérerait presque par tant d'équilibre, mais chaque fois je reviens ragaillardie, Hélène a vite abordé le sujet de ses tracas, il y a dix jours j'ai été alertée par Juliette, je passe te prendre, nous allons à Toulouse ! m'a-t-elle dit, elle était angoissée, on l'avait informée que Marcheneau allait mal, je sais, Paco, ce que tu peux penser, mais je n'ai pas hésité, et ? j'ai demandé sans rien objecter, et quand nous sommes arrivées, nous avons rencontré des gars qui l'avaient hébergé un temps, des musiciens avec qui il a vadrouillé dans la région, dont son copain Jean-Michel Partou, un fou de toros comme toi, qui était bassiste dans l'orchestre de Pierre Rui, tu sais, le chanteur occitan, là, il s'est senti mieux, la musique et la politique, ça lui convenait, mais après, il est revenu à Toulouse, s'est remis à boire et a atterri chez des inconnus où la drogue circulait pas mal d'après eux, puis chez des gens proches des autonomes, il a bu de plus en plus, il a même un peu déliré, s'est mis à tenir des propos radicaux bien en cour chez ses hôtes et s'est battu plusieurs fois, c'est là que nous l'avons retrouvé, tu ne peux pas savoir, Paco, ce qu'il a changé, il est pâle, cadavérique et encore plus sauvage qu'à l'accoutumée, il était allongé et nous a tourné le dos, il a catégoriquement refusé de nous voir, un des gars de la bande nous a dit qu'il avait parlé de violence, d'armes, d'insurrection deux jours durant et puis qu'il s'était tu et effondré en pleurs.

Hélène a allumé une cigarette et poursuivi, il ne mange plus beaucoup, des gars essaient de lui venir en aide, en même temps, il ne faut pas les confondre avec les Petites Sœurs des pauvres, nous avons insisté pour le ramener à Bordeaux, tu sais, nous avons eu l'impression d'une lente noyade au milieu de tous ces gens, il baigne dans une culture jusqu'au-boutiste, passe par des états d'exaltation, épouse leurs choix extrêmes, d'autres fois il paraît dévasté par la désillusion, il est épuisé, Paco, beaucoup ici sont des anars, d'autres n'ont que le culte de la force, du machisme, il y a aussi de vrais loubards, les frontières sont de plus en plus poreuses dans ces groupes, certains types n'étaient pas rassurants là-bas, crois-moi, et notre visite n'a pas paru les réjouir plus que ça, tu aurais vu, nous étions désemparées, nous n'avons pas eu d'autre solution que le repli, rien ne nous était proposé, Marcheneau était des leurs, et nous ne l'étions pas.

Elle était nerveuse, s'asseyait, se relevait tout en me parlant, avant de partir, Juliette lui a rappelé la convocation de la justice, sinon tu seras clandestin, réfléchis, bon Dieu ! elle était hors d'elle, il faut que tu réagisses, Yvon ! elle a répété, mais il a seulement ouvert la bouche pour lui dire que désormais il allait disparaître et qu'il ne voulait plus que nous lui courions après, Juliette a voulu se fâcher, pas question que je te laisse ! de gré ou de force, je t'emmène ! mais un qui jouait les gros bras nous a fait signe, il ne supportait plus notre présence, vous avez pigé ou il faut qu'on vous fasse un dessin ?

Hélène était encore tout habitée de l'aventure, elle parlait d'un ton passionné, je l'ai prise dans mes bras, allons faire un tour, tu veux ? elle parlait toujours, nous sommes allés marcher sur la digue qui avance dans la mer, au bout du promontoire on découvrait le littoral. La lumière blanche et pleine de silence qui s'étirait sur les rivages déserts s'associait de plus en plus à l'inconfort, voire au malaise, que m'inspiraient, dans leurs notes étrangères, leurs teintes froides, les événements qu'Hélène traversait, dont je percevais mal quelle pouvait être leur résonance dans le futur pour elle et pour moi avec elle. De notre poste avancé nous pouvions distinguer la silhouette bleue des îles au loin, les dernières plages avant l'anse de la baie au nord.

Le lendemain, c'est Moreno, mon vieux torero, mon mentor, qui m'a appelé dans le service, hombre! Lorca! comment va? il était intimidé, n'aimait pas téléphoner, avec cet appareil, tu ne sais jamais ce que pense l'autre! et surtout détestait les hôpitaux, tu ne les tue pas tous au moins? non, j'essaie même d'en soigner! j'ai répondu sur le même ton, et tu leurs plantes tes banderilles? t'as l'habitude, remarque! tu vois, Moreno, la tauromachie mène à tout! bon! il a coupé, le petit Salcedo torée à Logroño dimanche prochain, nous y allons et ce serait bien que tu viennes avec ta voiture, Pascal sera du voyage? oui, il a quitté son travail de barman au café Pepito et vous pourrez toréer des vaches le matin, tu sais que je ne me suis pas entraîné? ce n'est pas grave, lui non plus, vous serez mauvais comme toujours! il a suffoqué de rire, ça lui convenait d'oublier la médecine et l'hôpital, figure-toi qu'il va écrire des chroniques taurines dans *La Petite Gascogne,* manquait plus que ça! au moins les lecteurs auront des images! j'ai dit, s'il leur raconte les mêmes histoires qu'à nous! le Bordelais le plus andalou! a conclu Moreno, bon, alors, tu viens? deux fois plutôt qu'une, Moreno! je sentais une bouffée d'air qui montait du sud, changement d'atmosphère, ça ferait du bien, des chants, des rires, de l'insouciance, j'ai eu envie d'inviter Maurice, mais il fallait demander la permission au maestro, je peux emmener un ami? celui qui fume la pipe et torée avec le journal? lui-même! qu'il vienne! avec sa tête de professeur, il m'amuse.

L'appel de Moreno venait à point, ma visite du matin achevée, je suis retourné vers le foyer de l'internat, porteur du ciel de toutes les Espagnes, dans la clarté brûlante et sèche de sa terre en été, alors, Lorca, comment va la médecine ? Alou le chirurgien, le copain sénégalais, assis devant le téléviseur du foyer, était absorbé par les informations ce trente avril et par le récit de la chute de Saïgon, le général Minh, successeur du général Thiêu, a ordonné ce matin la reddition des troupes sud-vietnamiennes ! expliquait le speaker, on voyait des petits hommes aux casques de latanier traverser les rues de la capitale, désormais Hô-Chi-Minh-Ville, perchés sur les tourelles de tanks russes, cette fois, c'est la fin de la fin du colonialisme ! a dit Alou, il ne triomphait pas, on verra la suite ! il a lancé, la suite, c'est tout vu avec les rouges ! a corrigé Fillandreau arrivé dans notre dos, mais il n'a pas réussi à altérer le moral d'Alou, attends donc de voir ! il a poursuivi, c'est tout vu, je te dis ! j'aurais volontiers parlé football à cet instant, j'aurais bien aimé détendre l'atmosphère, tauromachie, pourquoi pas, mais ici tout le monde n'aimait pas, il était vraiment temps que j'aille rejoindre Moreno, Pascal et mes amis toreros, un humour, une allégresse qu'ils laissaient briller au soleil, même quand les jours ne leur étaient pas favorables, il suffisait d'attendre et le vent tournerait.

À propos de vent, Fillandreau, lui, était tout guilleret et sa voile n'était pas gonflée par les brises du sud mais par la rencontre qu'il venait de faire sur le port, tu ne devineras pas qui j'ai vu ! Tabarly ! j'ai risqué, comment le sais-tu ? il était stupéfait, parce que le *Pen Duick* est à quai depuis trois jours, que la ville ne parle que de ça, et que, s'il s'agissait de ton voisin d'en face, tu ferais moins de ramdam, m'est avis, camarade ! c'est sûr ! il a concédé, mais, tu sais, j'ai pu lui parler, une amie qui travaille dans son équipe nous a présentés, et lui, le taciturne, a causé avec moi, il en avait des alizés plein les yeux, mon collègue, ah, là, je comprends, Fillandreau ! tu comprends ? il m'a demandé presque suppliant au sujet de son enthousiasme, je comprends, camarade, il a débuté sur une analyse des différents courants jusqu'à l'île et au sortir de la Vieille Tour, ah ! tu m'en diras tant ! je l'ai assuré, sans trop me moquer, Paco Camino ou Antonio Ordoñez m'auraient adressé la parole, je n'aurais pas été moins impressionné, et puis, et là, le regard de Fillandreau s'est mis à briller, mille feux, il m'a fait part, avec amitié presque, de ses projets, le prochain *Pen Duick,* la Transat anglaise, je n'en revenais pas, eh bien, tu vois ! vaut mieux ça que quand tu t'en prends à Alou et à ses conclusions de colonisé, non ? laisse tomber ! il m'a assuré, des fois, c'était lui le sage, lui qui désamorçait le premier quand il me sentait trop teigneux, Tabarly ! je me suis exclamé, pas mal, Fillandreau ! en guise d'apaisement, après quoi, je l'ai asticoté encore, arrête, Lorca ! ou je t'imite avec ta cape ! nous en étions là, à batailler, quand le téléphone a sonné dans le couloir de l'internat, un grelot impérieux qui nous requérait pour les urgences, mais, là, Alou, qui a décroché, m'a dit d'un air entendu que c'était une dame pour moi, Paco ? oui, Hélène, je n'en crois pas mes yeux, mon appartement a été fouillé de fond en comble, tout est en l'air, c'est arrivé quand ? là, maintenant, ce matin ! je suis sortie il y a deux heures, à mon retour, tout était dévasté, elle avait une voix tendue, tu crois ça ? les salauds ! ils me veulent quoi encore ? écoute, Hélène, je suis là dans dix minutes, d'accord ? je t'attends ! je la sentais excédée, viens vite ! elle a ajouté, je n'en peux plus de cette histoire !

Elle était hors d'elle à mon arrivée, les yeux rougis, s'agitant dans tous les sens, mais que croyaient-ils trouver, hein ? tiroirs ouverts, papiers éparpillés, lampes renversées, coussins, draps, matelas, livres jetés sur le sol, le ménage avait été fait, je crois qu'ils ont oublié de ranger en partant ! j'ai voulu plaisanter, mais mon amie n'était pas d'humeur, laisse, Hélène, je vais t'aider ! elle ramassait les objets, les reposait en gestes nerveux, inutiles, tu sais, m'a-t-elle dit, hier au soir, j'ai aperçu à nouveau les types dans la voiture en bas de chez moi, mais, quand tu m'as rejointe, ils n'étaient plus là et je n'y ai plus pensé, elle était songeuse, un livre à la main, enfin elle s'est calmée, a allumé une cigarette, que cherchaient-ils donc ? pourquoi un tel saccage ? j'ai l'idée que ta virée à Toulouse les a intrigués, toi-même tu m'as dit que certains te paraissaient inquiétants là-bas, non ? tu as raison, c'est ça, mais ils devraient savoir que je n'appartiens pas à cette mouvance, ils se sont bien renseignés sur mon cas, crois-moi ! elle protestait mais n'était pas entièrement convaincue, réfléchis, Hélène ! ils surveillent Marcheneau, forcément, et par extension, Juliette et toi, voir s'ils ne trouvent pas un tract, une lettre, ah ! oui ! ça leur plairait un document qui nous impliquerait tous, une bande de terroristes démantelée ! voilà ce qu'ils voudraient, je me suis levé, j'ai voulu mettre un disque, *As Tears Go By,* Marianne Faithfull, ça te va ? tu n'as rien de plus triste ? elle a grincé, elle tremblait un peu, Paco, tu crois qu'ils reviendront ? si tu ne cachais rien, ils ont fait chou blanc, et vont abandonner d'après moi, si je ne cachais rien ! ne sois pas bête ! elle a protesté, ni désobligeant, s'il te plaît ! je t'ai tout dit, tu le sais.

Quinze jours plus tard Hélène a été convoquée devant la justice, faute de preuves, aucune charge n'a été retenue contre elle, pas plus contre Juliette et Bertrand Gloirafeux, mais les choses ont mal tourné, m'a-t-elle raconté, quand le juge a constaté l'absence d'Yvon Marcheneau, elle a soupiré, les ennuis pour lui vont continuer, il se terre toujours à Toulouse ? je l'ignore, Juliette, pour tout te dire, a téléphoné là-bas pour l'exhorter à venir, mais un type lui a raccroché au nez en lui disant qu'il ne connaissait personne de ce nom-là, et moi, Paco, je vais tourner la page, je vais rendre les clés du deux-pièces qu'on me prêtait à Bordeaux, je m'installe ici, le ton était décidé, et je vais voir s'il est encore temps de passer ma maîtrise, en voilà des projets ! et moi dans tout ça ? j'ai hasardé, elle était en train d'encadrer une gravure qui avait souffert pendant l'assaut et, en filant à la cuisine, elle m'a répondu qu'en l'occurrence, la personne qui partageait les principaux moments de sa vie s'apprêtait à aller faire l'artiste dans un bled perdu de Castille ou d'ailleurs, et qu'au retour, elle verrait dans quel état d'esprit se trouverait ladite personne.

Je suis rentré d'Espagne la semaine suivante, couvert de plaies, de bosses, Pascal et moi on s'en était vus devant des vaches à notre avis déjà toréées. À Bordeaux, j'ai laissé la petite troupe devant le café favori de Moreno, le maestro avec sa casquette, Maurice et sa pipe et Pascal qui voulait nous raconter une dernière histoire, je devais être le lendemain à l'hôpital Saint-Pierre et j'ai filé. Ma Simca, le soir, a longé des routes bordées de platanes dans les éclairages latéraux de la lumière déclinante, le vert éclatait partout, les prés, les haies, se mêlait à cette heure à des reflets cuivrés dans les buissons, des teintes jaunissantes dans les arbres.

J'ai retrouvé Hélène chez elle, elle avait ralenti dans ses mouvements, calmé sa précipitation naturelle, en entrant, je n'ai pas reconnu le salon, mais tu as tout changé ! non, seulement le canapé et les rideaux, elle a concédé, je n'en croyais pas mes yeux, du classique, les tissus, les motifs, du gris, du beige, des rayures, on entrait dans le rang, et à toute vapeur ! je m'embourgeoise, c'est ça ? elle m'a lancé, c'est une question ou une information, Hélène ? parce qu'un tel changement, ça ne passe pas inaperçu tout de même ! elle a haussé les épaules, j'avais besoin de transformer et j'ai mis à profit les dégâts de mes chers visiteurs pour partir sur d'autres bases, elle s'est arrêtée, ça te gêne tant que ça ? non, Hélène, rien ne me dérange quand tu es de bonne humeur, j'ai esquivé.

Puisque nous en étions au changement de train de vie, je nous ai invités dans un restaurant chic sur les quais, *Chez Tancrède,* un poisson excellent ! la ville entière y courait, moi, je préférais celui à la chair nacrée de chez Iñaki, dans un petit port du Pays basque, ça a fait l'objet d'une longue discussion entre Hélène et moi, nos rires se crispaient en même temps, nous avons laissé monter le spectre d'un ennui sournois entre nous, elle l'a bien senti, en ce qui me concerne, je n'envisage pas ce genre de vie comme une fin en soi, Paco, je crois qu'il faut que je te rassure, elle a souri, d'autre part, sache-le, je vais demander mon adhésion au parti socialiste finalement, elle m'observait mais je n'ai pas bougé, j'attendais la suite, ici, ils ont développé une section écologie et je suis intéressée par la question, de plus en plus, elle m'a affirmé.

Je l'ai raccompagnée, en chemin les phrases s'étiraient, elles exprimaient toute la lassitude accumulée, je crois que j'en ai assez de cette situation, Paco, assez de quoi au juste, Hélène ? assez de cette instabilité permanente qui nous ronge, es-tu sûre que la sédentarité va mieux te convenir ? je ne me pose même pas la question ! elle a sifflé, pour l'heure, j'en ai besoin. Une fois chez elle, Hélène s'est mise à arpenter couloir, salon, cuisine, d'un pas impatient, son corps, lame élégante, fine taille, passait d'une pièce à l'autre, elle a entrepris de classer des papiers sur son bureau, j'aimerais que tu comprennes, Paco, pour comprendre, je comprends, j'ai rabâché, je crois même que j'évalue ! tu évalues quoi ? je ne sais pas, les perspectives ! j'en étais là de mes considérations évasives quand Hélène a ajouté que Juliette, de son côté, allait ouvrir une librairie avec une amie, une librairie féministe elle a précisé, j'aurai le droit de m'y rendre ? j'ai plaisanté, tu y seras le bienvenu ! elle m'a répliqué, d'un ton qu'elle souhaitait léger, comme toujours avec Juliette ! j'ai raillé, poussé par un agacement qui affleurait j'ai demandé si elle allait y embaucher Mustapha, Khader, d'autres ouvriers immigrés si courtisés jadis, qui l'avaient suivie dans son odyssée révolutionnaire, parce que, eux, ce n'est pas établis qu'ils étaient à l'usine ou lanceurs de discours devant les grilles, je sentais Hélène s'irriter de mon attaque, mais elle se taisait pour l'instant, ils y étaient employés, eux, et, une fois virés, pas d'issue ! je me suis écrié, ils se sont retrouvés étiquetés et sans boulot, des chômeurs, des vrais, quoi ! mais je m'agitais et parlais tout seul, Hélène affichait un visage indifférent, et puis elle a bondi soudain et crié, c'est pour eux que nous nous sommes battus, Paco, ne l'oublie pas, s'il te plaît ! et s'ils en sont encore là, c'est que nous n'avons pas su les en tirer, que nous n'avons pas gagné, c'est tout ! de rage elle a jeté un vêtement sur le fauteuil, et toi, qu'as-tu fait pour eux pendant ce temps ? tu peux me dire ? la contre-attaque explosait à présent, tu crois que tu peux nous faire la leçon ? vraiment ? ça, pour un retour de bâton ! je l'avais un peu cherché, pas à dire ! besoin d'en découdre sans doute, mais j'étais servi ! Hélène était hors d'elle, elle allait et venait, tempêtait, tant de mises à mort m'anesthésiait, ça tonitruait, ça pourfendait et je me repliais sous les vociférations, par-delà la polémique, les anciens griefs étaient tus, mais tout était dit pourtant, pourquoi répliquer encore ? enfin elle a disparu dans la chambre voisine, je l'ai entendue s'affairer, un malaise bourdonnait dans le salon, une fatigue sourde m'a engourdi la tête et le corps, je me suis levé, j'écoutais les bruits de tiroirs, armoires, objets qu'on change de place, des bruits familiers, j'ai ouvert la porte de l'appartement sans éclairer le palier, descendu les deux étages dans la pénombre, Hélène ne m'a pas rappelé. Dehors, un vent frais venu de la mer m'a fouetté le visage et j'ai continué d'avancer.

Ce soir une dose suffisante d'humour, d'insouciance, n'avait pas surgi comme bien des fois auparavant afin de mettre en déroute les sombres orages rôdant autour de notre relation, j'en ai assez, Paco, je veux enfin prendre ma vie à bras-le-corps ! qui t'en empêche ? j'avais protesté, ces fous rires que nous savions provoquer dans un mélange d'enfance prolongée, d'enthousiasme jeté sur l'hypothétique gravité des choses, nous avaient à maintes reprises sauvés du naufrage, mais là, le déclic ne se produisait pas, nulle étincelle permettant encore d'y croire l'espace d'une éternité provisoire comme Hélène avait défini un jour chaque renouveau de nos amours vers un avenir incertain.

J'étais maussade en regagnant ma chambre à l'internat, les couloirs étaient déserts à la lueur des veilleuses, on avait glissé un mot sous ma porte, *prière de contacter le cabinet médical – urgent.* J'ai mal dormi, maniant les arguments, le pour, le contre, en débats inutiles avec Hélène, entrecoupant mon sommeil de phases de colère, d'abattement, à la première heure j'ai appelé Francine, docteur ! comment va ? ce serait pour remplacer un ami de monsieur Lepreux, au port industriel, au milieu des cargos ! ça va vous changer ! elle s'est gaussée, j'ai eu Lepreux ensuite, mon ami Dufrait, garçon sympathique, il aurait besoin de vous samedi !

Francine avait raison, ça allait me changer, les idées surtout, et puis je partais à la découverte d'une clientèle différente, six heures du matin, ce n'est pas trop tôt ? il s'est réjoui, le confrère, c'est parfait ! À l'heure dite, le samedi, j'étais sur place et là, première surprise, une salle d'attente remplie dès l'aube, des ouvriers, des dockers ! Solange, la secrétaire, me guettait, c'est tous les jours comme ça ? j'ai demandé, non, mais en fin de semaine les accidents du travail s'accumulent et, ici, elle m'a prévenu, avec toute cette manutention, ça ne manque pas, vous savez ! doigts, côtes cassés, entorses, coups, lumbagos, hématomes, j'ai vu de tout en deux heures de temps, ensuite, vous débuterez la consultation normale, elle m'a annoncé, le docteur Dufrait voit quelque quatre-vingts malades par jour, vous savez, c'est sa moyenne ! Le cabinet était composé de deux salles carrelées, sans confort, l'une meublée de chaises pour les patients, l'autre d'un bureau fonctionnel où trônaient lampe métallique et téléphone à cadran, au milieu, le couloir avec, au fond, le secrétariat le plus baroque que j'avais jamais vu, là, entre deux pyramides de dossiers entassés, monsieur Craigneau ! monsieur Lafallus ! Solange œuvrait, fiches, téléphone, courriers, ordonnances, certificats, comme parée de six paires de bras, j'ai cru qu'elle allait me donner le tournis pour la journée entière, mais elle a tenu à me tranquilliser aussitôt, ne vous inquiétez pas ! il y a des jours où c'est pire, deux à trois fois plus de monde, et pourtant on y arrive toujours ! monsieur Clabautier ! monsieur Flibustin ! les noms s'égrenaient, les malades passaient, entraient, montraient leurs blessures, certains contrits, d'autres les arboraient, autant de trophées, sortaient, se rendaient auprès de la secrétaire, venez me voir, monsieur Lerouly ! dans un cérémonial qui ne datait pas de ce matin.

Pourtant, par légers assauts, comme en cadence, le rythme s'est emballé, deux par deux, puis trois par trois, les malades ont commencé à se bousculer contre ma porte, épaule contre épaule, docteur, c'est à moi ! une minute ! ma radio ! Solange s'est mise à hausser la voix, je ne pouvais plus les retenir, attendez ! ma radio, s'il vous plaît, juste un coup d'œil ! et l'autre un pansement, voir si c'est cicatrisé, docteur ! pas plus ! en grappes, agglutinés dans le couloir, il y en avait partout des malades, le ton est monté, par salves, ça criait sec et bouchonnait à l'entrée, les patients s'écrasaient dans la salle d'attente, pas tous à la fois ! a tempêté Solange, en vain, on ne voyait plus son bureau, les piles de dossiers ondulaient, penchaient, s'incurvaient, se rétablissaient avec le flux, le reflux des patients, poussez pas, on vous dit ! les accidents du travail, c'était rien, là, c'était tous à la fois, tous le premier, en force ils voulaient passer, mais puisque je vous dis que le docteur verra chacun de vous ! aimables perspectives ! docteur, ma radio ! il insistait celui-là, j'ai saisi le cliché, comme ça, en contre-jour, devant la fenêtre, je l'ai examiné, il y en avait déjà quatre qui avaient pénétré dans mon cabinet, diaphyses, épiphyses, corticale intacte, une fois, deux fois, pas le temps de ramper jusqu'au négatoscope, la route était coupée, pas de retraite possible ! d'autres ont surgi, ça chahutait dur sur mon bureau, touchez pas ça ! un qui s'emparait du coton, des compresses, je me suis mis à crier moi aussi, ça va ! j'ai annoncé, pas de fracture ! au suivant ! il n'était pas loin, le suivant, il s'agrippait à ma blouse par l'épaule, mais vous allez me lâcher, oui ? non, c'est à moi maintenant, c'est à moi, docteur ! dans le couloir pendant ce temps une matrone donnait des coups de sac, mon tour, c'est mon tour ! une urgence en plus ! elle précisait, la tête de la secrétaire a émergé de la mêlée, c'est quoi l'urgence ? une blessure ! où ça ? au bras ? lequel ? a grondé Solange, le droit ! c'est bon, approchez-vous ! c'était ça, pour mon assistante, la gestion du cabinet, la foule s'entassait sur le trottoir maintenant, on entendait la rumeur, des coups de klaxon ont retenti, dans le couloir, la salle d'attente, la confusion régnait, ce qu'elle appelait la maîtrise des événements, attention ! on hurlait au milieu de la cohue, dès que le groupe avançait, la crainte était grande d'en retrouver un piétiné, et madame Larousse ? elle est où, madame Larousse ? personne ne l'a vue ? enfin des patients parmi les plus costauds ont créé ce que j'ai baptisé un corridor sanitaire du secrétariat jusqu'au bureau et retour, poussez pas, on vous dit ! dans ces conditions, auscultation minimale, un coup d'œil avec la lampe frontale, un vrai spéléologue ! jusqu'au fond des amygdales, la tension en espérant entendre les bons chiffres et toute la revendication du monde, angoissée, véhémente, ma feuille de maladie ! je veux ma feuille de maladie ! madame ! je reste là sinon ! Solange, excédée, a changé de ton, je vous préviens, si ça continue, on ferme ! et le téléphone qui sonnait, cabinet médical, j'écoute ! répondait l'héroïque secrétaire, oui, j'écoute ! cela pendant deux heures interminables, je veux ma feuille ! vous entendez ? répétait l'autre.

Enfin, les bruits devenus intermittents, les voix à nouveau audibles, le charivari s'est atténué, au début, nous n'osions pas trop y croire, les patients ont semblé tenir debout dans le couloir, puis assis dans la salle d'attente, le bureau de Solange est réapparu au milieu de la foule qui a commencé à se clairsemer, des fiches au sol, des stylos écrasés, feuilles arrachées, un ouragan était passé, le ton et le rythme des dernières consultations a pu reprendre dans une ébauche de sérénité, un souffle nouveau a plané sur la salle d'attente, une grand-mère s'est mise à feuilleter un *Paris Match* en lambeaux, des pages entières de *Jours de France* jonchaient le sol, une photo de Giscard, tout sourire en compagnie de sa femme, ses enfants, son chien, était en charpie dans un coin, des fillettes ont repris leur jeu entre les chaises. Solange m'a regardé, a réajusté sa blouse, s'est recoiffée, puis elle est venue m'aider à remettre de l'ordre dans mon cabinet à moitié dévasté, qu'en dites-vous ? elle s'est esclaffée, c'est sportif, ici, non ? c'est dynamique, pas de doute ! je cherchais encore mon stéthoscope sous la table d'examen, mon marteau à réflexes qui avait roulé sous un radiateur, mais voyez-vous, elle a triomphé, comme je vous l'avais dit, on y arrive toujours à la fin !

Nous causions sur le seuil du cabinet, il était midi passé, en face, deux immenses navires surplombaient le quai, l'un, longue coque noire craquelée, ancres et chaînes mangées par la rouille, l'autre, interminable pétrolier repeint au minium, à l'orange éclatant, leurs ombres s'étalaient sur le bitume, des silhouettes furtives s'agitaient sur les passavants, échelles de coupée, des Indiens, des Malaisiens, des gens de toutes nationalités, d'autres qui n'en ont pas, m'a raconté Solange, des pauvres bougres en tout cas, elle parlait au nom du cabinet, je croyais entendre Francine au village, organisation, responsabilité, nous en voyons beaucoup, des blessures mal soignées, des maladies qui ont traîné, parfois c'est plus grave, on doit les hospitaliser, un groupe de dockers qui passaient, m'dame Solange ! l'a saluée, j'allais prendre congé quand une femme en cheveux est accourue, il faut venir, mon mari, il souffre, d'où ? l'estomac, il a eu très mal d'un coup ! c'est à cent mètres, chez Vireteau, m'a expliqué la secrétaire, le docteur y est allé à plusieurs reprises ces derniers jours, tout en m'informant, vous verrez, beaucoup de misère, alcool, tabac, je crois que le docteur a parlé d'ulcère, elle m'équipait, ordonnancier, fiche médicale, j'ai filé en compagnie de l'épouse qui n'osait pas trop me parler, accélérait le pas, ça fait longtemps qu'il est malade ? longtemps ! elle a répondu d'un air buté, pas le temps de tout me raconter, une vie entière il aurait fallu.

C'était une maison basse et noire, on entrait dans une pièce qui tenait lieu de chambre, cuisine, salle à manger, le patient était allongé au milieu de draps en désordre, une jambe pendait, il gémissait, soulagez-moi ça ! vite ! j'en peux plus cette fois ! des questions, rythme, horaires, circonstances, n'ont pas obtenu de réponse, sur la table une boîte de coton, un flacon d'alcool médicinal, l'infirmière est venue c'matin pour la piqûre ! m'a dit la femme, un coffret d'ampoules, d'oxyferriscorbone, signait le traitement d'ulcère, pendant un mois a dit monsieur Dufrait, sans doute, mais la situation se compliquait, épigastre dur, tendu, l'homme roulait des yeux inquiets, c'est quand j'ai pris mon café-rhum ce matin ! il m'a avoué, il était nerveux, sueurs froides, tension faible, s'est replié soudain dans une plainte, la douleur ne le lâchait pas, soulagez-moi, ! il m'épiait, je l'observais, il était sur la défensive, ne me connaissait pas, la confiance à établir, l'écoute aussi, dans son regard passaient des lames de terreur, monsieur Vireteau, je crois qu'il faut que je vous hospitalise, ne m'envoyez pas là-bas ! il m'a coupé, de toute façon je ne resterai pas, une angoisse sourde circulait, j'avais la conviction que jouer de l'autorité médicale ne fournirait pas la solution, qu'il ne dirait pas tout tant qu'il ne se sentirait pas libre de le faire, je me suis assis sur le lit à côté de lui, j'ai dénudé un bras, frotté avec de l'alcool le pli du coude, qu'est-ce que vous faites ? il était aux aguets, une injection pour vous soulager, garrot, compresses, avec lenteur, ne pas rater la veine, voilà ! ça devrait aller mieux dans cinq minutes, le contact était rétabli, nous étions plus proches, la douleur a paru lâcher prise un instant, monsieur Vireteau, je ne veux vous obliger à rien et s'il y a une décision à prendre, nous la prendrons ensemble, ça a paru le rassurer, l'épouse, derrière moi, écoutait, anxieuse, c'est pas quelqu'un qui parle beaucoup, vous savez ! elle a tenu à m'informer, j'ai vu qu'il hésitait et soudain il s'est redressé sur un coude, dans un soupir a relevé une couverture rejetée sur son flanc, j'ai vomi ça ! il m'a tendu une serviette trempée de sang rouge et noir, gros caillots, et vous ne pouviez pas me le dire aussitôt ? il m'a lancé un coup d'œil en coin, sa face se creusait, était grise maintenant, je ne veux pas aller à l'hôpital, c'est tout ! il a répété, une odeur aigre flottait dans la pièce, j'apercevais des gouttelettes de sueur à ses tempes, le souffle était court, j'ai repris la tension, c'est pas terrible ! j'ai annoncé, j'ai contemplé l'épouse qui attendait et me suis penché vers lui, vous savez ce que je pense, oui, mais je ne veux pas ! si je vous dis que c'est dangereux de rester à la maison, il y a les médicaments ! il a contesté, pas sûr de ses arguments tout de même, c'est mieux que le café-rhum, j'ai souri, mais je crains que ce ne soit plus suffisant, et je vous conseille d'aller vous faire soigner là-bas, ce genre de maison, il a répliqué, c'est les pieds devant qu'on en sort, je le sais ! j'ai laissé passer un silence, si vous deviez faire une autre hémorragie, ça pourrait être grave, vous comprenez ? l'atmosphère devenait irrespirable, moiteur, odeur du sang coagulé, anxiété dispersée entre les murs, j'allais insister quand, fais ce que le docteur te dit ! a scandé sa femme dans mon dos, elle s'est approchée de lui, mon patient était de plus en plus livide, il fallait le convaincre, ensuite le temps presserait, elle lui a pris la main, tu veux pas mourir, dis ?

Il l'a regardée, s'est tourné contre la paroi, faites comme vous voulez ! il a murmuré soudain, son corps, son esprit s'affaiblissaient, sa résistance aussi, une douleur aiguë l'a saisi à ce moment-là, il s'est recroquevillé dans un spasme, faites comme vous voulez ! il a répété, il renonçait, c'est mieux ainsi, monsieur Vireteau ! je ne lui promettais pas le paradis pourtant, je pars appeler une ambulance et je reviens.

Je suis arrivé trop tard à l'internat, la cuisinière était partie, j'ai voulu déjeuner d'un sandwich et me suis rendu au foyer. Fillandreau était là, devant le téléviseur, captivé par une émission sur notre président de la République, la visite à Jean-Bedel Bokassa, son cousin centrafricain comme il l'appelait, le voyage triomphal à Rabat, main dans la main avec Hassan II en ce début mai, retenaient l'attention des observateurs d'après le journaliste, dociles intonations, au moins, il ne mord pas, ton speaker ! chut ! m'a intimé mon collègue, et puis, ce n'est pas mon speaker ! le reportage s'est poursuivi avec les principaux passages de la dernière soirée au coin du feu, c'était à Braille-les-Marais justement, la fameuse émission qui avait mis le village de Gloirafeux à feu et à sang, et ouvert entre les familles Gratineau et Retournet un conflit difficile à circonscrire, certains d'entre vous, expliquait le président, très à son aise, Anne-Aymone un peu moins à ses côtés, ont cru voir venir le spectre des grandes crises, je peux vous indiquer que nous prévoyons, pour 1975, non pas une diminution mais une augmentation de la production française, il a rappelé, Giscard, les réformes, la loi sur l'avortement, la majorité à dix-huit ans, un élan de la France vers la modernité ! a-t-il affirmé, tu vois ? m'a interpellé Fillandreau, la communication à l'américaine, ça te plaît ça, hein, camarade ! des fois j'en ai plus qu'assez de tes réflexions, Lorca, mais pour te montrer que je suis beau joueur, je t'invite à faire une balade en bateau, il me défiait un peu, j'ai besoin d'un équipier pour demain, certains, ici, se seraient damnés pour grimper sur un rafiot et faire un tour sur l'eau, jouer les marins, moi, ça me laissait perplexe, si tu es aussi autoritaire à la barre que dans le service, j'ai objecté, ça risque d'être une partie de plaisir ! ne t'inquiète pas, je n'ai encore jamais jeté personne par-dessus bord ! alors, tu viens ? j'hésite ! je l'ai fait attendre, les vergues, focs et drisses, c'est pas mon truc, tu sais ! en attendant, merci pour l'invitation, t'es réactionnaire mais fair-play dans le fond !

On extravaguait un peu lui et moi quand a déboulé Latranche, un interne de chirurgie, drôle de gars, obèse, toujours en train de mâchouiller des bonbons à l'anis, l'odeur le suivait, des chambres au réfectoire, du foyer au service, ça sent l'anis ! on annonçait à son arrivée, les conversations se faisaient alors plus prudentes, des propos d'internes avaient été rapportés à la direction de l'hôpital et certains l'avaient tenu pour responsable, il n'avait pas nié, indifférent. Lui, Latranche, c'était le feuilleton du début d'après-midi qui l'intéressait, il était peu amène avec nous, je peux m'asseoir ? a-t-il exigé en s'installant sur le canapé défoncé, devant le téléviseur, vas-y, confrère ! bon feuilleton ! régale-toi ! Ce qui intriguait chez lui, c'était son goût prononcé pour les autopsies, toujours volontaire, le premier aux avant-postes, Latranche ! puis il nous racontait tout, entre deux bruyantes succions de sucreries, à table, au foyer, méticuleuses descriptions, dissections interminables, ça le fascinait ces yeux éteints, sécheresses des téguments, pâleurs céruléennes, peaux marbrées, répartition des hématomes, les différentes teintes de la mort, curieux personnage ! j'avais confié à Fillandreau, il avait souri, inquiétant presque ! parfois nous finissions par nous accorder tous les deux.

Aussi j'ai fini par accepter, toute réticence bue, l'invitation pour la croisière, mais, attention, capitaine! si tu me houspilles, je rentre à la nage! je n'aurai pas besoin, je suis certain que tu exécuteras les ordres!

Le week-end s'annonçait maussade, je n'étais pas d'astreinte, les finances n'étaient pas au mieux et la pizzeria serait mon dernier luxe, Hélène, surtout, n'était plus là, trois semaines que nous ne nous étions pas parlé tous les deux, silence étrange, nous étions peut-être parvenus au bout des tiraillements et des hésitations, un éloignement s'installait. L'internat était vide en cette fin de semaine, le joli mois de mai, les confrères étaient partis dans leurs familles, une fois de plus, seul Alou et les internes de garde demeuraient, ils avaient entamé une partie de cartes dans un coin du foyer, je suis resté un moment et puis je suis monté me réfugier dans ma chambre, je découvrais *Cent ans de solitude,* García Márquez, exubérante et seule compagnie, une mélancolie crépusculaire s'est abattue sur la pièce, une inertie qui ne me ressemblait guère, m'engourdissait, j'envisageais la sortie en mer du dimanche comme un palliatif à cette douleur sournoise. Autrefois, je n'aurais pas résisté, j'aurais rappelé Hélène, mais le ressort était brisé. Malgré l'envie de ne pas me retrouver seul, la fébrilité que je ressentais dans la ville, bruits de moteurs, rires et appels dans la rue annonçant les sorties du samedi soir, le peu de désir que j'avais de me mêler à cette foule, la limpidité du ciel en train de s'assombrir dans le rectangle de ma fenêtre, j'éprouvais la nécessité d'agir, de répondre à cette situation par des décisions aussi radicales que celle de quitter l'hôpital et cette ville, de ne plus retourner dans la fraîcheur et la musique, distante mais affective à la fin, des canaux et des marais, l'idée d'emprunter de nouveaux chemins allait s'imposer à moi et cette réflexion m'ayant rasséréné, je suis descendu chercher Alou, je t'invite à manger une pizza, ça te dit, confrère? il a éclaté de rire, tu as gagné au tiercé, ma parole!

Est-ce après le coup de fil de Lepreux qui me demandait de l'aide, un dernier coup de main, trois jours, pas plus, ça vous dit, Lorca ? ou bien avant, je ne sais plus, mais c'est au retour du restaurant, Alou avait fait un saut au bloc opératoire et il est revenu en trombe, il ne riait plus, cherchait avec son grand corps l'attitude la plus conforme à la situation, croisait les bras, les jambes, les déployait, Marcheneau est mort ! il m'a dit d'un coup, le choc, j'ai vu Marcheneau, son visage dans son expression la plus vivante, le pétillement de ses yeux, son sourire railleur, quelqu'un a téléphoné à la direction de l'hôpital pour l'annoncer, comment ? où ? Alou a ouvert ses mains, il a été retrouvé hier, dans un appartement, à Bordeaux, un silence a suivi, je n'en sais pas plus. J'étais sidéré, l'émotion, bien sûr, et pas si surpris que ça dans le fond, tout avait convergé vers cette issue ou une autre qui aurait été aussi dramatique, tu le connaissais depuis longtemps, non ? je voyais défiler les diverses interférences de Marcheneau dans ma vie, ses prises de position, sa façon singulière d'accompagner les événements, de s'en démarquer avec orgueil, nous nous étions rencontrés au lycée, j'ai fini par répondre, un poids m'est tombé sur les épaules en même temps, cette façon qu'avait Marcheneau d'être vivant aux portes de la mort, de vouloir exister là où résidait le risque, la force de ses attitudes, de ses implications, ce manque soudain, son absence récente n'était pas la première dans l'alternance de positions en pleine lumière et de descentes aux enfers qui avaient régi sa vie, mais là, le monde, peuplé de ses certitudes et ses critiques acerbes, de ses mises au point sur le genre humain dès que celui-ci évoluait en groupe, ce monde-là s'éclipsait.

Je n'ai pas dormi, des images répétitives de Marcheneau survenaient, lui au lycée dans sa période Bob Dylan, dans ses prises de parole et sa façon de pourfendre la bourgeoisie en 68, ses diverses apparitions pendant les études de médecine qu'il avait arrêtées puis reprises, jusqu'à cette désertion de son poste d'interne à l'hôpital, cette confrontation qu'il avait désirée avec la maladie et la mort, dont il avait espéré une action et un mode de vie à la hauteur de ses exigences mais qui lui avaient fait horreur au bout du compte. Le lendemain matin, fort tôt, Maurice m'a appelé, tu connais la nouvelle, je suppose, et il n'était pas d'un autre avis, qu'était-il allé s'égarer en médecine ? rien ne lui était plus étranger que la compassion ! a conclu mon ami philosophe, d'où sa façon de privilégier la science, la technique, l'humain très peu, il parlait volontiers de médecine désuète ! j'ai rappelé à Maurice, je retiens de lui deux choses, vois-tu, Marcheneau était un être fascinant par ses éclats et le renouvellement permanent du quotidien sous sa baguette, mais, dans le fond, et il était assez intelligent pour le savoir mieux que personne, il était habité par une colère inépuisable, Maurice m'écoutait, il a laissé une pause, tu as raison et cette colère, cette hargne qui ne le lâchaient pas, ont été son moteur, mais aussi son handicap et sa perte.

Au milieu de ces considérations je me suis aperçu que je n'avais toujours pas demandé à Maurice de quoi était mort Marcheneau, tu ne le sais pas, Paco ? non, j'ai eu peu d'information et seulement tard dans la soirée d'hier, j'ai cru l'entendre, mon compère, mâchonner sa pipe à l'autre bout du fil, il s'est pendu, Paco, Marcheneau s'est pendu vendredi après-midi.

Nous sommes restés silencieux un instant, comme pour prendre la mesure de l'événement, ça t'étonne vraiment, Paco ? non, mais ça me désole, il était rentré à Bordeaux il y a huit jours, a repris Maurice, dans un état pitoyable d'après ce qu'on m'a rapporté, il s'est réfugié chez son copain Castagne qui n'est pas brillant lui non plus, il y a eu de la drogue, de l'alcool et beaucoup de folie, un gars du Caducée m'a raconté ça, deux jours avant il a tout cassé dans l'appartement, ils se sont battus, il tenait des propos incohérents, hurlait ou demeurait prostré, personne n'a pu intervenir ? je crois qu'un médecin est venu, des amis ont voulu l'aider mais il n'y a rien eu à faire, il ne les a pas laissés s'approcher. Le silence s'étirait, Maurice en avait fini, c'est affligeant mais il n'est pas le seul en ce moment, certains ne tiennent pas le coup, et puis sa gaieté de vieux Sioux, modérée mais réelle, a repris le dessus, et toi, Paco, tu tiens le coup ? il m'a lancé, il était affectueux, pas moqueur ce matin, c'était un sérieux dans le fond, la gravité des choses, il était dans le ton, Hélène ou pas Hélène ? il m'a demandé, je pense qu'il faut que je dise, plus Hélène, pour être dans le vrai, je lui ai raconté que j'allais jouer les moussaillons l'après-midi, ils n'ont pas peur de faire naufrage avec toi, non ? il a blagué, allez vieux ! je te rappelle ! Maurice qui me faisait du bien, qui m'agaçait parfois, jamais longtemps.

Le dimanche matin était jour de rencontres sur les quais, les terrasses étaient pleines, l'air maritime avait lavé le ciel, et la moitié de la ville se promenait le long du port en faisant le va-et-vient d'une tour à l'autre, certains à pied, d'autres sur les vélos tout neufs prêtés par le maire, des saluts s'échangeaient au milieu des baraques de marchands de glaces, gaufres, des étals de vendeurs ambulants, souvenirs, colifichets, le kiosque à journaux était entouré d'une foule de causeurs, seule une file d'automobiles venait troubler le charme écologique et printanier du paysage en fête.

C'est là justement que je me suis trouvé bloqué avec ma Simca au bout d'un moment, dans un sinueux embouteillage, alors, t'avance ? un type en BMW s'impatientait derrière moi, je devais retrouver Fillandreau devant le ponton de son bateau avant midi et, à ce train-là, soit il allait partir sans moi, soit je le rejoindrais quand le port serait déjà à marée basse, le gars dans la file s'est mis à klaxonner, je suis pressé, moi ! Ray-Ban, cheveux longs tirés en arrière, on aurait cru l'aîné des Gloirafeux, des badauds lui ont demandé de se taire, le ton montait, le cortège avançait au pas, en fait de fils Gloirafeux, celui que j'ai vu, alors que j'approchais de l'extrémité du quai, ce n'était pas Philippe, le confrère, mais Bertrand, il était assis à la terrasse d'une guinguette sous les arbres, des tables disséminées, une maigre pelouse, sa tignasse ébouriffée, son pull marin dégrafé sur l'épaule, la silhouette dégingandée, penché en avant, il s'adressait à une jeune femme, et cette jeune femme, c'était Hélène, ses cheveux châtains défaits, une robe rouge qui laissait son corps libre dans la lumière claire et la douceur de l'air, ils se parlaient d'un air complice qui n'était pas celui aperçu à la gare de Bordeaux cet hiver, ils se parlaient en prenant le temps, ne s'embrassaient pas, ne s'enlaçaient pas, mais ils restaient l'un près de l'autre, comme deux amoureux sans doute, j'étais là, à quelques mètres, mais ils ne regardaient pas autour d'eux, n'entendaient ni les cris de l'irascible dans mon dos, ni la rumeur des passants sur la promenade, ils se parlaient, absorbés par une paix qui me laissait plus stupéfait qu'aussitôt malheureux ou révolté, voilà donc! les mystères d'Hélène étaient de retour.

La circulation s'est débloquée devant moi, alors, tu bouges? a crié le type à la BM, j'ai avancé jusqu'au bout de l'allée qui longe le port, embrayage, freins, accélérateur, clignotants, j'ai conduit de façon machinale, j'avais laissé derrière moi une image qui m'était personnelle et étrangère à la fois, la Simca a dû se garer toute seule devant le ponton où Fillandreau m'attendait, ah! te voilà! je devais faire une drôle de tête, ça va, Lorca? tu te sens bien? je n'ai pas réagi, je suis monté à bord et j'ai dû lui paraître un piètre équipier quand il m'a demandé de souquer ferme, misaine, artimon, de hisser les voiles, voire de fixer l'ancre à l'aide d'une chaîne, jusqu'à la bouée, à la sortie du port, il n'a pas crié et, depuis le nuage sur lequel j'ai flotté toute la journée, ne répondant aux questions que de manière évasive, n'obéissant aux ordres qu'avec une lenteur désarmante, j'ai loué dans mon for intérieur l'indulgence de ce capitaine d'un jour à l'égard du pitoyable matelot que je faisais, ce n'est qu'au retour, quand je me suis trompé de drisse et que je l'ai poussé à accomplir une fausse manœuvre, qu'il s'est courroucé, mon jeune confrère giscardien, tu as peut-être le pied marin, Lorca, je ne sais pas encore, mais tu n'as pas un avenir de cap-hornier, c'est sûr!

Drôle de balade sur les vagues et dans les embruns où Hélène avait flotté sans cesse dans ma tête et devant mes yeux, où elle m'échappait encore, sachant que je ne saurais rien de plus et qu'il me fallait oublier Bertrand Gloirafeux, cette scène à l'ombre fraîche de la guinguette et Hélène elle-même. Prendre le large ! m'avait suggéré Maurice, ce serait plutôt vers la terre ferme et d'autres horizons que je me voyais faire mon bagage, et plus l'écume des vagues venait frapper la coque du navire, plus je me suis pris à rêver de plaines et de vagabondages sur des routes chaleureuses.

Une dernière fois je pouvais partir dans le marais, je devais m'y rendre le soir pour la nuit de garde. J'ai choisi de sortir de la ville par le nord et de contourner la baie, à cette heure le miroitement de la mer pénétrait dans les terres, la pointe noire des bouchots et des piquets de parcs à huîtres ondulait dans la lumière. À travers les prés salés, on découvrait des murets de pierre encadrant les vannes ouvragées à l'embouchure des canaux et l'amorce des prairies inondables où, au terme des rivières, commençait le partage des eaux.

Pour rejoindre le village, j'ai longé des fossés sur une route étroite, enfin le bras d'un cours d'eau. Mes pensées flottaient, le cœur triste, Marcheneau, Hélène, et le cœur léger de retrouver la communauté du village, les pays alentour, non plus comme des ombres étrangères sur ma vie, mais comme des complicités gagnées au fur et à mesure des échanges.

Je suis d'abord passé au cabinet médical pour récupérer du matériel de petite chirurgie, des ordonnances, Francine était en train de fermer, comment va le docteur ? et vous, Francine ? et le village ? oh, ici, elle a eu un air secret, il s'est passé pas mal de choses, elle s'est arrêtée dans son rangement, savez-vous que la fruitière a baissé le rideau ? elle a haussé les sourcils, on ignore où elle est partie, j'ai évité tout commentaire et feint la connivence, mais le dernier scandale, et là, Francine jubilait à l'avance de me l'apprendre, c'est qu'il y en a un autre qui est parti, sa mine faussement contrite ne me trompait pas, le père Gratineau, oui, lui-même ! qui a tout quitté, femme, maison et quincaillerie ! elle a pouffé, plus de Gratineau ! ah bon ! je me suis inquiété, et que va devenir madame Gratineau ? elle est au désespoir, dit qu'elle est humiliée, qu'elle ne veut plus voir personne et, a ajouté Francine avec un sourire, elle raconte son infortune à tout le village à longueur de journée ! eh bien, Francine ! et c'est tout ? ou il y a encore d'autres surprises de cet acabit ? ah ! et là, elle était au bord de l'extase, la secrétaire, son petit théâtre personnel s'animait devant ses yeux au fur et à mesure qu'elle me racontait, il y a aussi de bonnes nouvelles, docteur, étonnantes en tout cas, eh bien ? je me suis empressé de demander, Maryse Retournet va se marier ! non ! si, docteur ! et avec qui ? j'ai sursauté afin de lui procurer tout le bonheur possible en cette morne soirée, avec le fils Gratineau, figurez-vous ! incroyable ! je me suis écrié, oui ! elle a gloussé, ils ont tellement insisté, les deux amoureux, que les familles ont fini par, un, donner leur accord, deux, se rencontrer, et trois, se réconcilier !

Elle a observé l'effet que cette information produisait sur moi et a repris, c'est pas beau, ça ? mais, Francine, je l'ai coupée, perplexe, vous ne m'avez pas dit que le sieur Gratineau… ? ah ! mais si ! elle a rebondi, une fois que le mariage a été décidé, que tout le monde s'est embrassé, eh bien, Francine ? eh bien, elle s'est enflammée, trois jours plus tard, l'oiseau s'envolait, pfuit ! elle a fait le geste avec les mains, vous imaginez le scandale ? elle s'est assise pour mieux m'en faire le récit, j'imagine, Francine, j'imagine ! il lui fallait libérer toute cette pression pendant l'évocation de ces hauts faits du village, elle a commencé à dégrafer sa blouse et chercher dans son sac une guimauve, sa faiblesse, c'est vrai, Francine, qu'il s'en passe de belles! j'ai soupiré pour la satisfaire, en même temps je me suis avancé dans le couloir pour signifier mon départ, la secrétaire avait tout son temps désormais, bon, Francine, il faut que j'y aille! attendez! elle s'est étouffée, vous n'allez pas partir maintenant! si, Francine! je vous assure, il le faut, je suis invité ce soir, mais pas du tout! et là, elle m'a saisi par les épaules, d'autorité m'a fait asseoir dans le fauteuil en rotin en face d'elle, ne courez pas comme ça! elle a ordonné, je ne vous ai pas raconté la meilleure! ah bon! j'ai concédé, tout espoir de fuite était anéanti, Francine a repris son souffle, ses yeux brillaient, elle me dévisageait, illuminée, et j'ai compris que nous approchions d'une forme d'apothéose, je vous ai dit que nous avions perdu notre fruitière? elle a joint les mains, eh bien, et cela doit rester entre nous, a-t-elle précisé cette fois, c'était dire si le secret était précieux! eh bien, Philippe Gloirafeux, votre confrère, que croyez-vous qu'il a fait? mais je n'en sais rien, Francine! il a jeté son dévolu sur Liliane, la pâtissière, elle a bien articulé pour que je prenne la dimension du drame, non! sacré Gloirafeux tout de même! ah vous pouvez le dire! surtout que celle-là, elle a pris un air pincé que je lui connaissais bien, ce n'est pas grand-chose, ce n'est pas pour rien qu'ici, on appelle le pâtissier Cocu-la-Praline! ça en dit long! ah oui! elle agitait sa blouse dans ses mains ne sachant plus si elle devait l'enfiler à nouveau ou la pendre sur un cintre, le visage coloré, les cheveux en bataille, elle était au comble de l'émotion, elle a étendu les jambes devant elle et défait la boucle de ses souliers, il fallait que je dise quelque chose et puis que je m'en aille, vous savez quoi, Francine? des fois je me dis qu'ici, dans ce patelin, c'est pire qu'à Paris! Là, elle n'a rien répondu, elle m'a regardé d'un drôle d'air, le pétillement de ses yeux a changé de teinte, elle s'est demandé si je ne persiflais pas un peu, tiens! elle s'est levée, avant de partir, venez m'aider à ranger les boîtes de compresses dans l'armoire et les feuilles de soins dans le tiroir ! un souffle d'autorité l'avait reprise.

J'étais attendu chez Lepreux, l'ambiance était si familiale maintenant que mon hôtesse avait gardé ses chaussons et ne s'était pas peignée façon Scarlett O'Hara pour me recevoir, elle n'en revenait pas de son audace, j'espère que vous ne m'en tiendrez pas rigueur ! Elle avait préparé des cailles aux raisins dont mon confrère m'a décrit la recette autour d'un verre de porto, j'ai cru que nous allions ensuite nous borner à écouter le tic-tac de la pendule en attendant de passer à table, Lepreux n'était pas en verve au début et laissait de longs silences, la maison elle-même, pas un bois qui craquait, ni un huis qui grinçait, exprimait cette densité du vide, selon la formule préférée de Maurice, la rue aussi était déserte, pas une voiture, pas une voix pour s'élever et résonner dans le quartier.

Je me suis alors lancé dans l'énumération des patients dont je souhaitais avoir des nouvelles quand Lepreux, qui tournicotait depuis un moment, s'est animé enfin et m'a désigné *Le Monde* sur la table basse du salon, ils ne sont pas tendres ces temps-ci avec notre président, il a tiré une bouffée de sa pipe qu'il avait allumée, enfin ! la vie reprenait ! mais ils ne sont pas les seuls, incurie, crise, modernité de vitrine, que ne lit-on pas ! il m'a jeté un regard rapide, qu'en pensez-vous, Lorca ? *Le Monde* est un journal sérieux ! j'ai rétorqué avec un large sourire qui se voulait complice mais ne m'engageait pas, cependant il était lancé, Lepreux, il est sûr que les mouvements trop radicaux s'essoufflent à gauche, je me demandais où il voulait en venir, le confrère, il a tapoté le tuyau de sa pipe contre le cendrier, voyez ! même Georges Marchais va en Italie suivre une cure de souplesse chez Berlinguer ! ouvert le parti communiste ! plus stalinien ! c'est lui qui l'affirme, enfin… presque plus ! soluble dans l'Union de la gauche ! il a croisé les jambes, s'est renfoncé dans son vieux fauteuil, c'est amusant, non ? j'ai contemplé la bouteille de porto sur la table, l'étiquette surtout, c'était du dix ans d'âge, bien décidé à le laisser causer, en fait, a-t-il poursuivi, je crois qu'il y a dans tout cela des idées généreuses qui doivent survivre, ah ! là, je me suis exclamé, sur ce point, je ne peux qu'être d'accord avec vous ! je ne voulais pas l'abandonner plus avant dans son soliloque, je tenais même à l'approuver de façon retentissante, mais il me surprenait, lui, le conservateur, le blasé, ces idées-là, il a repris, ne pouvaient exister dans un système révolutionnaire, peut-être le pourront-elles dans le cadre d'un programme modéré, serait-ce dans l'Union de la gauche ? même avec Marchais et Mitterrand ? j'ai demandé benoîtement, même avec Marchais et Mitterrand !

Lepreux s'est levé, bon, passons à table ! nous allons tâcher de faire honneur aux merveilles de notre cordon-bleu ! il reprenait le style guindé dans ses phrases, la parenthèse s'était refermée, pendant le repas, ils ont fait des manières, son épouse et lui, pour déguster les volatiles, tiens ! si vous le souhaitez, il a soufflé, nous l'avons ce soir à la télévision, Marchais ! il assure le spectacle celui-là ! si je puis m'exprimer ainsi ! excellente cette caille, ma chérie ! J'ai imaginé tout à coup un cliché de cet instant, moi, assis sous le balancier d'une comtoise dans une maison bourgeoise du marais, entre monsieur et madame Lepreux, aux prises avec des petits oiseaux ! je l'aurais expédié à Maurice pour le faire rire un peu, ou bien à Pascal qui, pendant ce temps, devait mordre dans un bocadillo et boire des bières au bout d'un comptoir perdu d'Andalousie, en compagnie de banderilleros sans contrat, en train de se dire que demain sera un autre jour.

Chez le même éditeur

Françoise Asso
Déliement
Reprises
Par-dessus le toit
Patrick Autréaux
Se survivre
Le Grand Vivant
Jérôme d'Astier
Les Jours perdus
Lutz Bassmann
Haïkus de prison
Avec les moines-soldats
Les aigles puent
Danse avec Nathan
Golshem
Pierre Bergounioux
Le Grand Sylvain
Le Matin des origines
Le Chevron
La Ligne
Simples, magistraux et autres antidotes
Un peu de bleu dans le paysage
Back in the Sixties
Carnet de notes 1980-1990
Carnet de notes 1991-2000
Carnet de notes 2001-2010
Les Forges de Syam
Une chambre en Hollande
François Bon
Temps machine
L'Enterrement
Prison
Le Solitaire
Paysage fer
Mécanique
Quatre avec le mort
David Bosc
La Claire Fontaine
Mourir et puis sauter sur son cheval
Patrick Boucheron
Léonard et Machiavel
Prendre dates (avec Mathieu Riboulet)
Joë Bousquet
D'un regard l'autre
Papillon de neige
Les Capitales
Géva Caban
La Mort nue
Béatrice Commengé
La Danse de Nietzsche
Marie Cosnay
Villa Chagrin
Esther Cotelle
La Prostitution de Margot
Didier Daeninckx
Retour à Béziers
La Mort en dédicace
Cannibale
Le Dernier Guérillero
Les Figurants
La Repentie
Cités perdues
Histoire et faux-semblants
Rue des Degrés
Le Goût de la vérité
Emmanuel Darley
Un gâchis
Un des malheurs
Marc Delouze
C'est le monde qui parle
Richard Dembo
Le Jardin vu du ciel
Laure des Accords
L'Envoleuse
Michèle Desbordes
La Robe bleue
La Demande
L'Habituée
Un été de glycine
L'Emprise
Les Petites Terres
Camille de Toledo
L'Inquiétude d'être au monde
Tonino Devienne
Domaine de Breakdown
François Dominique
Solène
Dans la chambre d'Iselle
Pierre Dumayet
Le Parloir
La Maison vide
La vie est un village
La Nonchalance
Brossard et moi

Eugène Durif
Une manière noire
Vincent Eggericx
L'Art du contresens
Peau d'ogre
Mémoires d'un atome
Claude Esteban
L'Ordre donné à la nuit
Trois Espagnols. Goya, Velázquez, Picasso
Ivan Farron
L'Appétit limousin
Alain Fleischer
Mummy, mummies
Pris au mot
Grands hommes dans un parc
Benjamin Fondane
Le Mal des fantômes
Écrits pour le cinéma
Le voyageur n'a pas fini de voyager
François Garcia
Federico ! Federico !
Christian Garcin
Labyrinthes et Cie
La neige gelée ne permettait que de tout petits pas
L'Autre Monde
La Piste mongole
Des femmes disparaissent
Ienisseï
Armand Gatti
Le Couteau-toast d'Évariste Galois
La Parole errante
Œuvres théâtrales
L'Enfant-rat
Les Arbres de Ville-Évrard
Le Poisson noir – Un homme seul
Notre tranchée de chaque jour
Les Analogues du réel
Le Monde concave
Opéra avec titre long
La Traversée des langages
Michaël Gluck
Partition blanche
Georges-Arthur Goldschmidt
Le Poing dans la bouche
Le Recours
Celui qu'on cherche habite juste à côté
Sylvie Gracia
L'Ongle rose
Pavel Hak
Vomito negro
Jean-Baptiste Harang
Prenez un coq
Laurent Jenny
Le Lieu et le Moment
Gil Jouanard
Le Jour et l'Heure
Le Goût des choses
Plutôt que d'en pleurer
D'après Follain
Mémoire de l'instant
Bonjour, monsieur Chardin !
L'Envergure du monde
Michel Jullien
Compagnies tactiles
Au bout des comédies
Esquisse d'un pendu
Yparkho
Luba Jurgenson
Au lieu du péril
Annie Le Brun
Appel d'air
Raymond Lepoutre
Ernesto Prim
Alain Lercher
Le Jardinier des morts
Les Fantômes d'Oradour
Le Dos
Prison du temps
Alain Lévêque
D'un pays de parole
Bonnard, la main légère
La Maison traversée
Le Ruisseau noir
Christophe Manon
Extrêmes et lumineux
Hugo Marsan
Le Corps du soldat
Le Balcon d'Angelo
Colette Mazabrard
Monologues de la boue
Jean-Yves Masson
L'Incendie du théâtre de Weimar
L'Isolement
Ultimes vérités sur la mort du nageur
Daniel Mesguich
L'Éternel Éphémère
Natacha Michel
Autobiographie
Plein présent

Pierre Michon
Vie de Joseph Roulin
Maîtres et Serviteurs
La Grande Beune
Le Roi du bois
Trois auteurs
Mythologies d'hiver
Abbés
Corps du roi
L'Empereur d'Occident
Les Onze
Vermillon (avec Anne-Lise Broyer)
Je veux me divertir
Dieu ne finit pas
Fie-toi à ce signe
Maurice Nadeau
Le Chemin de la vie
Claude Pérez
Amie la sorcière
Conservateur des Dangalys
Jackie Pigeaud
Théroigne de Méricourt. La lettre-mélancolie
Christophe Pradeau
La Souterraine
La Grande Sauvagerie
Jacques Réda
La Sauvette
Le Lit de la reine
Les Fins Fonds
L'Affaire du Ramsès III
Mathieu Riboulet
L'Amant des morts
Avec Bastien
Les Œuvres de miséricorde
Prendre dates (avec Patrick Boucheron)
Lisières du corps
Entre les deux il n'y a rien
Olivier Rolin
La Langue
Bric et broc
Veracruz
Emmanuelle Rousset
L'Idéal chaviré
Saturnales de Swift
Jean-Jacques Salgon
07 et autres récits
Le Roi des Zoulous
Ma vie à Saint-Domingue
Place de l'Oie
Dominique Sampiero
La Lumière du deuil
Le Dragon et la Ramure
Michel Séonnet
La Tour sarrasine
Que dirai-je aux enfants de la nuit?
Anne Serre
Le Mat
Petite table, sois mise!
Dominique Sigaud
Partir, Calcutta
Pierre Silvain
Le Jardin des retours
Julien Letrouvé colporteur
Assise devant la mer
Les Couleurs d'un hiver
Bernard Simeone
Acqua fondata
Cavatine
Sarah Streliski
Accident
Philippe Sollers
Le Saint-Âne
Emmanuel Venet
Ferdière, psychiatre d'Antonin Artaud
Précis de médecine imaginaire
Rien
Guy Walter
Un jour en moins
Outre mesure
Antoine Wauters
Nos mères

Cet ouvrage a été achevé d'imprimer en novembre 2015
dans les ateliers de Normandie Roto Impression s.a.s.
61250 Lonrai
N° d'imprimeur : 1505033
Dépôt légal : novembre 2015
Imprimé en France